ROBIN RINALDI

MEIN WILDES JAHR

ROBIN RINALDI

MEIN WILDES JAHR

Zwei Tage Ehe, fünf Tage Sex

Aus dem amerikanischen Englisch
von Ursula Wulfekamp

C. Bertelsmann

Die Originalausgabe erschien 2015 unter dem Titel
»The Wild Oats Project. One Woman's Midlife Quest for Passion at any Cost«
bei Sarah Crichton Books, an Imprint of
Farrar, Straus, and Giroux, New York.

Verlagsgruppe Random House FSC® N001967
Das für dieses Buch verwendete FSC®-zertifizierte
Papier *Munken Premium Cream* liefert
Arctic Paper Munkedals AB, Schweden.

1. Auflage

Umschlaggestaltung: buxdesign, München
Satz: Uhl + Massopust, Aalen
Druck und Bindung: GGP Media GmbH, Pößneck
Printed in Germany
ISBN 978-3-570-10189-6

www.cbertelsmann.de

Für Ruby

INHALT

Teil eins: Der Tod des braven Mädchens

Teil zwei: Mein wildes Jahr

VORBEMERKUNG DER AUTORIN

Was ich erzähle, ist eine wahre Geschichte, aber wie alle Erinnerungen schildert sie nur eine Seite der Wahrheit. Ich habe die Namen und die identitätsstiftenden Merkmale der meisten Personen, die in diesem Buch vorkommen, verändert.

TEIL EINS

Der Tod des braven Mädchens

Lieber ein Kind in seiner Wiege morden,
als seinen Wünschen nicht zu folgen.
William Blake, »*Sprichwörter der Hölle*«

1.

Die Schwelle

Es war einer der seltenen lauen Abende in San Francisco. An den breiten Fenstern der Bar im ersten Stock, von der man das ganze Castro-Viertel im Blick hatte, rannen Regentropfen herab und ließen die Neonreklamen und die Scheinwerfer verschwimmen. Als sich die Büros zum Wochenende leerten, wurde die Bar voller, der DJ drehte die Musik lauter, der Kellner servierte die erste Runde kälteschwitzende Margaritas. Ich war die einzige Frau und die einzige heterosexuelle Person im Raum. Mein Freund Chris, den ich liebevoll meinen Schwulen-Ehemann nannte, unterhielt sich mit seinen Kumpeln. Ich holte mein Handy aus der Tasche und drückte auf Pauls Namen.

Das machte ich, ohne vorher darüber nachzudenken. Die paar Schluck Margarita taten wahrscheinlich ihr Übriges, aber um ehrlich zu sein, war die Gelegenheit an dem Abend einfach zu günstig. Es war noch früh, mein Mann wusste, dass ich mit meinem schwulen Freund unterwegs war, und rechnete erst in ein paar Stunden wieder mit mir. An diesem Freitagabend im Juli 2007 hatte etwas in mir – etwas Verborgenes, das aber so willensstark war, dass es mich zum Handy greifen ließ – das Gefühl geweckt, alles tun zu dürfen, wozu ich Lust hatte. Während ich mit dem Handy beschäftigt war, spürte dieser verborgene Teil in mir gewissenhaft die Veränderungen in meiner Ehe bis zu diesem Abend nach.

Was machst du gerade?, simste ich.

Lieg auf dem Sofa und schau fern.

Kann ich vorbeikommen?

Fünf Minuten lang keine Antwort. In der Zeit überfielen mich abwechselnd der prickelnde Schauer eines »Ja« und die Erleichterung eines »Nein«.

Ja. 2140 Jackson.

Die leuchtend blauen Zeichen »2140 Jackson« gaben eine elektrisierende Spannung ab, die sich meinen Arm hinaufzog und meine Brust von innen zum Glühen brachte, als hätte ich die Kombination zu einem Banksafe erhalten oder einen feindlichen Geheimcode geknackt.

Ich brauchte Zuspruch. Ich zog Chris beiseite und zeigte ihm die SMS. Er wusste, dass ich seit einiger Zeit in Paul verknallt war. Er kannte meinen Mann Scott und mochte ihn auch, doch in seiner Welt – dem Mikrokosmos schwuler Männer in San Francisco – bedeutete für Paare, die wie Scott und ich seit siebzehn Jahren zusammen waren, eine Affäre nicht unbedingt eine Katastrophe. Viele von Chris' Freunden gaben hin und wieder ihrer Schwäche für jemand anderen nach, ohne dadurch ihre feste Beziehung aufs Spiel zu setzen.

Er sah vom Handydisplay zu mir. »Bist du dir sicher?«

»Nein, überhaupt nicht«, sagte ich. Mein Blick wanderte zur Tür. Ich zog meinen Regenmantel an.

»Hör mal«, sagte er und hielt mich am Ellbogen fest, wie ein Football-Coach, der am Spielfeldrand einem Anfänger Anweisungen erteilt. »Lass dir Zeit. Du kannst jederzeit Stopp sagen.«

»Okay. Jetzt muss ich los.«

»Schick mir nachher eine SMS, damit ich weiß, dass alles in Ordnung ist.«

Draußen ging ich durch ein Meer von Schirmen zum Rand des Bürgersteigs und streckte den Arm aus. Ich würde bestimmt zwanzig Minuten warten müssen, bis eines der wenigen in San Francisco zugelassenen Taxis hielt. Im nächsten Moment blinkte ein Fahrer und fuhr an den Straßenrand. Ich nannte ihm die Adresse.

Das Fenster war beschlagen. Ich öffnete es und sah in den sternenlosen, drückenden Himmel hinauf. Die Straßen glänzten vor Nässe, als wir die Divisadero Street hinauffuhren, die die Stadt in eine östliche und eine westliche Hälfte teilt. Während die Häuser an mir vorbeizogen, ging ich in Gedanken noch einmal zurück, überlegte, ob ich meine Entscheidung rückgängig machen sollte, bevor ich mein Leben zerstörte.

Ich kannte Paul schon seit ein paar Jahren. Er war fünf Jahre jünger als ich und hatte immer mit mir geflirtet, was mir völlig harmlos erschienen war, bis zu dem Abend vor einem halben Jahr. Ich hatte ihn und ein paar andere zu einer Party der Zeitschrift, bei der ich arbeitete, eingeladen, einer der Abende in einem Fünf-Sterne-Hotel, wo wegen der kostenlosen Getränke jeder schnell beschwipst ist. Ich unterhielt mich gerade mit jemandem, als Paul mich mit den Fingerspitzen leicht am Unterarm berührte und mich unterbrach. »Ich glaube, du bist die schönste Frau, die ich je gesehen habe«, sagte er und musterte mich ganz unverhohlen. Weil er Scott kannte und weil ich wusste, dass er ein gutherziger Frauenheld war, versuchte ich, sein Kompliment nicht ernst zu nehmen. Ich hatte schon öfter gehört, dass ich ganz gut aussah, manchmal sogar hübsch, aber als schön hatte mich noch kein Mann bezeichnet. Wider Willen fühlte ich mich geschmeichelt.

Und vor zwei Monaten war mir Paul beim Packen für eine Reise nach Mexiko plötzlich ungebeten in den Sinn gekommen. Ich wusste noch genau, in welchem Moment. Ich legte gerade meinen Bikini in den Koffer und dachte mit einer gewissen Trauer, dass die Zeiten, in denen ich einen Zweiteiler tragen konnte, bald vorbei wären. *Trotzdem*, sagte ich mir, *Paul würde viel drum geben, mich in dem zu sehen.*

Und dann war da noch die Taxifahrt vor drei Wochen. Paul und ich hatten uns nach ein paar Drinks mit Bekannten in einer Kneipe zu zweit ein Taxi genommen. Sobald ich im Wagen saß, brauchte ich mich nur zurückzulehnen und zu warten. Ich überließ mich der Stille, die sich über den Rücksitz legte, sah zum Fenster hinaus und spürte seinen Blick auf mir. Sobald ich mich zu ihm umdrehte, fiel er über mich her und presste mich gegen den Sitz. Sein Mund auf meinem. Seine große Hand um meinen Nacken. Was mich genauso erregte wie der Kuss selbst, war, dass er nicht fragte, die Art, wie seine Augen sich verengten, wie er meine Lippen fixierte. Es dauerte nur ein paar Sekunden. Als das Taxi vor dem Haus hielt, in dem ich wohnte, entzog ich mich seinem Griff und lief hinein. Dabei sagte ich mir unaufhörlich: *Es war nur ein Kuss.*

Als ich mich jetzt im Taxi den verschachtelten Läden entlang der Divisadero Street näherte und sie dann wieder im nassen Zischen der nächtlichen Straße verschwanden, warf ich einen Blick auf die zerfurchte Stirn des Fahrers im Rückspiegel. Ich sollte ihn bitten anzuhalten. Ich steckte in einer Midlife-Krise. Ein Klischee. Ich würde aussteigen, durch Pacific Heights laufen und meinen Kopf lüften. Ich sollte auf meine erprobte Intuition hören, der ich mein ganzes bisheriges Leben gefolgt war, und dem Fahrer sagen, dass er umkehren und nach Castro zurückfahren sollte, zu meiner gemütlichen Wohnung, wo mein Mann mit einem Buch und einem Glas Wein wartete.

Vielleicht stellen Sie ihn sich jetzt, nach den ersten Seiten, schon vor und machen sich Gedanken, was mich zu dieser Eskapade veranlasst haben könnte: dass er ein Trottel war, dass es in unserer Ehe am Sex fehlte. Es spricht nicht für mich, sagen zu müssen, dass keines von beiden stimmte. Scott hatte seine Schwächen, aber er liebte mich, und ich liebte ihn.

Möglicherweise denken Sie aber auch, dass ich in diesem Taxi saß, weil ich schlicht und ergreifend ein Flittchen bin. Um der Wahrheit die Ehre zu geben, mit Ausnahme einer sehr traditionellen Freundin war ich in meinem Bekanntenkreis die Dreiundvierzigjährige mit der wenigsten Erfahrung, eine Erstgeborene, ein allzu verantwortungsvolles braves Mädchen, das zeit seines Lebens monogam gewesen war. Wobei ich mit »brav« weder prüde meine noch besonders zuvorkommend oder großzügig. Ich hatte mit einigen Männern geschlafen – vier, um genau zu sein, einschließlich Scott –, Sex machte mir Spaß. Was ich meine, ist, dass ich schreckliche Angst hatte, etwas falsch zu machen oder irgendjemandem zu schaden. Etwas Böses zu tun, kostete mich große Überwindung, mit meinen guten Taten buhlte ich vor allen Dingen um Anerkennung. Es fiel mir schwer, meine Impulse auszuleben. Bis jetzt.

Als der Fahrer von der Divisadero in die Jackson abbog, summte mein Handy den Signalton für eine SMS.

Soll ich eine Flasche Wein aufmachen?

Ohne zu zögern tippte ich *Unbedingt*, und in meinem Bauch begann es erwartungsvoll zu kribbeln. Ich trieb auf einer merkwürdigen, mir fremden Woge dahin, und deren bloße Energie, die überraschende Erkenntnis, dass es doch noch eine innere Dynamik gab, erfüllte mich mit solcher Freude, dass ich mich einfach von ihr mitreißen ließ.

In den regennassen Wohnstraßen am Rand von Pacific Heights war es dunkel und still. Ich bezahlte den Taxifahrer und stand auf dem Absatz vor Pauls Haustür. In der Ferne tutete das Nebelhorn seine Warnung in die kalte, schwarze Bucht hinaus. Ich hob die Hand, um zu klingeln, dann zögerte ich. Der Zustand meiner Ehe rechtfertigte nicht, dass ich jetzt hier stand. Doch eine aufsässige Stimme redete mir gut zu, versicherte mir, ich bräuchte keine Genehmigung mehr, für nichts, vielmehr sei es an der Zeit, ein paar Regeln zu übertreten und zu sehen, wohin mich das führte. Beflügelt von einer halben Margarita und einem Schwall Adrenalin, hielten sich die abgründigen und die vernünftigen Gedanken in meinem Kopf die Waage.

Aber mein Körper hatte jegliches Interesse an aristotelischer Logik verloren. Irgendwie war er aus seinen üblichen Schranken ausgebrochen, um eigenmächtig zu handeln, und zwar zum ersten Mal seit… wie lange? Ich wusste es nicht. Vielleicht zum ersten Mal überhaupt.

Ich drückte die Türklingel.

Damit begann der Weg, auf dem ich vom Pfad der Tugend abwich. Wenn ich diesen Weg jetzt beschreibe, kann man die Geschichte als Manifest der Freiheit oder auch als Warnung lesen. Für mich ist sie beides. Ich werde versuchen, sie so objektiv wie möglich zu erzählen, damit Sie sich ein eigenes Urteil bilden können.

2.

Flüchtling (Sacramento)

Monatelang wehrte ich mich gegen Scotts Annäherungsversuche. Zuerst wollte er mit mir in ein Konzert gehen, dann in ein Restaurant, und als ich beides ausschlug, lud er mich zum Essen bei einem gemeinsamen Freund ein. Da saß ich dann und zitterte am ganzen Körper, denn als wir uns drei Jahre zuvor zum ersten Mal begegnet waren, hatte ich sofort gewusst, dass er den Lauf meines Lebens verändern würde. Die Kulisse dieser ersten Begegnung, eine weitläufige Software-Firma in den staubtrockenen Suburbs von Sacramento, passte so gar nicht zu dem schicksalhaften Ereignis, das sich dort abspielte. Die dunkelblonden Haare fielen ihm auf den Hemdkragen. Ich gab ihm die Hand, und es traf mich blitzartig: Sonnenschein, Wald, ein Friede so tief und still wie ein See.

Theoretisch standen die Chancen nicht gut. Er hatte eine Freundin, die in Spanien studierte, aber sie galten als Paar. Bis vor Kurzem war er mein Chef gewesen, und wir arbeiteten nach wie vor zusammen. Seine letzte Freundin war mit einem Mann verheiratet gewesen, der das Arrangement akzeptiert hatte. Ich war eine offene Wunde, und Scott war unverwundbar – das Letzte, was ich brauchte.

Praktisch erlag ich ihm zunehmend. Nach der Arbeit traf sich unser Team zu ein paar Drinks, und dann unterhielt Scott uns mit Geschichten über seine Reise per Anhalter von

Indiana nach Kalifornien, auf der ihn in Colorado beinahe ein Zwerg erstochen hätte und er auf einer Baustelle in Texas aus mehreren Stockwerken Höhe von einem Balken gefallen war. Er sagte, er wäre zweifellos in den Tod gestürzt, hätte in seinem Kopf nicht eine geheimnisvolle Stimme – ein älterer Mann mit Südstaaten-Akzent – zu ihm gesprochen.

»Und was hat der Mann gesagt?«, fragte ich.

»Er sagte: ›Über deiner linken Schulter ist eine Pfette.‹ Nach der habe ich im Fallen gegriffen.«

»Was ist eine Pfette?«

»Eine Art Balken.«

Das war typisch. Er wusste, wie Sachen hießen – Pflanzen, Bäume, Maschinenteile. Und er wusste, wie Sachen funktionierten. Wenn wir uns am Montagmorgen bei der Arbeit über das vergangene Wochenende austauschten, erzählte er, dass er in seinem uralten Volvo die Triebwelle ersetzt oder um Mitternacht Linoleum in der Küche verlegt hatte.

Er hatte seine Kindheit zwischen den Dünen des Michigansees verbracht. Seine Größe und seine markanten Züge verdankte er seinen deutsch-schottischen Vorfahren, die roten Wangen einem indianischen Einschlag. Er sah aus, als wäre er in meinem Alter, war in Wirklichkeit aber zehn Jahre älter. Sein schmuckes kleines Haus hatte er mit Hartholzböden ausgestattet, aber außer einem Tisch und Stühlen gab es keine Möbel, und an den Wänden hingen derart viele gerahmte Drucke, dass man sich wie in einer Galerie vorkam. Er besaß eine Katze namens Kato und einen Garten, in dem er Tomaten und Pfirsiche anbaute, und er schrieb surrealistische Kurzgeschichten mit Titeln wie »Die Mutter von zehntausend Wesen«. Er zitierte mit Vorliebe Walt Whitman und Epikur. In seinem überquellenden Bücherregal stand sein altes Pfadfinder-Handbuch zwischen Bertrand Russells *Warum ich kein Christ bin* und William Burroughs' *Western Lands*. Mit diesen drei Büchern ließ sich seine Persönlichkeit zusammenfassen: Mittlerer Westen, autark und von unterschwelliger Wildheit.

Er hatte einen MBA gemacht und schon mit Mitte zwanzig an der Börse investiert. Als wir uns kennenlernten, gab es nach meinem Dafürhalten nichts, was er nicht schon gemacht hätte, sei es, dass er in den Wäldern Indianas in seinem Auto gelebt, Psychedelika genommen oder den Immobilien- und Aktienmarkt durchschaut hatte. In den drei Jahren unserer Freundschaft, bevor wir ein Paar wurden, fiel mir auf, dass Frauen ihm Blumen schickten und Kekse für ihn backten.

Schließlich lud er mich an einem Samstag zu einem Picknick in den Vorbergen der Sierra ein. Die junge Frau, die eine Zwölf-Schritte-Gruppe besuchte, wollte Nein sagen, die junge Frau, die die Welt sehen und herausfinden wollte, wie man in ihr lebt, fühlte sich verlockt.

»Ich komme mit«, sagte ich, »unter der Bedingung, dass du umkehrst, wenn ich es sage.« So war ich damals, als Sechsundzwanzigjährige: Ich hatte Angst vor Autos, Angst vor Männern und Angst vor jeder Stadt und jeder Straße, die ich nicht wie meine Westentasche kannte.

»Natürlich«, sagte er. »Wir können das Picknick auch jederzeit bei mir im Garten machen.«

Wenn man in einer ehemaligen Bergarbeitersiedlung in der Nähe von Scranton, Pennsylvania, aufwächst, lässt man sich von jedem schönen Anblick gefangen nehmen. Die an den Bäumen reifenden Äpfel, die Sonne, die milchig-rosa zwischen den Wolken aufgeht, der verwahrloste Charme verrußter Ziegel und verrosteter Eisenstreben vor dem Hintergrund der blauen Berge ringsum. In Paris, umgeben von Prunk und Pracht, nimmt man den Geruch von Regen kaum wahr, oder höchstens als angenehme Beinote. An einem Sommerabend im Nordosten von Pennsylvania aber, wenn man den ganzen Tag beim Schwimmen war und jetzt auf dem Rücksitz des Autos herumfläzt, in dem der Freund an aufgelassenen Brechwerken und Pizzabuden mit greller Neonreklame vorbeifährt, während man ein Bein aus dem Fenster baumeln lässt und die Teenagerhaut am ganzen Körper vor Sonnenbrand und Chlor spannt, lernt man, was Regen wirklich bedeutet.

Dass mein Vater trank, merkte ich erst, als ich an der Highschool war und er zum Frühstück Wodka kippte. Für mich als Kind gab es gravierendere Probleme, etwa, dass er ein Buchmacher war. Das war ein Geheimnis und gefährlich, weil er deswegen jederzeit im Gefängnis landen konnte. Genauso gravierend war, dass er ständig drohte, meine Mutter umzubringen. Und dass sie allein weder einkaufen gehen noch Auto fahren konnte. Eine weniger starke Frau hätte sich ins Bett zurückgezogen oder wäre mit nervösen Störungen ins Krankenhaus eingeliefert worden, aber am Rand des völligen Zusammenbruchs ließ irgendeine Kraft sie immer noch funktionieren, ließ sie Koteletts braten, Staub saugen und trotz ihrer Panikattacken Zärtlichkeiten und Medizin verteilen. Meine Eltern waren zweiundzwanzig Jahre älter als ich.

Die Hassgefühle, die ich im Lauf der Zeit gegen meinen Vater entwickelte, überdeckten nie die biologisch bedingte Verehrung, die ich für ihn empfand. Meine hundertprozentige Abhängigkeit von meiner Mutter überdeckte nie den Umstand, dass sie auch mein Kind war, mich um Rat fragte und bat, mit ihr zum Arzt zu fahren. Die Liebe, die ich für meine drei kleineren Brüder empfand, die bedingungslose Liebe, die man für ein Kind mit seiner eigenen DNA empfindet und deretwegen man es gleichzeitig auffressen und beschützen möchte, hinderte mich nicht daran, jeden Tag aus dem Haus zu laufen, um dem Lärm und Chaos ihres unablässig wütenden Eifers zu entkommen.

Jeden Morgen machte ich mich unter schweren Wolken

auf den Weg am Apfelbaum vorbei zur Schule, um beste Noten einzuheimsen. Am Nachmittag besuchte ich das Ballettstudio, wo ich meinen Körper in anspruchsvolle, artifizielle Positionen verrenkte. Am Abend fuhr ich mit Freunden in den Wald, hörte Led Zeppelin, trank aus kleinen Flaschen Bier, rauchte ab und zu einen Joint und lernte die zahlreichen Varianten kennen, dank derer sich ein junges Mädchen dem Vorspiel widmen kann, ohne richtig Geschlechtsverkehr zu haben. Zu Hause lauerte in jedem Morgengrauen eine Katastrophe, die ich irgendwie unbeschadet überstand.

Den Rest meines Lebens staunte ich über das Glücksgefühl, das ich meine ganze bewegte Kindheit hindurch empfand, so verbunden fühlte ich mich den Bergen, der Kleinstadt, meinen Freunden und meiner kaputten Familie. Und ich staunte, dass ich erst nach dem Ende dieser Kindheit unter ihrer Wucht zusammenbrach.

Die Schuld daran gebe ich dem wolkenlosen, unendlich hohen Himmel über Sacramento, der ebenso eindimensional ist wie die langweiligen Suburbs, die sich unter ihm ausbreiten. Ich war zwanzig, als ich mit einem Freund dorthin floh, und ein paar Jahre lang, als ich studierte und dann eine Stelle als technische Redakteurin fand, ging es ganz gut. Zwar war Sacramento eine herbe Enttäuschung, wenn ich an das Kalifornien meiner Träume dachte, andererseits trennten mich jetzt viereinhalbtausend Kilometer von meinem emotionalen Magneten, dem Zuhause, wo mein Vater in eine Reha kam, meine Mutter sich wegen Angststörungen in ein Therapiezentrum einweisen ließ, mein Großvater im Sterben lag und eine Scheidung im Gang war.

Als meine Trauer explodierte, hatte ich das Gefühl, als könnte ich jederzeit von der Erdoberfläche fallen. Der eintönige Himmel und die endlose Ebene des Sacramento Valley gaben mir keinen Halt. Orte und alltägliche Abläufe verloren alles Vertraute. Plötzlich gehörte ich nirgendwo mehr hin: weder zu meinem Freund noch zu meinem Job, weder nach Kalifornien noch nach Pennsylvania, nicht einmal in meine eigene Haut. Es kam mir vor, als wäre alles – Straßen, Gebäude, Bürgersteige – auf einen hauchdünnen Vorhang aufgemalt. Beständig lebte ich in der Angst, im nächsten Moment würde eine allmächtige Hand den Vorhang beiseiteschieben und mich in die dahinterliegende Leere stoßen. Wenn das passierte, musste ich vom Schreibtisch aufspringen oder auf dem Highway an den Straßenrand fahren. Weinkrämpfe schüttelten mich, aber es war eher ein Schreien als ein Weinen.

Bei der firmeninternen Beratungsstelle für Mitarbeiter wurde mir gesagt, ich litte an einer posttraumatischen Belastungsstörung, weil ich in einer gewalttätigen Alkoholikerfamilie aufgewachsen sei. Meine Mutter erklärte mir am Telefon dasselbe. Sie gab mir den Rat, mir einen Therapeuten zu suchen und an einem Zwölf-Schritte-Programm der Anonymen Alkoholiker teilzunehmen. Ich war vierundzwanzig. Mein Teenagertraum, als Journalistin durch Europa zu reisen, würde warten müssen, bis ich wieder funktionierte. Fünfmal die Woche besuchte ich ein Treffen der »Erwachsenen Kinder von suchtkranken Eltern und Erziehern«, EKS, kaufte sämtliche Selbsthilfebücher zum Thema und ging gewissenhaft zur Therapie. Tags schrieb ich geisttötende Software-Handbücher, abends verfasste ich wütende Briefe an meinen Vater, dass er uns alle misshandelt habe, und an meine Mutter, dass sie meine Hilfe in Anspruch genommen habe, um sich mit der Situation abzufinden, anstatt mit uns allen zu verschwinden.

Mein Freund musste gehen. Nicht, weil er etwas falsch gemacht hatte, sondern weil ich auf ihn angewiesen war und ich allein leben musste. Ich wollte ein Jahr lang sexuell enthaltsam sein. Ich zog in eine Gartenwohnung in einer baumbestandenen Straße mitten in Sacramento – in der Stadt gab es zumindest Bäume, das musste ich ihr zugute halten – und machte mich daran, zu einer körperlich und geistig gesunden Erwachsenen zu werden. Zwei Jahre lang trank ich kein Bier, kein Glas Wein. Ich war fest entschlossen, die typischen Fallstricke für junge Frauen mit meiner Vergangenheit zu vermeiden: gewalttätige Beziehungen, Sucht, promisker Sex, Nervenklinik.

Das war das Mädchen, das im siebten Monat ihres geplanten Zölibatjahres Scotts Einladung zum Picknick annahm.

Er fuhr mit mir durch die kleine Ortschaft Sutter Creek und parkte den Wagen neben einem Schild, auf dem »Electra Road« stand. Eine Weile folgten wir einem Wanderweg, dann breitete Scott neben dem Bach eine Decke aus und holte Käse, Brot und Obst aus dem Rucksack. Ich war seit Jahren nicht mehr draußen in der Natur gewesen – in den letzten eineinhalb Jahren hatte ich mich ausschließlich im fast täglichen Kreis von Wohnung, Büro, Therapiepraxis und Selbsthilfe-Gruppe bewegt. Im Wald war es still, aber wenn ich genau hinhörte, waren da auch überall die Geräusche von Wasser, Laub und Insekten.

Scott erzählte mir von seinem Vater, einem Radiosprecher, der in seiner Freizeit die Häuser baute, in denen die Familie wohnte, und von seiner Mutter, einer Frau, die Blumen liebte und gerne Sachen mit den Händen machte und die drei Jahre zuvor mit gerade einmal achtundfünfzig an Darmkrebs gestorben war. Scott holte aus seinem Rucksack die ausgedruckten Seiten einer Kurzgeschichte mit dem Titel »Der Replikant«, die er selbst geschrieben hatte. Er drehte sich auf den Bauch, stützte sich auf die Ellbogen und begann zu lesen. Die Geschichte handelte von einem erwachsenen Sohn, der die Erinnerungen seiner sterbenden Mutter in einen Roboter downloaded. Als sie dann tot ist, stellt er, wann immer er sie vermisst, den Roboter an und schaltet ihn wieder aus, bevor er aus dem Haus geht. Als er einmal von der Arbeit nach Hause kommt und den Roboter reglos und schweigend in der Ecke sitzen sieht, überwältigen ihn Schuldgefühle und Trauer, ihn allein gelassen zu haben.

Plötzlich fielen Scott die Seiten aus der Hand, er ließ den Kopf hängen und brach derart unvermittelt in Tränen aus, dass ich ihn ohne zu überlegen in den Arm nahm.

»Entschuldigung«, sagte er und riss sich zusammen. »Ich habe die Geschichte noch keinem anderen Menschen gezeigt.«

»Das braucht dir nicht leidzutun«, sagte ich. Das war doch zu schön, um wahr zu sein – dieser weltzugewandte, erfahrene Mann hatte mehr Gefühle, als es den Anschein hatte. Er war ja doch nicht so sehr anders als ich. Meine Angst löste sich in Nichts auf. Ein paar Minuten später küssten wir uns. Er drehte mich auf den Rücken, seine Hand wanderte in meine Shorts. Sein Körper war so lang, seine Schultern so breit, dass ich völlig in seinem Schatten lag. Er legte sich auf mich. »Nicht hier«, sagte ich. »Es könnte jemand vorbeikommen.«

Auf dem Rückweg hörten wir Bonnie Raitt. Als wir bei ihm zu Hause angekommen waren, schleppte er aus dem Gästezimmer eine Matratze auf den Wohnzimmerboden. Vielleicht mied er das Schlafzimmer wegen des gerahmten Fotos seiner in Spanien lebenden Freundin, das dort auf der Kommode stand.

In den folgenden Monaten fuhren wir sämtliche Landstraßen Nordkaliforniens ab. Scott zeigte mir die hohen Sierras, die kleinen Ortschaften in den Vorbergen wie Volcano und Nevada City, die heruntergekommenen Kneipen und abgelegenen Siedlungen im Sacramento River Delta. Wir fuhren Bergstraßen hinunter und umrundeten Haarnadelkurven und hörten dabei eine Kassette mit Gedichten von William Butler Yeats. »Segeln nach Byzantium« lernte ich auswendig. Angeregt von Scott las ich T. S. Eliots *Vier Quartette*, William

Blakes *Sprichwörter der Hölle* und Walt Whitmans *Gesang von mir selbst*. Allmählich bekam ich das Gefühl, es könnte mir vielleicht doch vergönnt sein zu leben.

Eines Sonntagnachmittags auf dem Highway 1, dort, wo er direkt entlang der Küste von Mendocino verläuft, ersetzte Scott die Yeats-Kassette durch Brian Enos und John Cales *Wrong Way Up*. Eno sang »Spinning Away« — »One by one, all the stars appear, as the great winds of the planet spiral in« –, eine einzelne Violinsaite vibrierte eine Oktave über dem Gesang. Ich stellte mich auf den Beifahrersitz, reckte den Oberkörper zum Sonnendach hinaus, breitete die Arme aus und hielt mein Gesicht in den Seewind, bis die Straße so kurvig wurde, dass ich das Gleichgewicht verlor. Lachend ließ ich mich wieder auf den Sitz fallen und schaute zu Scott. Er sagte: »Ich bin so glücklich, gleich springt mir das Herz aus der Brust.«

Etwas Leidenschaftlicheres hat er nach meiner Erinnerung seitdem nie mehr gesagt, und die Tränen, die er in der Electra Road weinte, waren die letzten für beinahe zehn Jahre. Ich schlug alle damals gängigen Dating-Ratschläge in den Wind, die Frauen empfahlen, sich einen kommunikationsfähigen und »emotional zugänglichen« Mann zu suchen. Ich wollte Scott und sonst niemanden. Obwohl ich mir oft mehr von der Verletzlichkeit wünschte, die er damals bei unserem ersten Date gezeigt hatte, zog er mich durch seine Zurückhaltung nur noch mehr in seinen Bann. Er war muskulös und groß, und vor dieser Masse Mann kapitulierte ich mit Körper, Herz und Seele.

Den Tag an der Electra Road nannten wir nach einer Weile unseren Jahrestag. Und zehn Jahre später war das der Tag, an dem wir heirateten.

In diesen zehn Jahren war Scott der ruhende Pol, um den ich kreiste. Ich schenkte ihm Leidenschaft, er schenkte mir Stabilität. Ab und zu kam es mir allerdings auch vor, als wäre ich ein Crashtest-Dummy und er eine Mauer, und die einzige Möglichkeit, eine Auskunft, eine Reaktion oder irgendetwas von ihm zu bekommen, bestünde darin, ihn zu rammen. Wer Fotos von uns sah, wie wir auf einer Party miteinander redeten oder zusammen auf der Couch lagen, begriff allerdings sofort, weshalb wir uns miteinander abfanden: Unsere Augen und unsere Körper brachten eine gegenseitige hingebungsvolle Liebe zum Ausdruck, die sogar mich überraschte, wenn ich sie auf einem Bild festgehalten sah. In diesen zehn Jahren und auch unsere ganze Ehe hindurch küssten wir uns jedes Mal zur Begrüßung und zum Abschied. Ich zeigte ihm meine Liebe, indem ich ihn nach drei Jahren fragte, ob wir nicht zusammenziehen sollten, und ihn nach sieben Jahre bedrängte, mir einen Heiratsantrag zu machen. Er zeigte mir seine, indem er meinen Bitten schließlich nachgab. Viele Frauen hatten schon versucht, Scott zur Monogamie zu bekehren, und waren gescheitert.

Als Scott schließlich tatsächlich um meine Hand anhielt, bei einem Essen am Valentinstag in meinem Lieblingsrestaurant, verblüffte ich mich selbst mit meiner Reaktion. Es gab noch keinen Ring, nur einen auf der Schreibmaschine geschriebenen Brief über den Ursprung des Valentinstags, in dem die Worte »Heirate Mich« in einer etwas anderen, größeren Schrifttype verborgen waren. Als sich die einzelnen Buchstaben vor meinen Augen zu Wörtern zusammenfügten, brach ich vor Freude in Tränen aus. Keine Sekunde später trieb eine Wolke herein und brachte eine Kälte mit sich, die mich unfassbarerweise sagen ließ: »Kann ich's mir überlegen?«

Wenig später erklärte ich, ich bräuchte meinen Freiraum. Ich sei zu abhängig von ihm geworden und müsse mir, ehe wir heirateten, noch einmal beweisen, dass ich auch allein leben konnte. Zu der Zeit arbeitete ich schon als Journalistin bei einer Zeitung in der Innenstadt. Ich mietete mir in der Nähe eine kleine Wohnung im zweiten Stock und setzte mich in der Mittagspause regelmäßig in die Küche, um schweigend aus dem Fenster auf die Wipfel der Palmen zu blicken. Aber ich verbrachte nur wenige Nächte dort. Wenn ich nicht bei Scott und in dem Haus war, in dem wir seit Jahren zusammenwohnten, zitterten mir die Hände. Ganz gewöhnliche Tätigkeiten strengten mich so an, als müsste ich mich durch eine zähe Masse vorarbeiten. Kam das von meiner pathologischen Angst, allein zu sein – von der ich mich gern befreien wollte –, oder von der akuteren Angst, die Beziehung zu der Person, die ich am meisten liebte, aufs Spiel zu setzen? Ich wusste es nicht, und ich wurde es leid, dahinterzukommen. Als der Mietvertrag nach sechs Monaten auslief, war ich bereit, einen Termin für die Hochzeit festzusetzen.

Angesichts der Umwege, die unsere Verlobung nahm – ein himmelschreiender Unterschied zu den Szenen im Film und in der Tiffany-Werbung –, könnte man meinen, wir wären nicht füreinander bestimmt gewesen. Aber wir wussten, dass unsere Bindungsängste nichts mit unserer Beziehung zu tun hatten. Woher Scotts kamen, konnte ich nur vermuten – womöglich von der Verlobten, die die Beziehung aufgekündigt hatte, als er zwanzig war, oder vielleicht von einer späteren Freundin, die ihn betrogen hatte. Das tat wenig zur Sache, denn wenn er sich einmal auf etwas eingelassen hatte, setzte er alles daran, die Verpflichtung zu erfüllen – ob er nun jede Woche eine bestimmte Zahl an Kilometern laufen oder einen gewissen Teil seines Gehalts sparen wollte.

Meine Bindungsangst war sehr viel einfacher zu erklären: Ich versuchte, mir einen Mann vorzustellen, der so perfekt wäre, dass ihn zu heiraten das Natürlichste von der Welt wäre. Das gelang mir nicht. Zu meinen deutlichsten Erinnerungen gehört ein Morgen in der achten Klasse. Ich wollte gerade zur Schule aufbrechen. Mein Vater schlief auf dem Sofa seinen Rausch aus, meine Mutter stand in der Küche und wischte eine Arbeitsplatte ab. Auf ihrer Hüfte saß ein weinendes Baby, ein Zweijähriger drosch mit einem Spielzeug auf den Boden, ein Achtjähriger löffelte am Tisch Frühstücksflocken. Meine Mutter schaute müde, aber mit entschlossener Miene zu mir und sagte: »Robin, heirate bloß ja nie. Und solltest du zufällig doch heiraten, dann bekomm unter keinen Umständen ein Kind.«

Ich hegte keine diesbezüglichen Absichten. Und so unwichtig, wie die Ehe für mich damals war, dachte ich mir nichts dabei, mit meinem Freund, der aus dem Ausland stammte, nach Nevada zu fahren und ihn vom Fleck weg zu heiraten, als sein Studentenvisum auslief, bald nachdem wir nach Kalifornien gekommen waren. Wir waren verliebt, wir waren uns treu, wir wohnten zusammen – ich sah keinen Grund, ihn nicht zu heiraten. Aber im tiefsten Inneren wusste ich, dass die Ehe nicht von Dauer sein würde. Seine Familie und Freunde bezeichneten mich zwar als seine Frau, aber meiner eigenen Familie und meinen Freunden gegenüber nannte ich ihn nach wie vor meinen Freund.

Bei Scott war es anders. Ich war fünfunddreißig, und das war jetzt kein Spiel mehr. Ich war mehr als bereit, den Bannfluch meiner Mutter gegen die Ehe zu missachten. Der einzige Nachteil war, dass ich nie getan hatte, was wohl die allermeisten Frauen in meinem Alter getan hatten: mit verschiedenen Männern auszugehen, ein bisschen rumzuvögeln, den einen oder anderen One-Night-Stand zu haben. Bisweilen empfand ich eine Rastlosigkeit, das Gefühl, nicht ganz vollständig zu sein, und manchmal sprach ich auch mit Scott darüber. Aber selbst nachdem er mir die Erlaubnis gegeben hatte, an einem Wochenende, das ich mit Freunden in New Orleans verbrachte, ein bisschen Spaß zu haben, brachte ich es nicht fertig. Gelegenheitssex war einfach nichts für mich. Scott und ich hatten guten Sex, vielleicht etwas unaufregend, aber völlig in Ordnung. Nach allem, was ich gehört hatte, standen mir die sexuell erfüllendsten Jahre noch bevor, und da es den Anschein hatte, dass Monogamie für mich die adäquate Lebensform war, beschloss ich, dass wir die Sache einfach auf uns zukommen lassen sollten. Es gab alle möglichen Dinge, die Ehepaare probieren konnten. Tantra, zum Beispiel. Neue Stellungen. Sexspielzeug. Dafür blieb uns immer noch genug Zeit.

Nein, es kam gar nicht infrage, dass ich auf einen Mann wie Scott verzichtete, nur um ein paar Liebhaber mehr auf meine Liste setzen zu können, noch dazu Liebhaber, mit denen ich höchstwahrscheinlich nicht einmal richtig Spaß haben würde. Ich würde der Breite entsagen, um in die Tiefe zu gehen. Scott war der einzige Mann, den zu heiraten ich mir vorstellen konnte, und ganz bestimmt der Einzige, mit dem ich je ein Kind haben könnte. Wir hatten unsere Streitpunkte, aber in mir selbst wurde ein fundamentalerer Kampf ausgetragen: Angst gegen Hoffnung. Ich klammerte mich an die Hoffnung.

3.

Der Sprung

Ich stand auf dem Absatz vor Pauls Haus am Rand von Pacific Heights, hörte den Regen und das Nebelhorn und trieb Paul innerlich zur Eile an, die Tür zu öffnen. Er tat mir den Gefallen. Obwohl er schon Ende dreißig war, hatte er ein Kindergesicht, glatte rosa Wangen und smaragdgrüne Augen. Unter der zerknitterten Shorts und dem T-Shirt verbargen sich schwere Knochen und kräftige Muskeln.

Er zog mich fest in seine Arme. Ich legte den Kopf auf seine Schulter und versteckte mich hinter meinen feuchten, zerzausten Haaren. »Küss mich«, forderte er, und obwohl wollüstige Befehle zu den Gründen gehörten, weshalb ich hergekommen war, hatte ich Scheu davor, ihm gleich zu gehorchen. Stattdessen zog ich meinen Mantel aus und ging zur Couch, wo eine offene Flasche Cabernet stand. Wir tranken einen Schluck, und sobald ich mein Glas abgestellt hatte, fiel er über mich her. Er küsste mich langsam, aber fordernd. Seine Hände – eine am unteren Rücken, die andere an meinem Schlüsselbein, dann am Verschluss meines Bustiers und schließlich auf meiner Brust – übten einen allmählichen, beharrlichen Druck aus, dem ich mich einfach ergab.

Dabei flüsterte er mir unablässig ins Ohr. »Ich will dich von hinten ficken, dann drehe ich dich um und sauge an deinen Titten, bis du kommst. Behältst du das Kleid an, wenn ich dich ficke?«

»Ja.«

»Behältst du die Stiefel an, wenn ich dich vornüberbeuge?«

»Ja.«

Er lehnte sich zurück, öffnete den Reißverschluss und holte seinen Penis heraus. »Gefällt er dir?«

»Ja.«

»Lutschst du ihn?«

»Ja.«

Er steckte mir den Finger in den Mund, und ich lutschte stattdessen den.

»Wenn du mich lutschst, kann ich in deinem Mund kommen?«

Ich nickte.

»Schluckst du's runter?«

Ich sah ihm in die Augen und nickte etwas langsamer. Ich war im Dopaminrausch, ich war ekstatisch. Das hatte nicht nur mit seinen Händen zu tun, es waren die ganzen aufgestauten Worte, nach denen es mich jahrelang verlangt hatte. Worte, die mein Mann nicht sagte und die zu sagen ich mich nicht überwinden konnte.

Er zog seinen Finger aus meinem Mund und steckte ihn mir zwischen die Beine, schob ihn tief in mich hinein, drückte gegen die vordere Wand. Ich wölbte das Becken nach hinten, Tränen schossen mir in die Augen. Wie im Reflex sagte ich: »Hör auf, Paul, hör auf«, aber was ich meinte, war: Wenn es nicht aufhörte, würde ich über einen Abgrund schlittern, und es würde kein Zurück mehr geben. Obwohl ich verbal und instinktiv auf die Bremse trat, hatte ich nicht die geringste Absicht aufzuhören. Ich wollte, dass er seinen Mittelfinger in mich hakte und mich über den Abgrund schleuderte, sodass ich zerschmettert am Grund landete.

So ging es zwei Stunden lang, nur Hände und Worte. Ich vermied den Geschlechtsakt nicht aus dem irrwitzigen Argument heraus, das, was wir machten, würde nicht den Tatbestand des Betrugs erfüllen. Ich wollte mir nur Zeit lassen, und da unser Vorspiel mir größere Lust und mehr Ekstase bereitet hatte als je ein Beischlaf, an den ich mich erinnern konnte, hatte ich nichts dagegen, zu warten.

Es war fast elf Uhr, als wir uns schließlich aufsetzten, unsere Kleider richteten und ein Taxi bestellten. Wir tranken von dem Wein, der noch unberührt dastand, und unterhielten uns beim Warten über Pauls Beziehungsprobleme. Seit einiger Zeit war er mit einer Frau zusammen, die ich ein paarmal getroffen hatte, aber es war eine lose Beziehung mit vielen Aufs und Abs.

»Ich möchte deine Ehe nicht kaputt machen«, sagte er.

»Das tust du nicht«, log ich.

»Hast du Angst, dass ich mich in dich verlieben könnte?«, fragte er. Das war genau der Grund, weswegen ich mich für Paul entschieden hatte: Hinter der Fassade des Libertins offenbarte sich ein gutes Herz. Er war das Salz der Erde, er wäre in einem Notfall jederzeit für mich da, das wusste ich ohne jeden Zweifel. Das sind die Kategorien, in die ich Menschen einteile: Solche, auf die ich mich in einer Krise verlassen kann, und die anderen.

»Nein«, sagte ich, »eher verliebe ich mich in dich. Das passiert mir meistens.«

Als der Taxifahrer anrief und sagte, er warte vor der Tür, stand ich auf. Mir zitterten die Knie. Ich bückte mich nach meiner Tasche, und Paul versetzte mir einen harten Klaps auf den Hintern.

»Au!«, schrie ich und drehte mich zu ihm. Wir lachten, er zwinkerte mir zu. Dann begleitete er mich den langen Flur entlang, öffnete die Tür, gab mir einen Kuss auf die Wange und entließ mich in die feuchte Nacht.

4.

Ehefrau (Philadelphia)

George war der klügste Mensch, den ich je kennengelernt hatte. Er war Mitte sechzig, gepflegt, hatte einen grau melierten Haarschopf und war stets adrett in eine Hose mit Bügelfalte, Hemd mit Seidenkrawatte und polierte Schnürschuhe gekleidet. Er war kein Therapeut von der Sorte, der eine Dreiviertelstunde lang zuhört und dann die Sitzung für beendet erklärt; er gab praktische Ratschläge, die eindeutig auf seine eigene Lebenserfahrung zurückgingen. Die besten davon schrieb ich mir auf, um sie nicht zu vergessen.

»Spüren Sie die Distanz, die durch einen Streit entsteht, dadurch bekommen Sie den Abstand, um sich wieder zu verlieben.«

»Sie sind nicht für Ihren Schmerz verantwortlich, aber Sie sind ihm gegenüber verantwortlich.«

»Setzen Sie Ockhams Rasiermesser an: Ziehen Sie immer die einfachste denkbare Erklärung vor.«

George brachte Scott oft dazu, Gefühle zu offenbaren, von denen ich sonst nichts erfahren hätte. Wir suchten ihn für eine voreheliche Beratung auf, um über Kinder zu sprechen. Scott hatte nie welche gewollt, und mir war es nicht viel anders ergangen; die Anti-Kind-Lektionen meiner Mutter taten ihre Wirkung. Doch mit zunehmendem Alter wurde mir bewusst, dass auch bei mir die biologische Uhr tickte. Ich hatte Scott von Anfang an gesagt, dass, sollte ich aus Versehen schwanger werden, ich das Kind bekommen würde. Ich hatte mit neunzehn eine Abtreibung überlebt und glaubte nicht, dass ich eine zweite verkraften oder rechtfertigen konnte. »Ich trage deine Entscheidung mit«, hatte er gesagt. »Es ist dein Körper.«

Bald nachdem wir zusammengezogen waren, hatten sich zwei seiner Freunde sterilisieren lassen. Er vereinbarte bei der Beratungsstelle ebenfalls einen Termin. Als wir erschienen, fragte die Beraterin, ob ich einverstanden sei, und als ich aus dem Impuls heraus »nein« sagte, machte Scott sofort einen Rückzieher. Zum Zeitpunkt unserer Verlobung war ich fast zehn Jahre in Therapie gegangen, und je weiter ich mich vom Chaos meiner Kindheit entfernte, desto mehr merkte ich, wie sehr ich mich zu Kindern hingezogen fühlte. Bei Festen, zu denen auch Kinder eingeladen waren, hockte ich mich, anstatt Smalltalk zu machen, zu einem kleinen Kind auf den Boden. Wenn eine Freundin völlig entnervt vom Weinkrampf ihres Babys die Fassung zu verlieren drohte, nahm ich es ihr ab und schaukelte und wiegte es, wie ich es bei meinen Brüdern getan hatte. Ich vermutete, dass mein Mutterinstinkt noch stärker werden würde, wenn wir erst einmal verheiratet waren, und fragte mich besorgt, ob Scott auf seinem Nein beharren würde.

George war kein Therapeut, der Gefühle bis in die letzten Tiefen auslotete. Er war da, um uns bei der Entscheidung zu helfen, ob und wie wir weitermachen sollten. Nachdem wir das Thema mehrere Wochen lang von allen Seiten erörtert hatten, legte er seinen Stift aus der Hand und sagte: »Ich glaube, wir haben das Problem so weit wie möglich ausdiskutiert. Scott, ich muss sagen, Sie sind einer der zurückhaltendsten Menschen, der mir je begegnet ist. Und Robin ist genau das Gegenteil. Sie erinnern mich an die alte *Gelato*-Werbung: ›Gut italienisch – ein Angriff auf alle Sinne.‹ Kennen Sie die?« Wir mussten alle lächeln.

»Ja, das ist Robin«, sagte Scott.

»Aber Sie ergänzen sich gegenseitig, und, wichtiger noch, Sie lieben sich. Bei den meisten Paaren gibt es einen Partner, dessen Rolle es ist, für Aufregung und Veränderungen zu sorgen, und einen anderen, der für die Ruhe zuständig ist.«

Ich nahm Scotts Hand, während wir auf seinen Richtspruch warteten.

»Ich weiß nicht, ob Sie zwei letztlich Kinder bekommen werden oder nicht, aber mein Gefühl sagt mir, Robin, wenn Sie irgendwann einmal wirklich unbedingt Kinder haben möchten, wird Scott mitziehen.«

Genau das hatte ich hören wollen. Schließlich hatte er früher oder später bei jedem Projekt mitgezogen, das ich angestoßen hatte. Wegen seiner Arbeit und des Hauses, das er in Sacramento besaß, war ich viel länger dort geblieben, als ich eigentlich wollte, aber nach jahrelangem beharrlichem Warten hatte er schließlich eingewilligt, wieder an die Ostküste zu ziehen.

Scott senkte den Kopf, überlegte kurz, sah mich an und hob die Augenbrauen, als wollte er sagte: »Tja, das ist es dann wohl.«

George legte seinen Block auf den Boden neben seinen Sessel, womit er uns zu verstehen gab, dass die Sitzung zu Ende war. Er verschränkte die Hände im Schoß, lächelte herzlich und sagte: »Aber das werdet ihr zwei nie lösen, wenn ihr nicht vorher heiratet.«

Dieses unerwartete, weise Urteil beruhigte mich derart, dass ich unvermittelt klarer sah. Zu mehr Verbindlichkeit war eine derart getriebene, von Zweifeln zerrissene Frau wie ich nicht fähig.

Nach der Hochzeit, auf den Tag genau zehn Jahre nach dem ersten Picknick, kündigten wir unsere Jobs, kauften ein Wohnmobil und fuhren eine Zeit lang durch Amerika.

Schließlich landeten wir in einer Wohnung im ersten Stock eines dreigeschossigen Brownstone-Hauses in der Innenstadt von Philadelphia mit hohen Decken, eingebauten Bücherregalen und einem knapp zwei Meter hohen Marmorkamin. Scott bekam eine Stelle als Projektmanager in der IT-Abteilung einer internationalen Anwaltskanzlei, ich fand Arbeit als Restaurant-Kolumnistin bei der lokalen Wochenzeitung, was bedeutete, dass wir jede Woche einmal in ein anderes Restaurant essen gingen. In unserer Edelstahl-Pantryküche betätigte Scott sich als Hobby-Brauer, kippte Dosen mit Malz in einen Topf und verkochte es mit Honig und Obstsaft zu Met.

Hatte die Aussicht auf die Hochzeit mir Angst gemacht, so tat mir die Ehe selbst ausgesprochen gut. Es gefiel mir, Scott als meinen Mann zu bezeichnen und als seine Frau angesprochen zu werden. Ich freute mich, Weihnachtskarten und Einladungen zu bekommen, die an »Mr. und Mrs. Mansfield« adressiert waren, obwohl ich seinen Namen gar nicht angenommen hatte. Am meisten Spaß machte es mir, für ihn zu kochen, und während das Essen vor sich hin garte, ihm einen Drink zu bringen und zu fragen, ob er etwas brauche.

Allerdings ließ die Tatsache, dass ich jetzt lediglich zwei Autostunden von meiner Familie entfernt wohnte, vor der ich sechzehn Jahre zuvor geflohen war, eine Schicht völlig neuer Ängste in mir aufbrechen. Die größten Schwierigkeiten bereiteten mir Brücken, die Gänge großer Supermärkte und weitläufige Fußgängerkreuzungen, aber am schlimmsten war der Pennsylvania Turnpike, eine Landstraße mit wenigen Abfahrten, die nachts nicht beleuchtet war und eine Schneise durch endlose Wälder nördlich von Philadelphia nach Scranton schlug. Auf halber Strecke lag der Lehigh Tunnel, zwei Spuren, die in einen mächtigen Berg gesprengt waren. Sobald das Auto in den von Neonlicht erhellten Tunnel einfuhr, begann mein Herz panisch zu klopfen, meine Haut prickelte, alles verschwamm mir vor den Augen. Ich musste meine Atemzüge zählen, um es bis zum anderen Ende durchzustehen.

Doch diese Angst wurde mehr als wieder wettgemacht, denn umgeben von denselben sinnlichen Wahrnehmungen, die mich klaustrophob bedrängen konnten – der Geruch von frisch gemähtem Gras im Sommer, der Anblick von rot und orange verfärbtem Laub, das so dicht war, dass es die Baustämme verbarg, die lautlose Schneedecke des Winters –, entdeckte ich Relikte meiner Seele. Ganz allmählich fand ich mich selbst wieder. Wir verbrachten mehr Zeit mit unserem fünfjährigen Neffen, und in Kalifornien beschloss meine beste Freundin Susan, ein Kind zu bekommen, und machte sich auf die Suche nach einem Samenspender. Kaum hatten sich meine Teile wieder zu etwas zusammengefügt, das einem krummen, schiefen und unsicheren Ganzen ähnelte, vibrierten sie auch schon vor dem Drang, sich zu reproduzieren.

Abends fingen die Diskussionen an. »Sag mir doch, warum du's nicht versuchen willst«, bat ich.

»Ich habe ganz einfach nicht das Bedürfnis. Ich will meine Samstage nicht bei einem Fußballspiel verbringen. Ich möchte andere Sachen mit meiner Zeit anfangen.« Er gab jedem Satz einen Takt vor, verwendete kein überflüssiges Wort.

»Ich würde den Großteil der Arbeit machen«, hielt ich dagegen, so entsetzt ein ferner, rationaler Teil von mir über diesen Vorschlag auch war. »Und du wirst dich in das Kind verlieben, wenn es erst mal da ist. Ich erwarte gar nicht, dass du etwas Besonderes unternimmst, damit ich schwanger werde, ich möchte nur aufhören zu verhüten.« Von Anfang an hatten wir gewissenhaft eine Kombination von Diaphragma und Spermizid verwendet.

Ich sprach das Thema unter jedem nur denkbaren Aspekt an – der Sinn, den ein Kind unserem Leben geben würde, die emotionale und physische Herausforderung, die spirituelle

Entwicklung. In Anbetracht meiner Vergangenheit war mein Wunsch, mit Scott eine Familie zu gründen, ausgesprochen aufschlussreich. Er zeugte von dem unglaublichen Vertrauen zwischen uns, einem Vertrauen, das im Lauf von über zehn Jahren gewachsen war. Scotts Reaktion war jedes Mal die eine oder andere Variante eines ruhigen Achselzuckens.

»Unser Leben braucht doch nicht aufzuhören, bloß weil wir Kinder haben«, sagte ich. »Leute mit Kindern reisen auch. Sie schreiben Sinfonien und Romane.« Meine Ausdrucksweise war der Scotts diametral entgegengesetzt. Mit jedem Satz, den ich äußerte, gab ich etwas mehr von meiner Selbstkontrolle preis. Und jedes Wort zeigte bei Scott noch weniger Wirkung als das vorhergehende.

Eines Tages, als Scott schon bei der Arbeit war, stand unerwartet unsere Nachbarin Catherine vor der Tür. Sie war eine Politikberaterin in meinem Alter und machte mit ihrem Mann eine Fruchtbarkeitsbehandlung. Sie trug ihr Business-Kostüm, hatte die Aktentasche um die Schulter geschlungen und hielt in der Hand eine schlichte braune Papiertüte.

»Nimm«, sagte sie. Wir hatten uns ein- oder zweimal über Kinderkriegen und Älterwerden unterhalten. Ich schaute in die Tüte und sah drei Urin-Testbecher aus Plastik; der knallgelbe Verschluss war mit einem weißen Etikett versiegelt, auf dem »Steril« stand.

»Frisches Sperma ist eine halbe Stunde lang zeugungsfähig«, sagte sie. »Du musst es nur auffangen und ins Labor bringen. Sie können sogar den Speichel vom Sperma trennen.«

Es dauerte ein paar Sekunden, bis der letzte Satz wirklich bei mir einsickerte. Ich lachte.

»Du machst Witze.«

»Nein, gar nicht«, widersprach sie. Ihre Augen blitzten vor Entschlossenheit.

Ich senkte die Stimme. »Ich glaube, das kann ich nicht.«

»Robin, wenn du's nicht machst, wirst du es ihm insgeheim immer vorwerfen. Ist dir das nicht klar?«

Ich nickte. »Doch.« Und ich umarmte sie, denn sie erinnerte mich daran, dass hinter den Weltläuften auch eine Schwesternschaft die Fäden zog. »Danke, Catherine.« Sie drückte mich am Arm und machte sich auf den Weg zur Arbeit.

Ich benutzte ihre sterilen Becher nicht, aber Catherine war nicht die erste Freundin, die mir riet, zu einem Trick zu greifen. Als ich später die Becher unter dem Waschbecken im Bad versteckte, fiel mir urplötzlich die Lösung ein. Sie war so logisch, so mathematisch, dass ich gar nicht glauben konnte, warum ich nicht schon viel früher darauf gekommen war.

Ich stürzte in mein Arbeitszimmer und informierte mich über die Fertilitätsrate nach Alter. Als Scott abends nach Hause kam, bat ich ihn, sich an den Tisch im Esszimmer zu setzen.

»Heute habe ich recherchiert«, sagte ich. »Bei einer Achtunddreißigjährigen dauert es durchschnittlich sechzehn Monate, bis sie auf natürlichem Weg schwanger wird. Wenn wir es sechzehn Monate lang versuchen, stehen die Chancen sehr gut, dass mein Wunsch in Erfüllung geht. Wenn wir es überhaupt nicht versuchen, geht dein Wunsch zu hundert Prozent in Erfüllung.«

Scott lehnte sich im Stuhl etwas zurück, sodass ich mit meiner Präsentation schneller fortfuhr. »Wenn wir es also acht Monate lang versuchen und dann aufhören, sind die Chancen gerecht verteilt. Jeder von uns hat eine Chance von fünfzig Prozent, dass sein Wunsch in Erfüllung geht.«

Er runzelte die Stirn.

»Wenn wir in acht Monaten nicht schwanger werden, verhüten wir wieder, und ich spreche das Thema nie mehr an. Fünfzig-fünfzig. Mutter Natur entscheidet, und wir akzeptieren das Ergebnis.«

Scott stand vom Tisch auf. Die Sonne war gerade untergegangen, ein bläuliches Licht fiel ins Zimmer. »Nein!«, brüllte er und erhob damit zum dritten Mal, seit wir uns kannten, die Stimme. »Wie oft muss ich dir das noch sagen? Ich will kein Kind!«

Ich sah ihm nach, wie er die Wendeltreppe zu unserem Schlafzimmer hinaufging, und fragte mich, ob vielleicht die hieb- und stichfeste Logik meines Arguments ihn so wütend gemacht hatte. Gleichzeitig war mir klar, dass man jemanden, der keine Kinder haben will, auch mit der unumstößlichsten Logik nicht vom Gegenteil überzeugen kann. Wäre ich an seiner Stelle gewesen, und er hätte solchen Druck auf mich ausgeübt, wäre ich vielleicht auch wütend geworden.

Kurz ging mir durch den Kopf: *Verlass ihn. Das wird sich nie ändern.* Aber noch bevor sich der Gedanke richtig gebildet hatte, verflüchtigte er sich auch schon wieder, denn ohne Scott verflüchtigte sich mein Wunsch, eine Familie zu haben. Allein konnte ich es nicht, und einem anderen Mann würde ich für ein solches Unterfangen nie genug vertrauen. So steckten wir die nächsten Jahre in einem Dilemma fest, das unendlicher Sturheit oder unendlicher Liebe oder beidem entsprang: Ich wollte ein Kind, aber nur mit ihm. Er wollte kein Kind, aber er wollte mich nicht verlieren.

Dann fing ich an, nachts um drei wach zu werden. Ich lag im Bett und hörte Scott atmen. Er schlief immer auf der linken Seite, das Gesicht von mir abgewandt, und er konnte jederzeit einschlafen, gleichgültig, wie anstrengend der Tag gewesen war, sogar gleich nach einem Streit. Ich bemühte mich immer sehr, ihn nicht zu wecken. Seit zwölf Jahren waren wir zusammen, und wir hatten uns kein einziges Mal mitten in der Nacht geliebt.

In meinen Träumen nahm mein Körper eine nichtmenschliche Form an. Ich zupfte am verkohlten Fleisch meines Arms, es ließ sich ablösen wie eine abgestorbene

Schlangenhaut, und darunter wuchs es rosafarben nach. Aus meinem Rücken spross eine Seeanemone, deren schwammartige weiße Tentakel in der Brandung wogten. Meine Brust wurde zu einem strahlenkranzförmigen Sukkulenten mit fleischigen grünen, rot geränderten Blättern. Abgestoßen und ehrfürchtig zugleich fasste ich vorsichtig an die spitzen Enden und fragte mich, ob die Wüstenpflanze wohl mein Herz ersetzte und ob in ihrem Inneren ihr milchiges Wasser floss oder mein Blut.

Um einen Hinweis zu bekommen, was der Traum bedeuten könnte, schlug ich den Namen der Pflanze nach. Sie hatte einen langen lateinischen Namen, aber es war schlicht und einfach die Hauswurz, die im Englischen umgangssprachlich »Henne-und-Küken-Pflanze« genannt wird.

Nach Ansicht von Mama Gena waren Diskussionen nicht das geeignete Mittel, um einen Mann von irgendetwas zu überzeugen. Das ging nur mit Verführung. Und die war nur eine von vielen Fähigkeiten, die Mama Gena an der School of Womanly Arts in New York unterrichtete. Auf diese Schule für die Kunst der Weiblichkeit war ich im Zuge von Recherchen für einen Zeitungsartikel gestoßen. Mama Gena war eine Manhattanerin um die vierzig, die in Wirklichkeit Regena Thomashauer hieß. Auf den Fotos auf ihrer Website war sie mit ihren langen Beinen in diversen pinkfarbenen Minikleidern und Federboas zu sehen. Erfolgreiche Karrierefrauen besuchten ihre Kurse scharenweise, um zu erfahren, was es mit Flirten, Sinnlichkeit und Fülle auf sich hatte. Mama Gena behauptete, archaische matriarchalische Religionen studiert zu haben, und wollte nach eigener Aussage den Feminismus wieder feminin machen – Schluss mit Leiden, her mit dem Vergnügen. Ihre Schülerinnen nannten sich untereinander Schwester-Göttinnen.

Zu einem früheren Zeitpunkt in meinem Leben hätte ich

als eine Frau, die was auf sich hält, bei Begriffen wie »Schwester-Göttin« und »Kunst der Weiblichkeit« das Weite gesucht. Feminismus war für mich kein Etikett, das ich nach Belieben umhängen und ablegen konnte. Er war eine fundamentale Verschiebung, eine tektonische Korrektur, und hätte das Leben meiner Mutter womöglich völlig verändert, wäre er nur ein paar Jahre früher aufgekommen. Am College marschierte ich bei Pro-Abtreibung-Demos mit, bezog Streikposten vor Pornogeschäften und machte als Abschlussprojekt an der Highschool einen kurzen Dokumentarfilm über häusliche Gewalt. Im selben streitbaren Jahr warf ich meine ganzen Schminkutensilien in den Müll. Sobald ich das College verließ, warf ich mich mit ebensolcher Verve in das Projekt, meine Probleme zu überwinden, wie in den Kampf für Gleichberechtigung. Ich würde als Feministin ins Grab sinken, aber dass ich mir etwas Spaß gönnte, war lange überfällig.

Bei meiner ersten Telekonferenz-Stunde saß ich auf meinem Bett, mit zehn anderen Frauen irgendwo in den Staaten durch die Freisprecheinrichtung verbunden, und Regena forderte uns auf: »So, und jetzt, Schwester-Göttinnen, zieht euch die Höschen aus.« Damit begann eine Unterrichtseinheit zur Anatomie der Vulva und der besten Art, die achttausend Nervenendungen der Klitoris zu streicheln, was, wie Regena uns aufklärte, doppelt so viele sind wie bei einem Penis. Unsere Hausaufgabe bestand darin, täglich »Selbstvergnügen« zu üben, mit jedem zu flirten, dem wir begegneten, unabhängig von Alter und Geschlecht, und uns ständig zu fragen, mit welchen Kleinigkeiten wir uns Freude und Lust bereiten könnten. Unser Mantra lautete: »Ich habe eine Möse.«

»Ab sofort müsst ihr mindestens einmal am Tag angeben«, sagte Regena. »Vergesst das gemeinsame Jammern, mit dem Frauen üblicherweise Nähe herstellen. Prahlt gegenüber euren Freundinnen, anstatt zu jammern.«

So frivol ihr Rat klingen mochte, er veränderte mein Leben von Grund auf. Ich fing an, meine Entscheidungen nach dem Kriterium des Vergnügens zu treffen, und wurde lockerer. Ich trug buntere Farben und lachte mehr. Ich gewöhnte mir an, den Barista anzulächeln, die genervte Kassiererin, den alten Mann auf der Parkbank. Ich brauchte mich nicht zu bemühen, weniger mit Scott zu streiten, es interessierte mich einfach nicht mehr. Wenn ein Gespräch zu verwickelt wurde, wechselte ich das Thema. Es war, als hätte ich meine Wellenlänge vom Arbeits- auf den Spielkanal umgeschaltet.

Regena propagierte den »ausgedehnten massiven Orgasmus«, den Zustand einer Ganzkörper-Ekstase, der theoretisch stundenlang andauern konnte, im Gegensatz zum herkömmlichen Höhepunkt, den sie als »Niesen im Schritt« bezeichnete. Ich kaufte ein Buch, das sie empfahl: *XXL Orgasmus: Lustvoll lange Höhepunkte*, mit detaillierten Angaben, wo genau ich meine Klitoris streicheln sollte – auf dem Ein-Uhr-dreißig-Punkt, wenn man sie von vorn betrachtete. Aber das interessierte mich nicht besonders. In meinen Augen war das eine alternative Technik für Frauen, die keinen richtigen Orgasmus bekommen konnten oder damit nicht befriedigt waren. Wenn ich nicht gerade übermüdet oder krank war, kam ich beim Sex mit Scott immer zum Höhepunkt, oft allein durch den Koitus. Ich hielt mich für eine der vom Glück gesegneten Frauen.

5.

Das Heimkommen

Als das Taxi, das mich von Paul abgeholt hatte, vor unserer Wohnung hielt, hatte es schließlich aufgehört zu regnen. Das Haus, in dem wir lebten, war das kleinste im ganzen Block, eine Oase aus warmem gelbem Stuck, die sich zwischen höheren Wohnhäusern in der Sanchez Street versteckte. Nirgends brannte Licht. Langsam steckte ich den Schlüssel ins Schloss und drehte ihn lautlos um; ich hatte Angst, das, was ich gerade getan hatte, in unser sicheres Zuhause zu bringen. Scott schlief. Ich zog mir die Stiefel aus und ging ins Bad, um mir Gesicht und Hände zu waschen, dann legte ich mich zu ihm ins Bett. Er reagierte kaum. Ich lag in der Dunkelheit da und überlegte, wann mich zum letzten Mal ein neuer Mann angefasst hatte, und dass Scott sich monatelang geduldig bemüht hatte, mich zu verführen, und sich immer wieder einfühlsam zurückgezogen hatte, bevor ich bei dem Picknick in der Electra Road schließlich nachgab. Dass er es nicht übers Herz gebracht hatte, die Freundin in Spanien zu verlassen, und abgewartet hatte, bis sie zurückkam und sich von ihm trennte. Dass mehrere meiner Freundinnen, nachdem sie ihn kennengelernt hatten, zu mir sagten: »Er macht mich nervös, weil er so unerschütterlich ist.« Dass er in unserer frühen Zeit einmal, als ich ihn anfuhr: »Ich bin so wütend!«, meine Hand nahm und ruhig sagte: »Du kommst mir nicht wütend vor, sondern verletzt.«

Das war das Dilemma, in dem ich lebte: War Scotts Freundlichkeit ein Ausdruck von Liebe, oder ging sie auf seine nervtötende Unerschütterlichkeit zurück?

Scott lag mit dem Rücken zu mir. Wie immer schmiegte ich mich an ihn und schlang den Arm um seine Taille. Er rührte sich nicht. Ich wartete darauf, dass etwas passierte, ein Riss, der deutlich machte, dass sich irgendetwas unwiederbringlich verändert hatte. Als ich sechsundzwanzig gewesen war, hatte ich mit dem Ausziehen der Kleidung auch mein Selbstwertgefühl abgelegt und es erst nach Tagen wiedergefunden. So war es mir auch bei meinen Liebhabern vor Scott gegangen. Feminismus und Empfängnisverhütung hin oder her, ich hatte die seit Generationen weitergereichte Lektion meiner katholischen Heimatstadt mit der Muttermilch aufgesogen: dass bei jedem Geschlechtsakt die Frau etwas gab und der Mann etwas nahm. Und jetzt, siebzehn Jahre später, hatte sich die Situation wie durch ein Wunder verkehrt. Ich war diejenige, die plünderte. Ich kam mir größer vor, nicht kleiner, mächtiger, nicht schwächer.

Mein warmes Bett hüllte mich ein. Ganz hinten in meinem Kopf raunte eine Stimme: *Betrügerin, Betrügerin, Betrügerin.* Sie wurde überlagert vom regelmäßigen Atmen meines Mannes, vom friedlichen Schnurren unserer Katze zu meinen Füßen und der überraschenden Erkenntnis, dass mein Haus noch stand, mein Leben noch ganz war.

6.

Madonna (San Francisco)

Blendwerk – das war der Vorwurf, den Scott gegenüber Philadelphia und der Ostküste insgesamt erhob: Auch alle Verlockungen, die es dort gab, konnten nicht über die Tatsache hinwegtäuschen, dass die Region im Vergleich zu Kalifornien öde und unattraktiv war.

»Mir fehlen die Sonnenuntergänge im Westen«, sagte er.

»Wenn wir wieder zurückgehen, wird mir meine Familie fehlen«, sagte ich.

»Philadelphia ist keine Stadt, in der man sich ein Haus kauft.«

»Es würde mir leichterfallen, meine Familie zu verlassen, wenn ich wüsste, dass wir eine eigene Familie gründen.«

»Ich lasse mich nicht erpressen.«

Schleichend stellte sich wieder das altvertraute Gefühl von Machtlosigkeit ein, die mir den Atem raubte und drohte, mich in Tränen ausbrechen zu lassen. Ich hielt dieses Gefühl in Schach. Zwanzig Jahre träumte ich schon von San Francisco – seit ich das erste Mal über die Bay Bridge gefahren war und die weiße Stadt wie ein kinetisches Kunstwerk aus dem Wasser hatte aufragen sehen. Ich war fast vierzig, und Regena lehrte mich, mich auf das Positive zu konzentrieren, auf meine Wünsche.

»Dann möchte ich in San Francisco leben«, sagte ich.

Kein Jahr, nachdem wir umgezogen waren, fand ich den perfekten Job – leitende Redakteurin bei einem Stadtmagazin –, und wir machten uns auf die Suche nach einem Haus, das wir kaufen wollten. Acht Monate verbrachten wir die Wochenenden mit Besichtigungsterminen. Endlich fanden wir ein Zweifamilienhaus aus dem Jahr 1892, das das Erdbeben von 1906 überstanden hatte und in der Stadtmitte lag, an der Sanchez Street zwischen den Vierteln Mission und Castro. Die Erdgeschosswohnung war zum Verkauf angeboten. Während der Makler sie uns und einigen anderen Paaren zeigte, stand ich im vorderen Raum und blickte den langen Flur hinunter zur Küche, in die das Sonnenlicht flutete. Die Holzböden glänzten, der geziegelte Kamin war weiß gestrichen, die tiefe Wanne war mit Marmor verkleidet. Mein Herz machte einen Satz. Ich zupfte Scott am Ärmel und flüsterte ihm ins Ohr, damit niemand mich hören konnte: »Das ist die Richtige.«

An dem Tag, an dem wir den Fünf-Jahres-Vertrag für ein variabel verzinsliches Darlehen unterzeichnen sollten, konnte ich bei der Arbeit nicht still sitzen. Mein Magen verknotete sich, in meinem Kopf wirbelte alles durcheinander. Ich rief Scott in seiner Anwaltskanzlei an, die gerade eineinhalb Kilometer von meiner Redaktion entfernt die Market Street hinunter lag, und fragte ihn, ob wir uns zum Mittagessen treffen könnten.

»Was ist los, Süße?«, sagte er, als wir uns setzten.

»Ich habe Angst, dass ich, wenn ich heute Nachmittag diesen Vertrag unterschreibe, in fünf Jahren kinderlos, unfruchtbar und unglücklich bin.«

Er griff über den Tisch hinweg nach meiner Hand. »Glaub einfach an uns.«

Ich unterschrieb. So gravierend unser Konflikt auch sein mochte, es war einfacher, an uns zu glauben, als mir das Gegenteil vorzustellen.

Sehr bald nach unserem Einzug installierten wir im

Wohnzimmer eine Poledance-Stange. Einige Schwester-Göttinnen aus San Francisco schwärmten von ihrem Poledance-Kurs bei S Factor, und das wollte ich auch einmal probieren. Also fuhr ich jeden Sonntag nach Marina zu einem Kurs und lernte, auf 15 cm hohen Acryl-Plateauschuhen zu gehen, mich in diversen anmutigen Körperhaltungen um die Stange zu winden und zu Songs von Hooverphonic und Spiritualized einen verführerischen Lapdance aufzuführen. Männern war der Zutritt zum Studio verboten, und im Übungsraum brannte nur rotes Licht, was von vornherein das Gros der tödlichen Selbstkritik ausschloss, in der sich eine Gruppe halbnackter Frauen bei Tageslicht ergehen würde. In der Umkleidekabine waren meine Mitschülerinnen durchschnittlich aussehende Frauen aller Größen und Ethnien zwischen Anfang zwanzig und Mitte fünfzig, im dunklen Studio aber, bei laufender Musik, verwandelte sich jede von ihnen in ein Bild der Sinnlichkeit. So unzufrieden wir mit unserem Aussehen und unserer Figur oft sein mochten – allmählich erkannte ich, dass nicht sie unsere Schönheit ausmachen. Schönheit ist nichts Statisches, das in Haut und Muskeln zum Vorschein kommt, sondern in der Art, wie wir uns bewegen.

Sobald ich die Abläufe beherrschte, zog ich einen Sessel vor die Stange und bat Scott, darauf Platz zu nehmen. Zuerst stützte ich mich, den Rücken ihm zugekehrt, an der Wohnzimmerwand ab und machte mit dem Becken weit ausholende Kreise. Nach einer Weile drehte ich mich um, drückte den Rücken flach an die Wand, ging mit weit gespreizten Beinen in die Hocke, kroch zur Stange und zog mich hinauf. Dann schwang ich mich um sie, schlang die Beine über Kopf zusammen, umfasste das obere Ende mit den Knöcheln und ließ mich kopfüber in einer Spirale zu Boden gleiten. Von dort schlängelte ich zu Scott, kniete mich aufrecht vor ihn, schälte mich aus meinem Oberteil und setzte mich auf seinen Schoß.

Scott sah mir zu, und die Ahnung eines Lächelns zog über

sein Gesicht, die seine Verwirrung verriet. Er fuhr mit der Hand leicht über mein Bein, während ich über ihm kauerte, ohne mich auf ihn zu setzen, meine Brüste berührten fast sein Gesicht. Beide hielten wir die Luft an. Als die Musik zu Ende war, sagte er: »Sehr schön, Trüffel.« Ich griff nach meinen Kleidern, und wir gingen ins Schlafzimmer.

Scott trainierte regelmäßig, um in Form zu bleiben, er war fitter als die meisten sehr viel jüngeren Männer und noch genauso muskulös und schmal um die Taille wie damals, als wir uns kennengelernt hatten. Wir ließen uns beim Lieben immer viel Zeit. Scott küsste mich langsam, berührte mich eine ganze Weile nur sehr leicht, fast flüchtig, bis ich größeren Druck ertragen konnte. Sacht bewegte er sich nach unten vor, umkreiste meine Klitoris, bis sie hervortrat, wartete, bis sich all meine Schichten entfaltet hatten. Wenn wir schließlich Platz tauschten und ich ihn in den Mund nahm, war ich gierig, rieb mich an seinem Bein, bis ich beinahe kam. Dann führte ich ein kleines durchsichtiges Spermizidplättchen ein und setzte mich auf ihn. Seine Erektion war stabil und zuverlässig, genau wie er. So langsam ich mich auch bewegte, sie ließ nie nach. Nur schnell durfte ich mich nicht bewegen, dafür war in unserem Programm kein Platz.

Nachdem ich gekommen war, legte ich mich unter ihn; in dem Moment wollte ich großen Druck spüren. Am liebsten hätte ich ihm gesagt, dass er richtig fest zustoßen soll, aber ich brachte die Worte nicht über die Lippen. Mehr noch allerdings wünschte ich mir, er würde mir in die Augen sehen. Stattdessen steigerten wir schweigend das Tempo, das Gesicht in der Schulter des anderen vergraben, und sagten beide *Ich liebe dich*. Wenn er kam, schloss er meinen Mund mit seinem. Bei seinem oder meinem Orgasmus traten mir oft Tränen in die Augen und rannen über die Wangen hinab, und hinterher fühlte ich mich gereinigt und im Lot.

Danach ging Scott kurz ins Bad, um sich zu waschen. Ich

schwang dann immer die Knie über den Kopf zum Yoga-Pflug in der Hoffnung, so könnte sich sein Sperma vielleicht am Plättchen vorbeischmuggeln. Wenn er ins Schlafzimmer zurückkam, lag ich schon wieder flach auf dem Rücken.

»Warum schaust du mich nicht an, wenn wir miteinander schlafen?«, fragte ich. So lange wir auch schon zusammen waren, das war mir erst vor Kurzem aufgefallen.

»Mit geschlossenen Augen kann ich mich besser auf das Spüren konzentrieren.«

Darauf fiel mir keine Antwort ein. Ich lag da und schaute nach nebenan in das Gästebad, wo Scotts selbst gemachter Wein reifte. In der Duschkabine gärte kirschrote Flüssigkeit in überdimensionalen Flaschen vor sich hin und gab leise rülpsend Kohlendioxid von sich. Besucher waren von Scotts Ansammlung von Met, Limoncello und selbst gemachtem Absinth immer sehr beeindruckt. Wenn wir übers Wochenende nicht wegfuhren, gaben wir Dinnerpartys für die Redakteure, Künstler und Biotech-Unternehmer, mit denen wir uns bald nach unserer Ankunft in San Francisco angefreundet hatten. Im Lauf des Abends setzte man sich irgendwann ins Wohnzimmer, wo unübersehbar die Poledance-Stange stand. Ich bemerkte den Gesichtsausdruck unserer Gäste und stellte mir vor, dass die Frauen dachten: *Die müssen tollen Sex haben*, die Männer: *Der Glückspilz*, und einige von beiden: *Typisch Midlife-Krise.*

Eines Abends zündete ich das Feuer im Kamin an, Scott legte eine DVD in den Player, und wir machten es uns mit unserer Katze Cleo auf der Couch bequem. Cleo war eine Calico, deren Schildpattmuster wie gemalt aussah, und sie war schon wenige Tage nach ihrer Geburt zu uns gekommen. Wir hatten sie und ihre Geschwister in Sacramento am Straßenrand gefunden, ganz in der Nähe der Software-Firma, und hatten sie wochenlang mit einer Pipette gefüttert. Mittlerweile war sie vierzehn.

Der Film, den wir uns ansehen wollten, hieß *München*. Gleich in der ersten Szene war in Nahaufnahme ein Mann zu sehen, der seine Frau wild von hinten vögelte. In meinem Kopf sagte klar und deutlich eine Stimme: *Das will ich auch*. Die Aussage war sehr schlicht, aber auch sehr aufschlussreich. Dann fuhr die Kamera zurück und zeigte den hochschwangeren Bauch der Frau. In dem Moment ballte sich die unerfüllte Sehnsucht in meinem Bauch zu einem Knoten reinen Wollens zusammen.

Bei der jährlichen Kontrolluntersuchung bat ich meine Ärztin, bei meinem Blutbild auch den FSH-Wert messen zu lassen. FSH ist die Abkürzung für »follikelstimulierendes Hormon«, ein Indikator für die Fruchtbarkeit einer Frau. Je niedriger der Wert, desto leichter kann sie schwanger werden. Bei mir war der Wert für eine Zweiundvierzigjährige recht niedrig und entsprach eher dem vieler Frauen Anfang dreißig. »Und Ihr Östrogenspiegel ist noch hoch«, sagte die Ärztin. »Das heißt, Sie könnten ein Kind auch austragen. Aber viel Zeit bleibt Ihnen nicht.«

Daraufhin machte ich mich auf die Suche nach einer neuen Therapeutin. Delphyne hatte über feministische Spiritualität promoviert, trug dunklen Eyeliner und lila-braunen Lippenstift und hatte wallendes kastanienrotes Haar. An ihren Fingern steckten Gold- und Jaderinge, ihre weiten Röcke reichten bis zu ihren Schnürstiefeln hinab. Ich vermutete, dass sie unter der Kleidung vielfach tätowiert war.

Allwöchentlich saß ich in Delphynes Praxis und blickte zu einem Gemälde der hawaiischen Feuergöttin Pele hinauf, das über der Tür hing. Der Legende nach hatte Pele Lava von unter dem Meeresboden hervorgespuckt, um die Insel Hawaii zu schaffen, und hatte sich in der Caldera des Kilauea, des aktivsten Vulkans, niedergelassen. Pele war Schöpferin und Zerstörerin zugleich, eine Quelle der Liebe und der Gewalt. Die schwarzen Haare der Göttin gingen an den Spitzen in lodernde Flammen über, und ihre orangefarbenen Augen bohrten sich in mich und fragten mich, wie weit ich zu gehen bereit war. Ich wollte ein Kind, sicher, aber wie stark war der Wunsch? Was würde ich dafür tun?

Wie sich herausstellte, wünschte sich Chris, mein sogenannter schwuler Ehemann, auch ein Kind. Er wusste von meinem Dilemma und bot mir an, mich künstlich zu befruchten und sich das Sorgerecht mit mir zu teilen. Theoretisch war das Angebot unschlagbar: Chris war ein erfolgreicher Autor, finanziell abgesichert, seine Familie unterstützte die Idee. Ich könnte Teilzeit-Mutter sein, Scott Teilzeit-Stiefvater. Scott und mir würden reichlich Zeit und Energie für Hobbys und Reisen bleiben. Als ich ihm von dem Vorschlag erzählte, meinte er, das könne er sich vielleicht vorstellen – er wolle mir bei meinem Wunsch, Mutter zu sein, nicht im Weg stehen.

Als Delphyne mich allerdings das Szenario in aller Ruhe durchdenken ließ, verließ mich der Mut. Beim besten Willen konnte ich nicht verstehen, weshalb Scott lieber einwilligte, dass ein anderer Mann mich befruchtete, als es selbst zu tun. So dankbar ich Chris auch war, das Kind an sich war nicht das Wichtigste. Worauf es mir ankam, war der Prozess, und den wollte ich mit Scott erleben. Verlangte ich damit zu viel? Wie schwierig konnte es denn sein, meinen eigenen Mann zu überzeugen, mir ein Kind zu machen? Es kam mir vor, als wäre ich von Teenagern und Lesben mit dicken Schwangerschaftsbäuchen umgeben.

Ich wusste zwar, dass ein Kind keine schlechte Ehe kitten kann, aber ich war überzeugt, dass ein Kind aus meiner ganz guten Ehe eine wirklich erfüllende machen würde, eine, in der ich richtig aufgehen konnte. Scott und ich hatten schon so viele Schwierigkeiten miteinander überwunden: eine lange Krankheit, als ich Anfang dreißig war, unsere beträchtlichen

Bindungsängste, zwei Umzüge von einer Küste zur anderen und das übliche Gemenge an Familienkrisen. Sicher, unser Sex war nicht rauschhaft, aber bei einer Befragung meiner verheirateten Freunde stellte ich fest, wie ungewöhnlich es war, dass wir nach sechzehn Jahren immer noch regelmäßig ein- bis zweimal die Woche miteinander schliefen, dass jeder Akt eine Dreiviertelstunde dauerte und oft mit Tränen des Glücks endete.

Unter vier Augen bezeichneten meine Freunde und meine Familie Scott manchmal als egoistisch, weil er keine Kinder wollte, was folglich bedeutete, dass mein Kinderwunsch selbstlos war. Die Argumentation verfing bei mir nicht. Welche Frau auch immer in meinem Bekanntenkreis schwanger geworden war, sie war es entweder unabsichtlich geworden oder aus dem übermächtigen Wunsch heraus, ein Kind zu bekommen. Ich gab mich keinen Illusionen hin, welche Mühe es bedeutete, ein Kind zu haben. Aber es brachte große emotionale Befriedigung und gesellschaftliche Anerkennung mit sich, und keine Frau, die ich kannte und die schwanger zu werden versuchte, hatte nicht auch dieses Gefühl von Erfüllung im Hinterkopf.

Delphyne umgab eine Aura dunkler Weisheit. Nachdem wir mein Innenleben viele Wochen lang von verschiedensten Warten beleuchtet hatten, die scheinbar nichts mit meinem Kinderwunsch zu tun hatten – ein wesentliches Thema waren meine Freundschaften mit Frauen, und das sirrte durch meinen konfusen Kopf wie ein nervöses Insekt –, versuchte sie etwas völlig anderes. Sie gab mir ein Glasgefäß, in dem eine hohe grüne Kerze stand. Sie hatte sie selbst gezogen und das Gefäß mit einem Bild Demeters verziert, der griechischen Göttin der Fruchtbarkeit. Mit weit ausgebreiteten Armen stand sie da, sie trug ein langes goldenes Kleid und eine Krone aus Weizenähren.

»Wenn du nach Hause kommst, zünd sie an«, sagte Delphyne. »Lass sie brennen, bis die Flamme erlischt. Vielleicht bringt sie dir Klarheit.«

Ich folgte ihren Anweisungen, stellte die Kerze zu mir auf den Nachttisch und ließ sie Tag und Nacht brennen. Als die Flamme schließlich erlosch, war meine Periode seit mehreren Tagen überfällig.

Scott ging jeden Tag um halb sieben zur Arbeit, ich war also allein im Haus. Das erste Licht des Dezembermorgens fiel durch den Lichtschacht ins Badezimmer. Ich saß auf der Toilette, meine bloßen Beine zitterten. Auf dem Waschbecken neben mir lagen mein Handy und ein digitaler Schwangerschaftstest. Ich zog die Kappe vom Teststäbchen, pinkelte darauf – ein, zwei, drei, vier, fünf Sekunden –, schüttelte es ab, legte es vorsichtig auf den Waschbeckenrand, zog meine Pyjamahose hoch und wartete. Als ich das letzte Mal schwanger gewesen war, mit neunzehn, war ich vom Zentrum für Familienplanung in Scranton direkt zum Essen zu meiner Mutter gefahren. Meine Tränen hatte ich hinuntergeschluckt. Beim Gehen dann, ich stand schon in der Tür, drehte ich mich noch mal zu ihr um und sagte: »Ich muss mit dir reden.« Der frische Herbstabend legte sich um uns. Meine beiden kleinen Brüder waren gerade kreischend und raufend ins Haus gestürmt. Mein vierzehnjähriger Bruder war beim Footballtraining. Mein Dad war unterwegs, beim Spielen, beim Trinken oder beim Vögeln. Das war gut. Wenn er nicht zu Hause war, machte sich Erleichterung breit.

Sie sah mir ins Gesicht. »Du bist schwanger.«

Erschrocken holte ich Luft. »Woher weißt du das?«

»Du behältst es nicht. Organisier alles, ich fahre dich hin.«

Das brauchte sie mir nicht eigens zu sagen. Meine Entscheidung stand schon fest. Zwei Wochen später fuhr sie mit mir nach New York und hielt mich im Arm, während ich im Aufwachraum weinte; ich war benommen und hatte grauenhafte Krämpfe. Ich weiß noch, wie ich auf den Klinikeingang zuging, meine Mutter hinter mir, und vor der Glastür stehen blieb. Ich starrte sie an, als bestünde sie aus Stahl, und dachte mir: *Das schaffe ich nicht.* Ich erinnere mich an die Beratungsfrau im rosa Kittel, die im dämmrig beleuchteten Wartezimmer vor dem OP-Saal bei mir saß und sagte: »Glauben Sie mir, heute Nacht werden Sie schlafen wie ein Baby.« Ich erinnere mich, dass der Arzt, kurz bevor ich wegsackte, die Hand schon in mir hatte und seine Stimme wie aus dem Nebenraum sagte: »Siebte Woche.« Ich wusste nur zweierlei: Dass ich nicht die Kraft hatte, das Kind zu bekommen und dann wegzugeben, und dass ich lieber sterben würde, als ohne College-Abschluss mit einem Kind in Scranton festzusitzen. Die freundliche Beratungsfrau hatte recht. Auf dem Heimweg gingen wir in mein Lieblingsrestaurant, wo meine Mutter ein Steak für mich bestellte, und hinterher schlief ich zwölf Stunden durch. Allen anderen sagten wir, wir seien für einen Tag ins Casino nach Atlantic City gefahren.

Während ich wartend auf der Toilette saß, stiegen wieder meine massiven Ängste vor dem Leben mit einem Kind in mir auf – ich müsste die Kontrolle über meinen Körper aufgeben, meine geistigen Freiräume und mein Selbstgefühl, aber viel schlimmer noch, ich könnte mich von den unablässigen Bedürfnissen eines Kindes derart erstickt fühlen, dass ich ihm etwas antun oder es im Stich lassen würde. Genauso große Angst hatte ich aber auch davor, nicht schwanger zu sein – Angst vor meiner existenziellen Schwäche, mit der ich dem Leben auswich, mental in tausend denkbare Varianten gefangen, ohne mich jemals auf eine festzulegen, die Welt durch einen wilden Mix rastloser Möglichkeiten zu erleben.

Das Teststäbchen piepste. Ich nahm es in die Hand, und da stand in sehr kleiner Serifenschrift: »Schwanger.« Mit einem großen »S«.

Mit zitternden Fingern rief ich meine beste Freundin Susan in Los Angeles an.

»Habe ich dich geweckt?«, fragte ich.

»Nein, ich mache Amelia gerade für die Schule fertig. Hast du den Test gemacht?«

»Ja. Er ist positiv.«

»O mein Gott. Wow. Wie geht's dir damit?«

»Ich weiß es nicht«, sagte ich, aber beim Sprechen schaute ich in den Spiegel und sah ein Lächeln. Dann kamen auch die Worte. »O mein Gott, Susan, ich habe gewonnen. Ich kann's nicht fassen. Ich habe gewonnen.«

Ich war mir nicht sicher, was ich damit meinte. Was genau hatte ich denn gewonnen? Den Machtkampf mit Scott? Die letzte und größte Trophäe der modernen Frau: Studienabschluss, beneidenswerter Job, gut aussehender Ehemann, schönes Haus, und jetzt, gerade noch in letzter Minute, ein Kind? Oder etwas viel Tiefgründigeres, nämlich den Kampf der Hoffnung – vielleicht könnte ich eine glückliche Familie haben, ein glückliches Leben führen – gegen die Erinnerung?

»Immer mit der Ruhe«, sagte Susan. »Deine Frauenärztin soll erst mal eine Blutuntersuchung machen, um das Ergebnis zu bestätigen.«

Susan kannte sich mit dem Prozedere aus. Als sie vierzig und weit und breit kein Freund in Sicht war, ging sie zu einer Samenbank und wählte Nummer 58499, einen Musikstudenten im höheren Semester, der bereit war, sich mit dem Kind zu treffen, wenn es achtzehn war. Seitdem ging Susan in ihrem Leben als alleinerziehende berufstätige Mutter auf. Die Frau, die früher einmal nach Belize und Venezuela gejettet war, verbrachte jetzt jede freie Minute mit Kochen, Putzen, Chauffeurdiensten und Baden und kämpfte gegen einen nie versiegenden Strom von Viren, die Amelia aus der Vorschule mitbrachte. Aber ich machte mir um Susan keine Sorgen, denn ich erinnerte mich an einen Nachmittag, sie war gerade von einer Insemination nach Hause gekommen und musste mehrere Stunden mit hochgestellten Beinen liegen bleiben. Wir telefonierten, und um sie aufzubauen, sagte ich etwas in der Art von: »Was immer passiert, es wird gut.«

»Nein, das stimmt nicht«, hatte sie widersprochen. »Wenn ich kein Kind bekomme, weiß ich nicht so recht, was ich auf dieser Welt noch soll.«

Im Vergleich zu Susans massivem Kinderwunsch war meiner eher unscheinbar und leise. Er hatte sich gegen die Warnungen meiner Mutter langsam und beharrlich ans Tageslicht getrotzt, wie Unkraut durch einen Spalt im Bürgersteig. Unterirdisch und hartnäckig, wie er war, kannte er nur eine Möglichkeit, sich zu manifestieren, nämlich die altmodische: in meinem Bett, mit meinem Mann, dem einzigen Menschen, dem ich wirklich voll vertraute.

Und jetzt bekam dieser Wunsch, allen Widrigkeiten zum Trotz, seine Chance.

Ich zog mir Rock und Stiefel an, streichelte meinen Bauch und machte mich unter einem dunkelblauen Himmel auf den Weg in die Arbeit. Der Winterwind brannte angenehm auf meinen Wangen. In mir entfalteten sich Hunderte kleiner Gedanken, wie Ranken waren sie, dazu eine Checkliste der kommenden Monate: Ich würde vernünftig essen. Man würde mir im Bus einen Sitzplatz anbieten. Ich würde in eine erhabene Schwesternschaft aufgenommen, die sogar meine Mutter im Lauf der Zeit zu schätzen gewusst hatte. Scott und ich würden von Urgewalten geleitet werden, die mächtiger waren als unsere Ängste. Dieses Kind würde uns auf die bestmögliche Art verändern: Es würde mein Bedürfnis nach Gebrauchtwerden stillen und Scott aus seinen philosophischen Höhen in die Niederungen des bedürftigen Fleischs holen. Ein Kind würde mich zu einem weniger egoistischen, Scott zu einem weniger kalten Menschen machen. In den kommenden zwanzig Jahren würden wir etwas Bedeutsames mit unserem Leben anfangen, und wenn wir alt waren, würden Enkel um unseren Tisch sitzen.

Ich hatte das Gefühl, dass es ein Mädchen war. Ich wusste auch schon, wie sie hieß. Ruby.

Als ich unter die Erde zur U-Bahn ging, überkam mich ein unbekanntes Glücksgefühl, eine Freude, die durch Schmerz und Umstände hindurch auf den Urquell von allem zurückging und die gleichzeitig einen Weg in die Zukunft wies. Das Gefühl, dass sich mein Leben endlich erfüllen würde.

Einen solchen Morgen habe ich weder zuvor noch danach je erlebt.

Ich hatte nicht erwartet, dass Scott vor Freude in die Luft springen würde, aber dass er derart bedrückt sein würde, damit hatte ich auch nicht gerechnet. Als ich an jenem Tag abends von der Arbeit heimkam, sah er so niedergeschlagen aus, dass meine ganze Aufregung verpuffte. Derart apathisch hatte ich ihn erst einmal gesehen, als bei seinem Vater Krebs festgestellt wurde.

»Das kennst du doch von Blüten«, sagte er. »Wenn man die Staubgefäße abschneidet, den Teil, in dem die Samen gebildet werden, hält die Blüte länger. Sobald die Blüte sich reproduziert hat, stirbt sie. Ich will nicht sterben. Ich will mein eigenes Leben führen.«

Während er sprach, passierte etwas ausgesprochen Merkwürdiges, als hätte ich eine psychedelische Droge genommen: Seine Gesichtszüge wurden weicher, seine schulterlangen Haare schienen noch um einen Zentimeter zu wachsen, sodass er für einen Moment wie eine Frau aussah. Unwillkürlich wich ich einen Schritt zurück.

»Du wirst nicht sterben«, widersprach ich. »Du wirst wachsen, du wirst ein anderer Mensch werden.«

»Ich will kein anderer Mensch werden.«

»Warum?«, flehte ich. Ich brach in Tränen aus. »Warum?«

Er nahm mich am Unterarm und führte mich in den Flur zu einem gerahmten Foto, das er im Jahr zuvor bei einem Besuch in seiner Heimatstadt in Indiana aufgenommen hatte. Darauf war ein aufgelassenes Zuggleis zu sehen, das in der verschwommenen Ferne der Nacht verschwand, rechts und links gesäumt von den kahlen Winterzweigen gewaltiger Bäume. Es war ein einsamer, surrealer Anblick.

»Deswegen.« Er deutete auf das Bild.

»Was meinst du damit?«, fragte ich. Wegen der Monate, die er nach der Highschool in seinem Auto in den Wäldern von Indiana gelebt hatte? Wegen eines existenziellen Schmerzes in seinem tiefsten Inneren? Nannte er mir jetzt endlich, nachdem ich geschlagene sechs Jahre unter Tränen in ihn gedrungen war, den Grund, weshalb er sich nicht überwinden konnte, Kinder zu haben?

»Was meinst du damit, Scott?«

»Einfach … das«, sagte er und blickte unverwandt auf das Foto. Das passierte oft: Im Moment der Offenbarung verloren wir uns in einer Sackgasse. Ich wartete, aber es kam nichts mehr. Mir war nicht klar, ob er etwas verschwieg oder ob er es selbst nicht wusste.

Nach einer Minute sagte ich leise: »Die vielen Monate, die wir zu George gegangen sind, vor der Hochzeit. Weißt du noch, dass er sagte, wenn ich wirklich unbedingt ein Kind wollte, würdest du mitziehen?«

Scott schüttelte den Kopf. »George hat sich getäuscht.«

In dem Moment gab ich auf. Wäre es nur um mich und Scott gegangen, die wir, gefangen in uns selbst, hier im Flur standen, hätte ich vielleicht weitergekämpft, bis die Wechseljahre einsetzten. Aber zum Glück wurde mir plötzlich die tiefere Dimension der Situation klar. Die Frage nach einem Kind war überhaupt nicht damit zu vergleichen, dass ich Scott überredete, mit mir zusammenzuziehen oder mich zu heiraten. Hier ging es nicht nur um mein oder sein Glück, hier gab es eine dritte Person zu berücksichtigen, eine hilflose Person, die zu beschützen meine Aufgabe war. Es war gut möglich, dass ich ein Kind in die Welt setzen würde, das sein Vater nicht wollte. Dieser Umstand könnte sich im neunten Monat oder im neunten Jahr ändern, aber plötzlich wurde mir übel bei der Vorstellung, dieses Risiko einzugehen – der vielleicht einzige selbstlose Gedanke bei meinem Kinderwunsch.

Als ich am nächsten Tag zu meiner Ärztin ging, hoffte ein Teil von mir, dass ich mich getäuscht hätte. Sie schickte mich mit einem Urinbehälter in die Toilette, und das Ergebnis spiegelte meine innere Zerrissenheit wider: negativ. »Das verstehe ich nicht«, sagte ich. »Ich musste gestern bei dem Test doch keine rosa Linie interpretieren. Es war ein digitaler Test, und der sagte ›Schwanger‹.«

»Vielleicht sind Sie auch schwanger«, sagte sie. »Vielleicht war es ein falsches Positiv. Oder vielleicht hatten Sie einfach einen sehr frühen Abgang. Wir müssen eine Blutuntersuchung machen lassen.« Sie schickte mich zu einem Labor in der Stadt, wo sie mir Blut abnahmen und sagten, sie würden mir das Ergebnis in fünf Tagen mitteilen.

Für den fünften Tag vereinbarte ich mit Delphyne eine Paar-Stunde. Scott war schon in den vergangenen Monaten immer wieder einmal zu einer Sitzung mitgekommen. Mein Plan war, die Ärztin anzurufen und dann sofort zu Delphyne zu gehen, damit ich mit der Antwort nicht allein zu sein brauchte. Aber ich kannte die Antwort bereits. Die Ärztin bestätigte sie mir nur: nicht schwanger. Ob ich einen Abgang gehabt oder ein falsches Positiv bekommen hatte, würde ich nie wissen.

Ich ging die vier Blocks zu Delphynes Praxis und ließ mich bei ihr aufs Sofa fallen. Scott war schon da. Ich legte meine rechte Hand auf das Polster, und er legte seine Linke obenauf, wie immer. Pele, die Feuergöttin, blickte aus ihren mörderischen Augen auf uns herab.

»Ich bin doch nicht schwanger«, sagte ich. Eine Säule dicker, abgestandener, trockener Luft steckte fest in meiner Kehle. Ich konnte kaum atmen.

An die folgenden fünfzig Minuten habe ich keine Erinnerung. Ich weiß nur noch, dass Scott irgendwann sagte: »Ich lasse mich sterilisieren. Ich habe mir gewünscht, dass Robin das von sich aus vorschlagen würde, aber das hat sie nicht. Ich lasse den Eingriff trotzdem machen.« Ich schaute vom Boden auf, auf den ich meinen Blick gerichtet hatte, und sagte, ohne seine Hand loszulassen: »Ja, mach das. Ich unterstütze dich. Und ich mache, wozu ich Lust habe, und du musst mich dabei unterstützen. Von jetzt an macht jeder das, was ihm wichtig ist. Es geht nicht mehr um etwas Größeres.«

Unglücklich sah er mich an. Ich spürte, wie die Trauer durch meine Haut und die Muskeln bis zu den Knochen sickerte, sie setzte mich wehrlos auf dem Sofa fest. Aber trotzdem, tief im Inneren meines Schädels, dort, wo das Gehirn mit der Wirbelsäule verbunden ist, erwachte zitternd etwas zum Leben. Erleichterung. Freiheit. Die glückliche Familie eine bloße Spekulation, mit der ich mich nicht mehr zu befassen brauchte.

»Jetzt ist alles möglich«, sagte ich und richtete den Blick wieder auf den Boden. Das muss ich ernst gemeint haben, denn sieben Monate später stand ich bei Paul vor der Haustür.

7.

Die Offenbarung

Erst nach achtundvierzig Stunden wurde mir wirklich bewusst, dass ich Scott betrogen hatte. Die Erkenntnis traf mich wie ein Schlag. Wir waren im Napa Valley auf Recherchereise für einen Artikel, den ich schreiben sollte, und hatten tagsüber mehrere Weingüter besichtigt. Abends nahmen wir uns in Yountville ein Zimmer in einem gehobenen Bed-and-Breakfast. Wir lagen im Bett, Scott war eingeschlafen, ich blätterte noch in einer Zeitschrift. Mein Auge fiel auf eine Anzeige für Ringe zur diamantenen Hochzeit, sie zeigte ein Paar, das sich kennenlernt, heiratet, Kinder und schließlich Enkelkinder bekommt. Ein paar Seiten weiter dann eine Anzeige für eine Matratze, auf der ein wunderschönes Paar mit seinen drei kleinen Kindern herumliegt. Darauf folgte ein Artikel über Catherine Zeta-Jones, in dem sie über ihr Leben in Bermuda sprach und unter anderem erzählte, dass sie ihren Mann »wahnsinnig liebe« und ihn eingehend über seinen Kinderwunsch ausgefragt habe, ehe sie seinen Antrag annahm.

Ich schloss die Zeitschrift und versuchte zu schlafen. Es summte in meinen Gliedern, mir hämmerte der Kopf. Ich massierte mir die Schläfen, als könnte das die drohende Attacke abwenden. Mir war klar, dass Frauenzeitschriften nicht dazu da sind, um Wahrheiten zu vermitteln. Aber das Gewitter, das sich zusammenbraute, seit ich bei Paul an der Tür geklingelt hatte, war unausweichlich, es brauchte nur ein paar hübsche Bildchen, damit es losbrach.

Ich rollte mich zusammen. Die stechenden Schmerzen in der Stirn waren nicht bloß körperlich. Ich machte mir Vorwürfe, nicht nur wegen Paul – wegen allem. Dass ich Scott geheiratet hatte, obwohl ich wusste, dass er keine Kinder wollte. Dass ich vor der Hochzeit nicht mit mehr Männern geschlafen hatte. Dass ich sowohl leidenschaftlichen Sex als auch Kinder wollte, auch wenn ich nicht wusste, ob ich mit dem, was das eine oder das andere bedeutete, überhaupt umgehen konnte. Dass ich bei Paul das unbekümmerte Flittchen gespielt hatte, obwohl ich in Wahrheit ein jämmerliches Wrack war. Kein Wunder, dass meine Ehe zu scheitern drohte. Ich war erbärmlich.

Ich setzte mich auf, schaltete das Licht an und wühlte in meiner Handtasche vergeblich nach Ibuprofen.

Scott drehte sich zu mir. »Was ist denn, Schnecke?«

»Ich habe grässliche Kopfschmerzen. Ich brauche eine Tablette.« Ich sehnte mich nach den Tagen, als ich ihm alles sagen konnte. Wie schwer uns das eine oder andere Geständnis auch gefallen war, wir hatten gewusst, dass die Aufrichtigkeit unser solides Fundament noch mehr festigen würde. Aber selbst wenn ich jetzt kein tödliches Geheimnis gehabt hätte – diese Tage waren schon seit einigen Jahren vorbei.

Scott zog sich an, fuhr mit mir zu einem Laden, der rund um die Uhr offen war, und besorgte ein Schmerzmittel. Zwei Minuten, nachdem ich die Tabletten geschluckt hatte, wanderten die Schmerzen in den Bauch. Ich hatte einen Schweißausbruch, alles verschwamm mir vor den Augen. Ich steckte den Kopf zum Beifahrerfenster hinaus. Als wir wieder im Hotel waren, saß ich zitternd auf der Toilette, hielt mich am Waschbecken fest und atmete langsam durch, um nicht in Ohnmacht zu fallen.

»Alles in Ordnung?«, fragte Scott von der anderen Seite der geschlossenen Tür.

»Ja«, sagte ich stöhnend. »Ich komme gleich.« Zwanzig Minuten später taumelte ich schweißnass und erschöpft ins Bett.

Als ich am nächsten Morgen aufwachte, stand flackernd eine Gewissheit klar und deutlich vor meinem inneren Auge. Sie lautete: *Ich weigere mich, ohne Kinder und mit nur vier Liebhabern zu sterben. Wenn ich nicht das eine haben kann, will ich wenigstens das andere.*

Beim Heimkommen setzte Scott mich vor dem Haus ab und fuhr weiter, um einen Parkplatz zu suchen. Auf dem Weg zur Haustür sah ich einen kleinen Kartonfetzen im Eingang liegen. Ich hob ihn auf. Er war keine drei Zentimeter lang und sah aus, als wäre er von der Ecke einer Schachtel Frühstücksflocken abgerissen. Ich rollte ihn auf, drehte ihn um, und da stand in winziger perfekter Handschrift: »Urteil über den Angeklagten: nicht schuldig«, als hätte ein Geschworener sich während des Prozesses gegen einen Unschuldigen eine Notiz gemacht.

Ich blickte mich um und überlegte, wer das wohl geschrieben haben mochte, aus welchem Grund, und weshalb der Schnipsel vor meine Tür und mir zu Füßen geweht war. Ich glaube immer schon an Synchronizität: dass ein Zeichen in dem Moment erscheint, in dem man es braucht. Die Bestätigung, dass das Leben nach einem Plan abläuft.

Urteil über den Angeklagten: nicht schuldig. Ich allerdings war in der Tat schuldig: schuldig der Lüge, der Sturheit und, am schlimmsten, des Verrats. Mein Selbstbetrug ging nicht so weit, dass ich den Spruch als Absolution meines Handelns verstand. Aber ich sah ihn als Absolution meines Wunschs. Oder vielmehr all meiner Wünsche: Scott trotz seiner – und meiner – Schwächen zu heiraten. Ein Kind von ihm zu haben, obwohl er es nicht wollte. Meine sexuelle Energie innerhalb der Ehe auszuleben. Diese Energie jetzt auf etwas anderes zu richten. Meine widersprüchliche Sehnsucht nach Sicherheit und dem Neuen, nach Häuslichkeit und Leidenschaft. Mein egoistischer Wunsch, fürsorglich zu sein. Mein Wunsch nach Ficken und nach Kuschelsex.

Vielleicht würde ich das, was ich wollte, nicht bekommen, aber deshalb würde ich es trotzdem noch wollen. Ich hatte genug über meine Schwierigkeiten geredet. Jetzt war es Zeit, meinem Instinkt zu folgen und herauszufinden, welche Erkenntnisse ich durch meinen Körper gewinnen konnte.

Als ich den Kartonschnipsel einsteckte und die Tür aufschloss, hörte ich Scotts geliebten Walt Whitman über die Zeiten hinweg sagen: »Drängen und Drängen und Drängen, immer der zeugende Drang der Welt.«

Vier Tage später ging Scott allein zu seiner Sterilisation.

8.

Hure

Nach der Sterilisation ersann Delphyne ein feierliches Ritual für uns, bei dem Scott und ich unsere jeweiligen Vorstellungen von der Zukunft aufschreiben sollten. Unter anderem mussten wir uns überlegen, wie wir verheiratet bleiben könnten, ohne zu viel von uns selbst aufzugeben. Auf diese Art brachte ich Scott bei, dass ich eine offene Ehe führen wollte.

»Wenn wir mit einem anderen Partner schlafen, und der Sex ist schlecht, haben wir unsere Ehe umsonst aufs Spiel gesetzt«, sagte er. »Und wenn der Sex gut ist, dann wollen wir die Person wiedersehen, und je öfter wir sie treffen, desto mehr investieren wir in die Beziehung.« Das wusste er von den fünf Jahren, die er mit einer verheirateten Frau liiert gewesen war.

Ich glaubte ihm. Eine offene Ehe war riskant und emotional heikel. Angesichts seiner Geschichte und meiner ewigen Unruhe sprachen wir nicht zum ersten Mal über diese Möglichkeit, nur hatten wir sie früher sehr schnell wieder fallen lassen. Dieses Mal wiederholte ich einfach immer wieder den Gedanken, der mir in Napa vor Augen gestanden hatte, jetzt aber laut: »Ich will nicht ohne Kinder und mit nur vier Liebhabern sterben. Ich weigere mich.« Manchmal sagte ich: »Ich will nicht«, manchmal: »Ich kann nicht.«

Morgens in der U-Bahn auf dem Weg zur Arbeit stellte

ich fest, dass ich Männer anstarrte. Auf der zwölfminütigen Fahrt malte ich mir aus, wie sie mich anfassten, und diese Vorstellung begleitete mich als angenehmer Zeitvertreib durch den ganzen Tag. Als ein untersetzter russisch-sprachiger Handwerker bei uns das Küchenfenster reparierte, tat ich, als würde ich am Tisch sitzen und arbeiten, während ich insgeheim die Form seiner Arme und den Klang seiner Stimme in mir aufnahm.

Scott und ich entzündeten Kerzen, lasen uns unsere Antworten zu Delphynes Fragen vor und vergruben die Seiten in unserem Garten unter den pinkfarbenen Hängeblüten eines Fuchsienstrauchs. Ich sah den Abgrund, der sich vor uns auftat, und konnte keine Möglichkeit erkennen, ihn zu schließen, es sei denn, wir drehten die Zeit zurück. Wir mussten ihn überwinden, ob gemeinsam oder jeder für sich.

Es dauerte Monate, bis wir uns verständigt hatten, wie unsere offene Ehe aussehen sollte. Regel Nummer eins lag auf der Hand: Wir würden Safer Sex praktizieren. Alles andere aber stand zur Diskussion. Wir überlegten uns, die »Nebenhandlung«, wie Scott es nannte, auf Reisen außerhalb der Stadt zu beschränken, fanden dann aber, dass das zu kompliziert wäre. Stattdessen würde ich mir eine eigene Wohnung nehmen. Dort würde ich während der Woche leben und nur das Wochenende mit Scott verbringen. Wir einigten uns darauf, mit niemandem aus unserem Freundes- und Bekanntenkreis zu schlafen, den wir beide kannten. Um unsere Angst zu überspielen, machten wir manchmal Witze über freie Liebe und nannten unser Projekt halb im Ernst »Unser wildes Jahr«.

Natürlich hatte ich Paul schon im Visier. Ich würde ihn zur kurzfristigen Ausnahme von der Keine-Freunde-Regel machen. Er sollte eine Art Stützrad-Funktion übernehmen, bevor ich mich in das Meer voll fremder Männer stürzte. Schon zwei Monate, bevor ich eine Wohnung fand, organisierte ich eine Geschäftsreise nach Denver über ein Wochenende, an dem Paul auch dort sein würde. Ihm selbst erzählte ich erst zwei Wochen zuvor von dem Plan. Ich ließ ihm keine Chance zu entkommen.

Freitagabend fuhr ich gleich vom Büro mit dem Zug zum Flughafen, wo eine ungewöhnliche Ruhe herrschte. Im Flugzeug bestellte ich mir ein Glas Wein und freute mich an der herben Wärme, die sich von meiner Brust über meine Beine hinab ausbreitete, das Eigenleben meiner Haut weckte und mich im Sitz entspannen ließ. Ich tastete nach dem Goldmedaillon, das meine Mom mir an meinem Hochzeitstag geschenkt hatte. Es hing an einer langen Kette um meinen Hals und hatte die Form eines vierblättrigen Kleeblatts. In das oberste Blatt war Christus graviert, auf den anderen waren die Jungfrau Maria, der heilige Johannes und der heilige Christoph abgebildet. Auf der Rückseite stand in kleiner Schrift: »Ich bin katholisch. Bitte holen Sie einen Priester.« Eine gläubige Katholikin war ich zwar schon lange nicht mehr und würde, wenn ich im Sterben läge, vermutlich nicht nach einem Priester verlangen, obwohl ich ihn wohl auch nicht wegschicken würde. Ich legte das Medaillon nur zum Fliegen an, genauso wie ich das Vaterunser nur betete, wenn ich im Flugzeug saß, und manchmal, wenn jemand, den ich liebte, schwer krank war. Sonst machte ich Yoga, verbrannte Weihrauch und betete zu heidnischen und hinduistischen Gottheiten.

Kaum waren wir gelandet, bombardierte Paul mich aus einer Bar mit SMS. *Bist du schon gelandet? – Gib Bescheid, sobald du im Hotel bist. – Bist du schon da? – Du hast 25 Minuten gesagt, es kommt mir vor wie 45.* Ich merkte, dass er mit jeder SMS betrunkener wurde, und ich kannte auch den Grund. Er hatte ein schlechtes Gewissen wegen Scott und ließ sich nur auf das Ganze ein, weil ich es initiiert hatte. Paul hatte von seiner verheirateten Freundin nur im Taxi einen Kuss rauben wollen und nicht im Sinn gehabt, ein Wochenende mit ihr zu verbringen.

Ich ging in mein Zimmer und machte mich ans Auspacken. Er simste, dass er auf dem Weg sei, dass er in der Lobby sei, im Lift, und als ich die Zimmertür öffnete, kam er schon um die Ecke gebogen. Er trug ein schwarzes Jackett und dunkle Jeans, die Hände hatte er wie ein nervöser Fünfzehnjähriger in die Taschen gesteckt. Seine grünen Augen funkelten aus einem geröteten Gesicht, sein Lächeln verriet einen Hunger, der mir für den Bruchteil einer Sekunde vor Trauer fast die Luft nahm.

»Paulie«, sagte ich und streckte die Arme nach ihm aus. Er drückte mich an die Wand und küsste mich. Lachend sagte ich: »Lass uns doch ins Zimmer gehen.« Er warf mich aufs Bett, streifte sein Jackett ab und legte sich auf mich, hielt meine Arme fest, sah mich ein paar Sekunden an, bevor er zu meinem Hals hinabtauchte.

»Ich liebe dich«, flüsterte er, während er mit der Hand über meinen Pullover fuhr, dann unter meinen Rock. »Würdest du mit mir durchbrennen, wenn du könntest?« Es war vor allem der Alkohol, der in dem Moment aus ihm sprach, aber ich saugte seine Worte auf wie ein Schwamm. Hätte er in dem Augenblick zwei Flugtickets aus der Tasche gezogen, wäre ich wahrscheinlich wirklich mit ihm durchgebrannt. Sein Körper auf meinem war genau das, wonach ich mich seit Monaten sehnte. Seine Erektion in seiner Jeans war steinhart. Ich öffnete den Reißverschluss und berührte sie. »Hol ein Kondom«, sagte ich.

»Ich habe keins.«

Ich schob ihn ein Stück von mir weg. »Du hast keine Kondome dabei?«

»Nein. Ich wusste nicht, ob ich wirklich kommen würde.« Das glaubte ich ihm.

»Dann musst du jetzt welche besorgen.«

Er presste seine Lippen auf meine und versuchte, sich in mich zu schieben.

»Hör mal«, sagte ich und hielt sein Gesicht zwischen beiden Händen fest. »Wir brauchen ein Kondom.«

Er hielt kurz inne, dann küsste er mich wieder.

»Willst du mich verarschen?«, fragte ich. Meine Stimme war lauter geworden, ich rollte mich unter ihm zur Seite und setzte mich auf. »Ich gebe dir einen Tritt in den Hintern. Jetzt geh und besorg ein Kondom.« Ich deutete zur Tür.

Er setzte sich auf und sah mich an, versuchte, zu Atem zu kommen. Der verletzliche Ausdruck auf seinem Gesicht war nicht zu ertragen. Am liebsten hätte ich geweint. Ein paar Sekunden saßen wir schweigend da; das war seine Art, mir zu sagen, dass wir aufhören könnten, wenn ich das wollte. Mir war klar, dass ich aufstehen und Kondome besorgen sollte, aber ich konnte mich nicht von seinem Körper wegreißen und auch nicht von der Gier, die er zu beherrschen versuchte. Dann war es zu spät, und er lag wieder auf mir.

In Wirklichkeit hatte ich es satt, alles und jeden zu schützen und zu beschützen. Ich wünschte mir das Glücksgefühl, überwältigt zu werden.

Er drang in mich ein, hielt mit einer Hand mein Knie hoch und fasste mit der anderen nach meiner Brust. Er rammte in mich, dann schob er sich ganz hinein und blieb dort. Es tat weh, auf schöne Art. Als ich mich dem Schmerz überließ, fühlte er sich immer besser an. Nach einiger Zeit drehte ich mich auf den Bauch, Paul hob meine Hüften an, zog sie nach hinten und stieß nach vorn, hinein, immer wieder hinein, bis ich in einer schwindligen, glückseligen Trance war. Er packte mich an den Haaren und wickelte sie sich wie ein Seil um die Hand, sodass mein Kinn zur Decke gereckt war. Und so kam er, mein Kopf mit einer Hand zurückgerissen, während er sich mit der anderen im letzten Moment aus mir zog.

Hinterher holte er ein warmes Handtuch und wischte mich ab, wir schalteten das Licht aus und versuchten zu schlafen. Er warf sich unruhig hin und her, als würde er in seinen Träumen kämpfen. Ich lag die ganze Nacht halbwach und ungewöhnlich still da. Sein Körper war ein Magnet, ein Kraftfeld, das ich in der Ruhe nicht zu berühren wagte; das durfte ich nur im Feuer rauschhafter Leidenschaft. Am nächsten Morgen bestellten wir Frühstück: Eier für ihn, Haferbrei für mich. Ich brachte kaum einen Bissen hinunter. Ich fühlte mich krank vor dunkler Ekstase. Derart destruktiv war ich noch nie gewesen, und doch erkannte ich in den Schatten, durch die ich hinabstieg, einen Lichtschein von etwas, ein Erkennen.

Als Paul nach dem Frühstück ging, sagte er, er werde mich abends zum Essen abholen. Ich schloss die Tür und legte mich wieder ins Bett. Unter mir spürte ich etwas Kaltes. Mein Medaillon. Die Kette lag zerrissen auf der Matratze.

Ich nahm sie in die Hand, Grauen kroch mir eiskalt den Rücken hinauf und verflüchtigte sich wieder. Die Zehn Gebote – vorbei. Das Ehegelübde – vorbei.

An dem Abend schlief ich wieder mit Paul – dieses Mal immerhin mit Kondom –, ebenso wie am darauf folgenden Abend, und am Montagmorgen fuhr er mich zum Flughafen. Wir gingen auch essen und trafen uns auf Drinks mit seinen befreundeten Kollegen. Das war aber alles nur eine erholsame Ablenkung von der Hauptveranstaltung, die im Hotelzimmer stattfand. Scott wusste, dass Paul in Denver war und wir vereinbart hatten, miteinander essen zu gehen; Scott und ich sprachen und simsten im Lauf des Wochenendes mehrmals miteinander. In den vielen Jahren, in denen ich eine treue Freundin und dann eine treue Ehefrau gewesen war, hatte ich geglaubt, zu lügen wäre für mich ein Ding der Unmöglichkeit. Jetzt stellte sich heraus, dass ich ein ziemliches Händchen dafür besaß, zumindest im Moment. Die Lektion, dass Lügen im Lauf der Zeit krebsartig wuchern, stand mir noch bevor.

Als ich am Montagvormittag direkt vom Flugzeug ins Büro ging, war von Scott eine E-Mail da mit der Frage, ob ich mit Paul geschlafen hätte.

»Nein«, tippte ich. »Wir sind befreundet, mehr nicht.« Ich wusste, dass er zu diszipliniert und zu stolz war, um nachzufragen.

Zwei Regeln aufgestellt, zwei Regeln übertreten. Fortgespült wie Sandburgen bei Flut.

Das sollte reichen, dachte ich, als ich auf »Senden« klickte und meine Lüge in den virtuellen Raum entließ, um unsere progressive und aufgeklärte offene Ehe zu starten. Damit sollte sich das mit dem braven Mädchen ein für alle Mal erledigt haben.

TEIL ZWEI

Mein wildes Jahr

»Es ist mehr Vernunft in deinem Leibe,
als in deiner besten Weisheit.«
Friedrich Nietzsche, *Also sprach Zarathustra*

9.

Mission Dolores

Als ich zwei Monate später vierundvierzig wurde, hatte ich in der Gegend um Mission Dolores eine kleine Wohnung gefunden, die ich während der Woche als Untermieterin nutzen konnte. Joie, die Hauptmieterin, lebte die Woche über bei ihrem Freund im Stadtviertel Haight. Von Montagmorgen bis Freitagabend führten Scott und ich eine offene Ehe, für die drei Regeln galten: keine tiefere Beziehung, kein ungeschützter Sex, kein Sex mit gemeinsamen Freunden. Von Freitagabend bis Montagmorgen waren wir zusammen und monogam. Zwar hatte ich mit Paul bereits zwei Regeln gebrochen, aber jetzt, so beschloss ich, würde ich einen Neuanfang machen und mich ab sofort an die Regeln halten. Es war eine Erleichterung, als unser Projekt der offenen Ehe offiziell tatsächlich begann und es eine gewisse Gleichwertigkeit und auch Grenzen gab.

Mehrere von Scotts langjährigen Freunden und ihre Frauen lebten noch immer in Sacramento, es war ein kleiner Kreis befreundeter Ehepaare. Im Lauf der Jahre waren wir immer wieder einmal mit ihnen in den Urlaub gefahren und hatten Feiertage zusammen verbracht. Die meisten waren zu der Zeit zum zweiten Mal verheiratet, praktisch alle waren konservativer als wir. Thanksgiving-Essen endeten oft in hitzigen Diskussionen, aber Scott und ich betrachteten sie als unsere Familie. Als der Tag meines Auszugs näher rückte, erzählte Scott den Männern bei einem Camping-Wochenende davon. Am Sonntagabend dann berichtete er mir, dass ihre Reaktion durchgängig die gleiche gewesen war: Warum er das erlaube? Warum er mich nicht einfach verlasse?

»Und was hast du gesagt?«, fragte ich.

»Dasselbe, was ich mir auch sage. Ich finde die Idee schrecklich, aber nachdem du darauf bestehst, können wir genauso gut auch versuchen, am anderen Ende wieder heil herauszukommen. Ich habe zwei Affären mit verheirateten Frauen gehabt, ich habe Freundinnen betrogen, ich bin mit Männern befreundet, die ihre Frauen betrogen haben, und das fand ich alles in Ordnung. Und jetzt soll ich zum Scheinheiligen werden und dich verlassen, weil du dasselbe ausprobieren willst, was ich bei anderen und mir selbst in Ordnung fand?«

Ich war überrascht, dass er sich aus Gründen der Logik mit dem Projekt abfand und nicht einfach aus schlechtem Gewissen wegen der Sterilisation. Wenn es um Scott ging, war ich wohl etwas begriffsstutzig.

Am Montag bekam ich die ersten E-Mails von den Ehefrauen.

»Ich kann das, was du tust, nicht gutheißen«, schrieb Andrea, mit der ich mich am besten verstand, »aber ich mag euch beide und möchte so neutral wie möglich bleiben.«

»Du hast mich nicht um meine Meinung gebeten«, schrieb Marilyn, eine Anwältin, »also sage ich sie dir auch nicht.«

Heather war weniger diplomatisch. »Wenn du so dringend ein Kind haben willst, warum lässt du dich nicht scheiden und adoptierst eins? Das ist doch kein Ersatz für Kinder, bei denen du von vornherein wusstest, dass Scott sie nicht wollte. Nach meiner Scheidung habe ich viele Männer kennengelernt und mich auf viele Abenteuer eingelassen, aber jetzt habe ich Cody, und ich würde meine Ehe gegen kein Abenteuer der Welt eintauschen. Wo sind diese ganzen Männer jetzt? Wo werden sie sein, wenn ich Krebs bekomme? Nirgends. Cody wird da sein.«

Ich wusste, was Heather meinte. Mit vierundvierzig war ich unwiderruflich eine Frau mittleren Alters. Die Wechseljahre, alte Eltern, Krankheit und Tod ragten zunehmend wie Warnschilder entlang des Wegs auf. Scott war der perfekte Partner für die Klippen, die in der Zukunft lauerten, und für die friedliche Gemeinsamkeit des Alters, genauso wie er der perfekte Partner damals für mich als überempfindliche Zwanzigjährige gewesen war, die zu wenig elterliche Fürsorge bekommen hatte.

Während ich so dasaß und die Namen meiner Freundinnen im Posteingang betrachtete, fühlte ich mich klein und unsicher. Konnte ich das Projekt, bei Licht betrachtet, wirklich durchziehen? Nicht nur meine Ehe aufs Spiel setzen, sondern auch meine Freundschaften? Einen kurzen Moment wünschte ich, ich könnte alles wieder in einen praktischen kleinen Karton verpacken, aber ich wusste, ein Rückzieher war unmöglich. Mein ganzes bisheriges Leben hatte ich an der einen oder anderen Version der Überlegung ausgerichtet, wer da sein würde, um mich zur Chemo zu fahren. Jetzt stand mir allzu klar vor Augen, dass dies meine allerletzte Chance war, einen anderen Weg zu gehen. Wenn ich mich dieses Mal für die Sicherheit entschied, würde etwas Wesentliches in mir eingehen, etwas, ohne das meine Ehe, meine Freundschaften und selbst mein Körper letztlich hohl wären.

Am 1. Mai brachte ich eine Wagenladung Kleider, Bücher, Malutensilien und Kosmetik in Joies Apartment. Der Raum war L-förmig geschnitten, in einer Ecke stand ein Doppelbett, in einer anderen eine sehr moderne Couch mit HiFi- und Fernsehanlage, außerdem gab es einen Bürobereich, der in eine kleine Küche überging. Und alles war lichtdurchflutet. Joie hatte eine Hälfte des großen Schranks für mich ausgeräumt. Ich hängte meine Kleider auf, räumte meine Kosmetik ins Bad und stellte meine Bücher neben das Bett. Die Wohnung lag in einer der schönsten Ecken von San Francisco, an der Kreuzung Twentieth Street und Church Street, ganz oben am Berg mit Blick auf den Dolores Park und die Skyline des Stadtzentrums, die sich in den Horizont erhob. Mein Haus, mein Mann und meine Katze waren nur sechs Querstraßen entfernt, doch mir kam es vor wie eine andere Welt.

Ich hatte mir meine Freiheit erobert, jetzt musste ich sie nutzen. Da ich keine Lust hatte, mein Glück nach einem Zehn-Stunden-Tag in der Redaktion jeden Abend in Lokalen zu versuchen, ging ich in der Mittagspause auf die Craigslist-Seite und schrieb unter der Rubrik »Zwanglose Treffen« eine Anzeige:

> Braves Mädchen sucht Erfahrung
> Ich bin eine 44-jährige berufstätige, gebildete, attraktive Frau, die in einer offenen Ehe lebt, und suche alleinstehende Männer zwischen 35 und 50, die mir helfen, meine Sexualität zu erforschen. Sie sollten vertrauenswürdig und klug sein und im Gespräch ebenso versiert wie im Bett. Wir treffen uns zunächst in der Öffentlichkeit auf einen Kaffee oder einen Drink. Verstehen wir uns, gehen wir in ein Restaurant, möglicherweise folgt darauf Sex. Unsere Treffen beschränken sich auf dreimal, denn ich bin nicht an einer ernsthaften Bindung interessiert. Ich schreibe diese Anzeige nicht, weil ich geil wäre oder das schnelle Abenteuer suche. Mir geht es um Begegnungen auf Augenhöhe und mit Einfühlungsvermögen, mögen sie noch so flüchtig sein.

Ich klickte auf »Weiter« und checkte meine Mails. Die Bestätigung von Craigslist war bereits eingetroffen, also klickte ich den Link an, um die Anzeige zu veröffentlichen.

Fünf Minuten später wollte ich sie überprüfen, da stand: »Diese Anzeige wurde von Craigslist-Usern zum Entfernen markiert.«

Verblüfft ging ich auf die Hilfe-Seite, wo ich erfuhr, dass Craigslist User-moderiert war. User konnten Postings aus drei Gründen markieren: Wenn sie in der falschen Rubrik standen, wenn sie die AGB verletzten (etwa pornografischen oder gehässigen Inhalt hatten), oder wenn sie zu oft gepostet wurden. Da meine Anzeige offenkundig keine dieser Vorschriften übertrat, postete ich meinen Anzeigentext im Flag Help Forum und fragte, warum er entfernt worden sei.

»Vermutlich, weil Sie eine Betrügerin sind«, schrieb ein User.

Das stimmte in der Tat, aber das konnte er (sie?) vom bloßen Lesen der Anzeige nicht wissen. Ich kehrte zur Rubrik »Zwanglose Treffen« zurück, klickte auf »Er sucht Sie« und tippte »verheiratet« in die Suchleiste. Es gab über fünfhundert Anzeigen von verheirateten Männern, die nach einem Abenteuer suchten. Dann machte ich dasselbe auf der »Sie sucht Ihn«-Seite: elf Anzeigen wurden aufgeführt. Rund die Hälfte stammte von verheirateten Frauen, die sich eine Affäre wünschten, die andere Hälfte von alleinstehenden Frauen, die ausdrücklich sagten, sie wollten keinen verheirateten Mann.

»In der Anzeige heißt es klar und deutlich, dass ich in einer offenen Ehe lebe«, postete ich dem Flag Help Forum zurück.

»Das ist ein Synonym für betrügen«, kam als Antwort.

Ich glaubte, meinen Augen nicht zu trauen. Wir waren hier bei »Zwanglose Treffen«, allgemein bekannt als Clearinghaus für jeden nur denkbaren Geschlechtsverkehr zwischen Fremden. Aber ich wurde behandelt wie anno 1642 auf dem Marktplatz von Boston.

Ich mailte den Mitarbeitern bei Craigslist, sie möchten meine Anzeige noch einmal posten. Ich bekam nie Antwort.

Ein erfahrener User im Flag Help Forum machte sich die Mühe, mir die Sachlage zu erklären. »Männlichen Lesern gefiel wahrscheinlich der Ton Ihres Postings nicht. Wenn er genügend Usern nicht gefällt und sie ihn markieren, muss man ihn entsprechend umformulieren, damit er doch noch aufgenommen wird.« Ich durchsuchte die Fragen und Antworten anderer Frauen, weshalb ihre Postings entfernt worden waren, und fand heraus, dass männliche Leser Postings häufig markierten, wenn diese nicht die »Daten« der Frau enthielt, sprich: ihr Gewicht.

»Sie können sämtliche Vorschriften bis ins Detail erfüllen«, schrieb ein User, »aber ohne die Info, auf die es den Männern ankommt (gute körperliche Daten), werden Sie immer wieder markiert werden.«

Ein anderer schrieb: »Wenn die Männer nicht sehen können, ob Sie der richtige Körpertyp sind, markieren sie das Posting mit 90-prozentiger Sicherheit. Tut mir leid.«

Ich beschloss, Craigslist zu boykottieren.

Stattdessen meldete ich mich bei Nerve.com an und postete die Anzeige sowie ein paar Bilder dort. Da die Nerve-Seite sehr viel detaillierter ist, nannte ich auch meine Lieblingsbücher, -musik und -filme.

Binnen vierundzwanzig Stunden trudelten auf meinen Posteingang bei Nerve.com Antworten von dreiundzwanzig potenziellen Kandidaten ein, vorwiegend Männern, die wesentlich jünger waren als ich. Ich war noch nie eine Schönheit gewesen, wegen meiner hinreißenden Porträts hatten sie sich also bestimmt nicht gemeldet. Und wohl auch nicht wegen meiner Schwäche für Wilco oder meiner Vorliebe für Romane von Milan Kundera. Sondern schlicht und ergreifend wegen der Tatsache, dass sie nach drei Treffen ungefragt verschwinden konnten.

Aber ihre Absichten interessierten mich nicht. Was ich wollte, war ihre Männlichkeit, eben genau das, was sie am liebsten von sich schenkten. Ich wollte ihren Geruch, ihren Bauch, ihre grabschenden Hände und ihren gierigen Mund. Je mehr Männlichkeit ich bekam, desto weiblicher konnte ich sein. Das wünschte ich mir, trotz der Warnungen besorgter Freunde, trotz des Schmerzes, den ich meinem Mann damit zufügte, trotz der Moralvorstellungen und der Grenzen, durch die ich mich vierundvierzig Jahre lang definiert hatte. Komme, was wolle, ich wollte hergenommen werden. Und dann durften sie gehen.

10.

Nerve.com

Im Vergleich zu Craigslist, dem Walmart für »Zwanglose Treffen«, war Nerve.com eine hippe Designer-Boutique. Den sexfreundlichen, urbanen Inhalten von Nerve entsprechend gehörten die Männer eher zum intellektuellen, progressiven Ende der Skala. Außerdem wurden die Kontaktanzeigen von Nerve auch auf Salon.com, dem intellektuellen Sprachrohr der Bay Area, geschaltet.

Ich brauchte mehrere Tage, um die Antworten zu kategorisieren und auf eine Ja-, eine Nein- und eine Vielleicht-Liste zu verteilen. Ich hatte eine Vorliebe für große Männer, alle vier Liebhaber meiner bescheidenen Laufbahn waren mindestens ein Meter achtzig groß gewesen. Dieses Vorurteil wollte ich ablegen und setzte deshalb ein paar kleine Männer auf die Liste derjenigen, mit denen ich mich treffen wollte.

Einen von ihnen, einen alleinerziehenden Vater und Motorradfahrer, der ganz in Schwarz gekleidet war, traf ich in einem Café in Hayes Valley. Auf meine Frage, womit er seinen Lebensunterhalt verdiene, zuckte er mit den Achseln und sagte: »Dies und das.« Als ich ihn fragte, wie er sich selbst beschreiben würde, antwortete er: »Sehr zurückhaltend. Ich gebe wenig von mir preis.« Damit waren es nur noch zweiundzwanzig. Nichts törnte mich mehr ab als Schweigsamkeit.

Auch mehrere über Fünfzigjährige hatten auf meine Anzeige geantwortet, obwohl das meine Altersvorgabe überschritt. Ein kräftiger, fitter Mann bezeichnete sich als »olympisch« und erklärte, er sei gut ausgestattet und ein Meister der tantrischen Künste. »Ich führe Sie an ungeahnte Orte«, versprach er. Davon ließ ich mich zu einer E-Mail-Korrespondenz verleiten, in deren Verlauf wir ein Treffen vereinbarten. Nur die letzten Einzelheiten blieben noch zu klären, als er beiläufig erwähnte, er werde kein Kondom verwenden. »Mir geht es um Lust, und Kondome verringern meine Lust und die meiner Partnerin«, schrieb er. Das Wochenende mit Paul stand mir noch deutlich vor Augen, ich antwortete: »Das ist in Ordnung, aber für mich sind Kondome keine Verhandlungssache. Viel Glück.« Fremden Männern selbst einfachste Grenzen zu setzen, bereitete mir große Freude, hatte es mir als Zwanzigjähriger – als ich das letzte Mal ungebunden gewesen war – doch ebenso große Angst gemacht.

Zu einem Profil in meinem Nerve-Posteingang gehörten Nahaufnahmen eines Waschbrettbauchs. Meine ebenso brillante wie schöne Mitarbeiterin Ellen erbot sich, als meine Online-Dating-Beraterin zu fungieren. Sie erklärte, dass bei einem entblößten Sixpack in den Profil-Fotos alle Alarmglocken schrillen sollten: Achtung, schmierig! Aber diese Bauchpartie, die wie gemeißelt wirkte, bediente eine meiner Phantasien: der kräftige, völlig unbehaarte Brutalo, kantiges Kinn unter einem rasierten Schädel, der Oberkörper mit Tätowierungen bedeckt, straffe Gesäßmuskeln über muskulösen Oberschenkeln, jeder Körperteil ein Fels, um den ich mich winden oder gegen den ich mich werfen konnte.

Mr. Sixpack war wortkarg. In seiner ersten Antwort stand nur: »Miss, Sie sehen aus wie zwanzig.« Er schlug ein Treffen im 500 Club vor, einer Kneipe im Stadtteil Mission. Er wusste, wie ich aussah, während ich sein Gesicht nicht kannte. Irgendetwas riet mir, Ellen mitzunehmen, und unsere gemeinsame Freundin Jenny gesellte sich ebenfalls zu uns. Die beiden betraten das Lokal vor mir und setzten sich an den Tresen. Als ich ihnen wenige Minuten später folgte, sah ich in einer Nische einen kahlen, muskulösen Mann Mitte dreißig in Ledermontur sitzen. Er fing meinen Blick sofort auf und verzog die Lippen zu einem halben Lächeln, das besagte, dass ich genau seinen Erwartungen entsprach.

»Pete?«, sagte ich und trat an den Tisch. So nannte er sich zumindest, er sah aus wie ein Typ, der ein Pseudonym verwenden könnte. Er nickte, eine minimale Kopfbewegung. »Schön, Sie kennenzulernen«, sagte ich und setzte mich ihm gegenüber. Ich bestellte bei der Kellnerin einen Gin Tonic und sah ihn erwartungsvoll an.

»Also«, sagte ich. »Hallo.«

»Hi.«

Ich blickte mich im Lokal um. Es war eine dieser schummrigen Bars, wo alles farblos wirkte. »Warten Sie schon lange?«

»Nö.«

Ich glaubte, die Andeutung eines irischen Akzents herauszuhören. Um das zu verifizieren, müsste ich mehr Wörter hören, die er aber nicht äußerte.

»Schöne Jacke«, sagte ich.

Er sah kurz an sich hinunter. »Danke.«

Plötzlich stieg Wut in mir auf. Für wen hielt er sich, dass er mich die ganze Arbeit machen ließ? Ich mochte ja leicht zu haben zu sein, aber verzweifelt war ich nicht.

»Was machen Sie gern?«, fragte er und fuhr sich mit dicken Fingern über die Kinnstoppeln.

»Wie meinen Sie das?« Keine Antwort. »Sie meinen … im Bett?«

Er lächelte nur, ein gehässiges Grinsen.

»Ich bin für vieles zu haben«, antwortete ich. »Ich bin am Lernen. Wenn wir uns näher kennenlernen, finden Sie das vielleicht bald heraus.«

»Wir brauchen uns nicht zu kennen.« Alles klar. Kippen

wir unsere Drinks und verschwinden in der Toilette, damit du meinen Kopf eine halbe Minute gegen die Kabinentür knallen kannst. Theoretisch hatte ich nichts dagegen. Solange Ellen und Jenny an der Bar saßen, erschien mir die Toilette sicherer als Petes Bude, die ich mir als karges Apartment mit Feldbett, Mini-Kühlschrank voll Guinness und schweren Hanteln vorstellte. Aber so leicht war ich nicht zu kriegen. Pete sah mich mit unverhohlener Ungeduld an.

»Ich muss zur Toilette«, sagte ich. Ich wusch mir die Hände, gab etwas Gloss auf die Lippen und kehrte an den Tisch zurück, wo ich stehen blieb. »Ich glaube nicht, dass aus uns etwas wird, Pete, aber danke, dass Sie gekommen sind.« Auf dem Weg zum Ausgang bedeutete ich Ellen und Jenny, mich am Auto zu treffen.

»O mein Gott, der Typ war bestimmt ein Massenmörder«, sagte Ellen.

»Garantiert«, pflichtete Jenny bei.

Nach einigen weiteren Fehlschlägen traf ich Jonathan, einen Anwalt etwas über vierzig aus dem Silicon Valley. Er war schlank und gut aussehend, trug eine Schildpatt-Brille und eine modische Frisur, lächelte breit und versprühte den für die Westküste typischen Optimismus. Wir trafen uns im Beretta, einer gut besuchten Restaurant-Bar in Mission. Nach etwa einer Stunde stellte er sein Glas ab und fragte: »Wie findest du, dass es bislang läuft?«

»Ganz gut«, sagte ich. »Schön. Was meinst du?«

»Dasselbe. Der sexuelle Funke ist zwar noch nicht übergesprungen, aber ich glaube, wenn wir uns küssen würden, würde es ziemlich knistern.«

Ich wusste nicht, ob das eine Anmache sein sollte, aber es funktionierte. Wir tranken noch einen Drink, dann brachte er mich die paar Straßenblocks zu meiner Wohnung zurück. Vor der Haustür legte er die Arme um meine Taille und küsste mich gekonnt, erforschte meinen Mund langsam mit seiner Zunge. Geschlagene zwanzig Minuten standen wir knutschend da, dann musste er sich beeilen, um seine Bahn nicht zu verpassen, und ließ mich benommen stehen.

Bei unserem zweiten Date in der folgenden Woche kam er mit einer kleinen Kühltasche voll Delikatessen bei mir an: Hummus, guter Käse, edle Cracker. Das packten wir bei Sonnenuntergang in der Küche aus, schenkten uns ein Glas Wein ein und brachten alles ins Wohnzimmer. Er war ein Wim-Wenders-Fan, und weil ich ihm gesagt hatte, dass ich *Himmel über Berlin* nicht kannte, hatte er den Film mitgebracht. Ich ging zum Fernseher, um die DVD einzulegen, und er folgte mir, und noch bevor sich die Schublade geschlossen hatte, küsste er mich am Ohr.

Wir taumelten zum Bett, wo er mich auf Hände und Knie umdrehte und mich von hinten fickte, zuerst mit dem Finger und dann richtig. Dabei redete er ununterbrochen, und wie bei Paul machten die Worte mich genauso an wie der körperliche Vorgang. Ich war nass, noch bevor er mich anfasste, und redete nicht weniger obszön als er. Und wie bei Paul kam ich nicht. Meistens musste ein neuer Mann erst lernen, mich zum Orgasmus zu bringen, und ich hatte keine Ahnung, ob einer meiner Liebhaber das bei unseren zwei oder drei Treffen herausfinden würde. Ich kam gar nicht auf die Idee, Paul oder Jonathan zu erklären, wie ich gern berührt werden wollte. Mir ging es mehr darum, hergenommen zu werden, als zum Orgasmus zu kommen.

Hinterher saß er in seiner Boxershorts auf dem Sofa, klappte sein Notebook auf und spielte Musik, lauter New Wave-Sachen, die mir nie besonders viel gegeben hatten, wie Echo and the Bunnymen, Depeche Mode und die Smiths. Er fragte, ob er bei mir schlafen dürfe. Ich verneinte freundlich, und er zog sich an, um zu gehen, aber unser Abschiedskuss war so scharf, dass er die Hose öffnete, ein weiteres Kondom herausholte, mich wieder aufs Bett warf und mich noch einmal vögelte, bevor er ging.

Als ich die Tür hinter ihm schloss, fühlte ich mich gesättigt. Liebhaber Nummer zwei. Mir gefiel nicht nur der Sex, sondern auch das Essen, die Musik, die Gespräche – kurz gesagt, der intime Blick auf einen anderen Menschen. Wie eine Schiffbrüchige, die von einer kleinen Insel gerettet wurde, konnte ich, während mein kleines Boot an einer unbekannten Küste entlangsegelte, endlich die Konturen der größeren Welt ausmachen.

In meinem Job bei der Zeitschrift musste ich zwar oft Überstunden machen und regelmäßig am Wochenende arbeiten, aber das wurde durch vieles andere wettgemacht. So wohnte ich auf einer Pressereise nach Las Vegas in einem Luxushotel, das in aller Mid-Century-Pracht ausgestattet war. Das Bad hatte die Größe eines kleinen Schlafzimmers, alles glänzte schwarz, weiß oder zinnfarben. Auf solchen Reisen wurden Redakteure wie VIPs behandelt: Alles war umsonst oder wurde kostenlos hochgestuft, unsere Namen standen zuverlässig auf einer der Listen, mit denen hübsche, langbeinige junge Frauen den Zutritt zu dem einen oder anderen angesagten Event kontrollierten. Bei dieser Reise fand die abendliche Party im Hotelfoyer statt, Männer in Anzügen und Frauen auf Heels taten sich an Champagner und kleinen Blätterteigteilchen gütlich, die befrackte Kellner herumreichten. Eine breite Wendeltreppe führte in den abgedunkelten Tanzclub hinab. Ich ging hinunter und blieb auf einer der letzten Stufen stehen, um die Tanzfläche zu betrachten. Ein schlacksiger Mann mit dunklen Haaren, fast noch ein Junge, ging an der Treppe vorbei, er kam mir so bekannt vor, dass ich automatisch »Hi« sagte. Auf solchen Pressereisen traf man immer wieder dieselben Leute.

»Hi«, antwortete er verwirrt. Nein, ich hatte mich getäuscht, ich kannte ihn nicht.

Zehn Minuten später kam er wieder und fragte, ob er mir einen Drink holen könne.

»Gerne«, sagte ich. Nachdem ich mein ganzes Leben monogam gewesen war, fehlten mir sowohl die laszive als auch die eisige Variante des Club-Gebarens, das alleinstehende Frauen gemeinhin beherrschen. Stattdessen plauderte ich mit Männern, als wären wir Freunde. So auch an diesem Abend, bis er nach einer Viertelstunde in einer Gesprächspause fragte: »Sollen wir nach oben in dein Zimmer gehen?«

Fast hätte ich einen Blick über die Schulter geworfen, um mich zu vergewissern, dass er tatsächlich mich meinte. Ich hatte noch nie einen Mann in einem Club aufgegabelt. Außerdem hatte ich meinen Ehering am Finger. Ich nahm ihn während des Projekts nicht ab.

»Dir ist klar, dass ich verheiratet bin?«, fragte ich. Ich spielte auf Zeit.

»Ja, das sehe ich.«

»Nur, um das klarzustellen, ich lebe momentan getrennt. Oder zumindest zeitweise getrennt. Aber egal. Das ist eine lange Geschichte.«

Er lächelte. »So etwas in der Art dachte ich mir schon.«

»Wie alt bist du?«, fragte ich zögernd.

»Dreiundzwanzig.«

Dreiundzwanzig. Warum machte er sich in einem Raum voller ungebundener, scharfer junger Mädchen an eine verheiratete Mittvierzigerin heran? Es musste mit meinem Geruch zu tun haben. Meine Pheromone waren wesentlich stärker als ihre.

»Gut«, sagte ich und ging die Treppe hinauf. »Komm mit.«

Etwas an unserem Altersunterschied ließ mich zögern, tatsächlich mit ihm zu schlafen, und er drängte mich nicht. Angezogen legten wir uns aufs Bett und machten herum. Ich drehte ihn auf den Rücken, hockte mich auf allen vieren über seine Hüften und blies ihm langsam einen, meine Alternative zu Geschlechtsverkehr seit Highschool-Zeiten, als ich entschlossen war, bis zum Schulabschluss trotz Freund Jungfrau zu bleiben. Ich kannte Frauen, denen Fellatio Spaß machte, und andere, die sie vermieden. Ich gehörte zu Ersteren. Für mich war ein Penis wunderschön – ein ganz gewöhnliches Organ, das zu einer fleischernen Skulptur heranwächst. Es machte mir Spaß, es zu beherrschen und zuzusehen, wie es größer und härter wurde, und ich spürte gern die warmen, wie gemeißelten Wulste am Gaumen.

»Darf ich dir einen Tipp geben?«, fragte er hinterher.

»Ja, schon«, sagte ich verwundert.

»Gegen Ende, kurz bevor der Typ kommt, sei ein bisschen vorsichtiger. Da wird man richtig empfindlich.«

»Ah«, sagte ich. »Verstehe.« Da hatte ich jahrelange Übung, und dann kam ein Dreiundzwanzigjähriger daher und erzählte mir, was ich beim Blasen besser machen konnte. Seine Bemerkung hätte mich verletzen können, aber ich empfand nur neugierige Verwunderung über seine Vorliebe und Stolz wegen meiner inneren Distanz. Das sowie mein neues, unangestrengtes Selbstvertrauen stellten für mich den Beweis dar, dass ich in den zwanzig Jahren, seit ich das letzte Mal auf Männersuche gewesen war, tatsächlich erwachsen geworden war.

Stimmte das wirklich? Allmählich kristallisierte sich ein Muster heraus. Ich war gerne auf Händen und Knien. So gern ich einen Schwanz in mir spürte, war ich schnell bereit, einem Mann einen zu blasen, und erwartete gar nicht, dass er bei mir das Gleiche machte. Ich war mir nicht sicher, ob ich meinen Orgasmus weniger wichtig nahm, um Männern zu gefallen, oder ob ich mich dadurch emotional zu schützen versuchte. Wollte ich mit einem neuen Mann überhaupt zum Orgasmus kommen?

Das wollte ich herausfinden. Mir war schon aufgefallen, dass jede neue Begegnung mir nicht nur das Prickeln lustvoller Begierde bescherte – was eigentlich das Wesentliche war –, sondern auch einen Berg neuer Fragen aufwarf, die wie eine Wolke aus Feenstaub hinter ihr herzogen. Ich vermutete, dass es länger dauern würde, Antworten auf all diese Fragen zu finden.

Er zog sich an, und ich begleitete ihn zur Tür. Beklommen standen wir uns einen Moment gegenüber. Er holte sein Handy aus der Tasche.

»Du brauchst dir meine Nummer nicht zu notieren«, sagte ich.

»Ich dachte, für den Fall, dass ich in San Francisco bin. Mein Bruder wohnt dort.«

»Also gut.« Ich nannte sie ihm. »Aber wirklich, du musst nicht anrufen.« Einige Monate später hinterließ er tatsächlich eine Nachricht, auf die ich allerdings nicht reagierte.

Ich legte mich ins Bett und simste Scott einen Gute-Nacht-Gruß. Mir war völlig bewusst, würde er nicht dort in San Francisco auf mich warten, würde ich mich vielleicht genauso angreifbar fühlen wie jede andere Frau, die gerade einem Fremden einen geblasen hatte, anstatt so lässig zu tun. Unter der Woche, wenn wir getrennt waren, mailten und simsten wir abends, telefonierten aber selten. Instinktiv hielten wir emotional Abstand zu dem, was der andere möglicherweise gerade tat. Wir hatten unter anderem vereinbart, dass wir nicht nach den Einzelheiten der Affären des jeweils anderen fragen würden und es auch nicht erfahren wollten. Handys machten es uns leicht, uns an die Abmachung zu halten, schließlich kann man sich von überall melden.

Nur eine kurze SMS zur guten Nacht, schrieb ich dem Mann, der mich nie auf Händen und Knien haben wollte – zumindest nicht im wörtlichen Sinne.

Von wo auch immer Scott gerade war, simste er zurück: *Gute Nacht, Schnecke.*

11.

OneTaste

Wenn ich in San Francisco jemandem von meiner offenen Ehe erzählte, bekam ich unweigerlich eine von zwei Reaktionen zu hören. Die eine war eine verwässerte Version der Warnungen, wie ich sie von unseren Freunden in Sacramento bekommen hatte. San Franciscoer urteilten nicht über mich, zumindest nicht in meiner Gegenwart, aber ich merkte, dass sie besorgt waren. »Klingt riskant«, sagten sie, oder: »Ihr zwei habt so glücklich gewirkt.«

Die zweite Reaktion, meist von Frauen, war ruhige, erstaunte Anerkennung. »Wow, das ist mutig.« Das überraschte mich. Ich kam mir nicht mutig vor. Was ich da machte, war für mich triebgesteuert und unvermeidlich.

In Omaha oder Baton Rouge wäre die Idee nicht so gut angekommen, aber in San Francisco war Polyamorie nicht unbedingt etwas Außergewöhnliches. Viele Schwule in meinem Bekanntenkreis und sogar einige heterosexuelle Paare führten mit ihrem langjährigen Partner eine offene Beziehung. Im September nahm die halbe Stadt am Burning Man Festival teil und machte »Beziehungsurlaub« – was bei Burning Man passiert, bleibt auch dort. In San Francisco gab es jede Menge Kuschelpartys, einschlägige Treffs für Gruppensex wie das Power Exchange, wochentags Happy-Hour-Abende beim Porn Palace und Sextherapeuten, die sich Surrogate nannten und mit ihren Klienten ins Bett gingen.

Die spannendste dieser Subkulturen war für mich aber OneTaste, eine »urbane Kommune« im Viertel South of Market, kurz SoMa, bei der es vor allem um die sogenannte »orgasmische Meditation« ging. Zu dieser Praxis gehört es unter anderem, einer Frau eine Viertelstunde lang ruhig die Klitoris zu streicheln. In einem Artikel in der Wochenzeitung hieß es, dass die paar Dutzend Bewohner von OneTaste für einige Wochen oder auch Monate mit einem »Forschungspartner« eine Beziehung eingingen und sie häufig alle zusammen in einem großen Loft in der Nähe des Workshop-Zentrums schliefen. Auf der ansprechenden Website von OneTaste wurden mehrere Wochenend-Seminare angeboten sowie jeden Mittwoch eine sogenannte InGroup, ein Einführungsabend für Interessierte.

Eines Mittwochabends fuhr ich also nach SoMa und parkte vor dem OneTaste-Zentrum, einem unauffälligen einstöckigen Gebäude an einem belebten Abschnitt der Folsom Street zwischen einer Pizzeria und einem Diner. An der Empfangstheke bat mich eine zierliche Brünette, mich anzumelden. Ich kam mir vor wie in einem Yogastudio: sauber, karg, hohe Decken und schwere Holztische. An der Wand hingen schwarz-weiße Aktfotos von Frauen. Ungefähr zwei Dutzend Leute im Alter von Mitte zwanzig bis Mitte vierzig hatten sich eingefunden. Beim Lesen des Artikels über OneTaste hatte ich mir eine Versammlung von Hippies vorgestellt, aber die meisten Menschen hier sahen kultiviert aus, sie waren gut gekleidet und tippten auf ihren Smartphones und Notebooks herum.

Schließlich führte ein etwa vierzigjähriger Mann namens Noah, der in einem anderen Leben ein Rabbi hätte sein können, uns eine Treppe in den ersten Stock hinauf. Hinter einem dicken Samtvorhang befand sich ein weiteres helles Studio, in dem vorn eine Couch stand, darum waren im Halbkreis mehrere Stuhlreihen angeordnet. Ich nahm in der zweiten Reihe Platz.

Noah setzte sich auf die Couch neben eine Frau mit blondem Bob und Dauerlächeln. Sie trug eine schwarze Hose, ein schwarzes, weites Oberteil und schwarze Stilettos und saß mit weit gespreizten Beinen da, eine Hand auf jedem Knie. »Ich übe, so, mit offener Möse, zu sitzen, weil ich herausfinden möchte, ob es sich anders anfühlt als mit übergeschlagenen Beinen«, erklärte sie.

Niemand fuhr beim Wort »Möse« zusammen. Dank Regena hatte ich mittlerweile vergessen, dass es überhaupt als anstößig galt. Wir stellten uns alle vor und machten dann in der Gesprächsrunde Gedankenspiele. So mussten wir Sätze beenden wie zum Beispiel: »Im Moment empfinde ich …«, »Was ihr mir nie zutrauen würdet, ist …« und »Wenn ich eine Meisterin des Orgasmus wäre, würde ich …« Irgendwann drehte Noah sich zu dem hohen Hocker, der neben der Couch stand. »Den nennen wir den Heißen Stuhl«, sagte er. »Und er ist genau das. Ihr meldet euch freiwillig, um darauf Platz zu nehmen, und wir dürfen alle Fragen stellen, die uns in den Sinn kommen. Ihr habt drei Möglichkeiten: Ihr könnt die Wahrheit sagen. Ihr könnt lügen. Ihr könnt die Frage ablehnen. Wir empfehlen euch sehr, die Wahrheit zu sagen.« Noah erläuterte, dass der oder die Befragte zu reden aufhören müsse, sobald die fragende Person »Danke« sagte, selbst mitten im Satz. »Wer macht den Anfang?«, fragte er.

Einige meldeten sich. Noah rief eine schlanke junge Frau in der ersten Reihe auf, die eine enge Jeans und ein Hipster-T-Shirt trug. Ihre langen dunklen Haare fielen ihr bis zur Mitte des Rückens hinab. Die Hälfte der Männer im Raum hob die Hand, um ihr eine Frage zu stellen.

Der Erste fragte: »Bist du glücklich?«

Sie dachte einen Moment nach und legte den Kopf etwas zur Seite. »Mmmm, doch, ziemlich.«

Der Zweite fragte: »Was möchtest du?«

Sie rutschte ein wenig auf dem Hocker hin und her. »Ich möchte mehr Leidenschaft im Leben.«

Noah fragte: »Beherrschst du Männer mit deiner Schönheit?«

»Ja«, sagte sie und lächelte. Alle lachten. Die Stimmung im Raum löste sich merklich.

Im weiteren Verlauf des Spiels meldeten sich immer mehr Leute, unter anderem auch ich. Noah rief mich auf, und ich setzte mich auf den Hocker. Ich war nervös und aufgeregt wie ein Kind, das für die Achterbahn ansteht, ich steckte die Finger unter die Oberschenkel. Mehrere Hände wurden gehoben, und Noah deutete auf einen Mann ganzen hinten, der die erste Frage stellen sollte.

»Was drückt deine Körpersprache in diesem Moment aus?«

Ich schaute auf meine Hände unter den Schenkeln und legte sie auf den Schoß. »Ich glaube, ich schütze mich ein bisschen, weil ich keinen von euch kenne.«

Eine Frau ganz vorn fragte: »Wovor schützt du dich?«

»Davor, beurteilt zu werden.«

»Was ist das Gefährliche daran, beurteilt zu werden?«

Meines Erachtens lag die Antwort auf der Hand, aber ich spielte mit. Es kam mir überhaupt nicht in den Sinn zu lügen oder die Frage abzulehnen.

»Ich möchte nicht, dass andere Leute ihren Psychomüll auf mir abladen.«

Noah schaltete sich ein. »Schützt du dich je vor Menschen, die du kennst?«

»Ja.«

»Vor wem zum Beispiel?«

In meinem Kopf verschwamm alles, wie früher bei der Therapie, wenn eine Frage zu sehr ans Eingemachte ging.

»Wahrscheinlich vor meinem Mann.« Mein Herz klopfte wie wild gegen die Rippen. Alle Augen waren auf mich gerichtet.

Ein Mann fragte mich: »Was möchtest du?«

»Intimität.«

Jetzt hob die Brünette in der ersten Reihe die Hand. »Wieso hast du Angst vor Intimität?«, fragte sie. Sie hatte ein majestätisches, vogelartiges Gesicht und einen langen Hals.

»Äh, nein, ich sagte, ich möchte Inti…«

»Danke«, unterbrach sie mich. »Warum bist du hier?«

»Ehrlich? Weil ich erst seit Kurzem eine offene Ehe führe. Ich bin hier, um Liebhaber zu finden.« Mir brannten der Hals und die Wangen, aber ich zwang mich, ihr fest in die Augen zu blicken, und dachte mir dabei: *Nur zu, du Aas.*

»Was können Liebhaber dir geben, was du von deinem Mann nicht bekommst?«

»Lebenserfahrung«, sagte ich. »Männliche Energie.«

»Schön«, sagte Noah, »gut gemacht.« Die Gruppe applaudierte, als ich zu meinem Stuhl zurückging. Ich kam mir lebendig und klar vor, wie nach einem guten Workout.

Am Ende der eineinhalb Stunden erklärte Noah, zum Abschluss würden wir alle emotionale Spannung, die von unseren gemeinsamen Gedankenspielen zurückgeblieben war, auflösen. »Wenn also jemand etwas auf dem Herzen hat, jetzt ist die Gelegenheit dazu, das loszuwerden.« Einige Stühle von mir entfernt zu meiner Rechten saß ein dünner Mann mit einem schmalen, lang gestreckten Gesicht, vollen Lippen und Grübchen am Kinn. »Als die Frau auf dem Heißen Stuhl sagte, dass sie Liebhaber sucht, hat mich das richtig angemacht«, sagte er. »Am liebsten hätte ich mich gemeldet.« Er hieß Jude und trug eine Jeansjacke und eine gestreifte Beanie-Mütze auf dem fast kahl geschorenen Kopf. Es gab nur wenige Männer, die mit einem solchen Look nicht lächerlich ausgesehen hätten.

Eine Frau mit drahtigen Locken zwei Stühle weiter erstarrte. Als sie an die Reihe kam, sagte sie: »Es macht mich wütend, wenn Männer Frauen offen sagen, dass sie Lust auf sie haben. Ich fühle mich missbraucht. Ich komme her, um mich sicher zu fühlen.« Ihre Missbilligung hing schwer über der Gruppe. Judes Gesicht verdüsterte sich kurz, ehe er wieder zu seiner Yogi-gleichen Ruhe fand.

Als ich an die Reihe kam, spürte ich immer noch dem nach, was Jude gesagt hatte. »Ich glaube, ich möchte einfach Jude danken. Es ist ein gutes Gefühl, begehrt zu werden.« Daraufhin entspannten sich alle, bis auf die wütende Frau. Meine Angst vor dem Heißen Stuhl und das Unbehagen, das die Reaktion dieser Frau ausgelöst hatte, steigerten das Prickeln nur noch. Jude lächelte mir mit freundlichem Blick zu. *Liebhaber Nummer vier*, dachte ich mir.

Ich wurde Mitglied bei OneTaste. Für neunzig Dollar im Monat konnte ich an einer unbegrenzten Anzahl von Workshops teilnehmen, die einzeln jeweils mehrere hundert Dollar kosteten. Als Noah meine Daten aufnahm, sagte ich: »Ich glaube nicht, dass ich mir je die Hose ausziehen und in der Öffentlichkeit von einem Mann die Klitoris streicheln lassen werde.« Er lächelte wissend, widersprach mir aber nicht, sondern sagte: »Das ist in Ordnung. Das liegt ganz bei dir.«

Orgasmische Meditation brauchte ich nicht. Die Gedankenspiele in der Gruppe bei OneTaste genügten mir völlig. *Was willst du? Wovor hast du Angst? Wovor schützt du dich?* Solche Fragen stellte ich Scott seit siebzehn Jahren und hatte nie eine richtige Antwort bekommen. Er hatte alles, was er wollte. Es gab wenig, wovor er Angst hatte. Wenn er betrunken war, wurde er manchmal redselig und ließ ungezähmte Gefühle durchblicken, doch ich hatte Schwierigkeiten, ihm zu folgen, und wenn ich am nächsten Tag nachfragte, erinnerte er sich nicht an unser Gespräch. Im nüchternen Zustand antwortete er auf meine Fragen meistens: »Das habe ich mir nie überlegt«, oder: »Du weißt über mich genauso viel wie ich selbst.«

Der erste Workshop, den ich besuchte, ging von Samstagvormittag bis Sonntagabend. Unter den rund zwanzig Teilnehmern waren ziemlich gleich viele Männer wie Frauen. Auch Jude war gekommen. Dieses Mal waren unsere Kursleiter Grace, eine Frau mit lebhaftem Gesicht, und ein riesiger kahlköpfiger Mann namens Silas, der aussah, als könnte er alles, was sich ihm in den Weg stellte, mit den bloßen Händen zermalmen.

Wir machten weitere Gedankenspiele wie bei der In-Group: *Was ich im Moment empfinde. Was ihr nie von mir denken würdet. Was ich am meisten verabscheue.* Jeder von uns musste aufstehen und spontan zu einem Song tanzen, den die Kursleiter entsprechend unserer Persönlichkeit für uns aussuchten. Mir gaben sie eine perkussive Tanznummer von Shakira. Der Hälfte der Teilnehmer wurden die Augen verbunden, und die andere Hälfte ging zwischen ihnen umher und hörte ihnen zu, wie sie über Gefühle sprachen, die sie sonst verschwiegen. Ich saß vor einem Mann namens Andrew, der mir erzählte, wie wütend er auf seine Mutter sei, weil sie ihn manipuliert und ihm ein schlechtes Gewissen gemacht habe, um ihn nicht hochkommen zu lassen, und die ihren Männerhass an ihm abreagiert habe. Auf meine Frage, wie es ihm dabei erging, das preiszugeben, legte er die Hände auf sein Becken und sagte: »Ich spüre, dass sich hier ganz viel Energie sammelt. Es fühlt sich gut an, als würde ich wachsen. Ich habe das Gefühl, das nach außen schieben zu wollen.«

Unvermittelt wünschte ich mir, er würde mir die Kleider vom Leib reißen und die Wut auf seine Mutter an mir auslassen. Uns war nicht erlaubt, auf unser Gegenüber einzugehen.

Grace und Silas erläuterten, dass in der Gesellschaft insgesamt Männer die Körper von Frauen immer lüstern anstarrten, während Frauen es nicht gelernt hätten, Männer als Objekte zu betrachten und sie mit ihrem eigenen körperlichen Verlangen zu konfrontieren – ganz im Gegenteil, sehr oft nähmen sie ihre Wünsche nicht einmal wahr. Um das zu verdeutlichen und zu verändern, mussten sich jetzt bei OneTaste die Männer in einer Reihe aufstellen und dann mit dem Gesicht nach oben auf den Boden legen. Wir Frauen gingen zwischen ihnen umher und durften sie berühren, wo immer wir wollten, zu unserem eigenen Vergnügen. Allerdings durften wir sie nicht küssen und nicht ihre Leistengegend berühren, und die Männer mussten die Augen geschlossen halten und die Arme auf dem Boden liegen lassen. Eine ruhige, sexy Musik wurde aufgelegt, dann gingen die Frauen langsam und unsicher zu der Reihe ausgestreckter Männer hinüber.

Mein erster Impuls war, an einem Ende der Reihe anzufangen und, aus Gründen der Gerechtigkeit und um niemanden zu kränken, jeden Mann zu berühren. Dann fiel mir ein, dass die Männer ja die Augen nicht öffnen durften und ich meinen eigenen Wünschen folgen und nicht darüber nachdenken sollte, wie ich wahrgenommen würde. Daraufhin ging ich sofort zu Jude. Ich kniete mich neben seinen Kopf und berührte die dunklen Stoppeln seiner rasierten Haare. Ich fuhr mit dem Finger seine Wange hinab und in den Amorbogen seiner Oberlippe, starrte auf seinen Mund ohne Angst, ich könnte dabei ertappt werden. Ich legte die Hand auf sein weiches T-Shirt und spürte seine Rippen. Er war sehr dünn. Ich hob eine seiner Hände hoch und zog sanft an den Fingern, bevor ich sie wieder auf den Boden legte.

Von Jude krabbelte ich über einen Berg Beine hinweg zu Andrew, hockte mich mit gespreizten Beinen über ihn und setzte mich rittlings auf seinen Bauch, spürte dessen Wärme durch die Kleidung hindurch. Ich berührte seine Brust in der Kragenöffnung seines Jeanshemdes, beugte mich vor und fuhr mit der Wange über die Haare, die dort hervorschauten. Er roch sauber, gesund. Ich ließ meine Haare auf sein Gesicht fallen und zog sie über seinen Hals. Er stöhnte leise. Angst packte mich – was, wenn er eine Erektion bekam? –, bis mir klar wurde, dass das kein Problem sein würde. Ich war ihm nichts schuldig. Ich brauchte nur das zu tun, was mein Körper verlangte.

Kurz setzte ich mich auf, um diese Erkenntnis zu verarbeiten. Soweit ich mich erinnern konnte, handelte ich zum ersten Mal ausschließlich aus meinen eigenen Instinkten heraus, ohne den Druck, etwas spielen zu müssen oder zu etwas verpflichtet zu sein, ohne mich als Objekt männlichen Verlangens zu fühlen – eines Verlangens, das ich immer steuern und häufig dämpfen musste. Jetzt war ich die Protagonistin. Selbst beim Masturbieren empfand ich mich mehr als diejenige, die reagierte, als diejenige, die berührte. Einen Moment sah ich mich um, freute mich am Anblick der anderen Frauen, die sich an den Männern rieben, sie mit den Händen ertasteten. Die meisten hatten die Augen geschlossen und lächelten. Sie sahen frei aus. Und hungrig.

Als der erste Tag des Workshops zu Ende ging, ließen wir uns wieder im Halbkreis vor der Couch nieder. Ich hockte auf dem Boden vor Andrew, der auf einem Stuhl saß. Obwohl er beide Male, als ich mit ihm in Kontakt getreten war, die Augen geschlossen hatte, bestand zwischen uns eine Verbindung – vielleicht durch den Geruch. Fast spürte ich sein Knie ein paar Zentimeter hinter meinem Kopf. Als Silas uns riet, mit einem heißen Bad oder einem entspannenden Film vom hohen Energiepegel des Tages »runterzukommen«, legte Andrew mir die Hände auf die Schultern und massierte sie langsam.

»Ist das gut so?«, flüsterte er mir ins Ohr.

Ich nickte und rutschte zurück, bis ich an seinen Schienbeinen lehnte. Seine Berührung hatte nichts Drängendes. Er vermittelte das sehr wache, meditative Gefühl, ganz im Moment zu leben, nicht in die Zukunft zu planen.

Beim Gehen kam ich an Jude vorbei, der neben der Tür

stand. »Hi, ich bin Robin. Wir haben uns in der InGroup kennengelernt. Ich habe dir gefallen.«

»Das tust du immer noch«, sagte er. »Lass uns doch morgen Mittag zusammen essen gehen.« Seine direkte Art verblüffte mich angesichts seines ätherischen Aussehens.

Am nächsten Tag kam Jude in der Mittagspause gleich zu mir, schlüpfte in seine Jeansjacke und sagte: »Bist du soweit?« Wir gingen ein paar Blocks zu einem großen Lebensmittel- und Gemüsemarkt; sonntags hatten um die Zeit in SoMa wenig Lokale geöffnet.

Jude war Veganer. An der biologischen Gourmet-Salatbar häuften wir Gemüse und Salate auf unsere Teller und setzten uns an einen Tisch. Die Sommersonne schien durch die Glaswände des Markts herein. Ich hatte zu meinem Salat noch etwas Hühnchen und ein Stück Feta genommen.

»Wie lange ernährst du dich schon vegan?«, fragte ich.

»Seit ich *Earthlings* gesehen habe.«

»Ist das ein Dokumentarfilm?«

»Ja. Er ist brutal. Wenn du magst, kann ich ihn dir gern leihen, aber du musst vorher wissen, worauf du dich einlässt.«

»Was machst du?«

»Ich bin Heiler.« In San Francisco diente das als beliebter Euphemismus für »arbeitslos«, aber bei Jude kam es mir glaubwürdig vor. Er hatte in New York zwei verschiedene Akademien besucht, an denen er Astrologie, hinduistische Philosophie, Meditation und intuitives Heilen studiert hatte. Er machte ausführliche Horoskopdeutungen und führte jede Woche Feuerzeremonien durch, bei denen sich die Teilnehmer von alten Schwierigkeiten und negativen Einstellungen reinigten. Darüber hätte ich leicht das Interesse an ihm verlieren können, aber irgendwie hatte er etwas Pfiffiges. Ich fragte ihn, wie er mit Nachnamen hieß.

»Liebman«, sagte er. Aha, jüdisch. Aufgewachsen in New Jersey. Das erklärte vieles.

»Für jemand derart Spirituellen kommst du mir sehr bodenständig vor.« Als ich das sagte, saß er nur noch wenige Zentimeter von mir entfernt.

»Das kommt daher, weil ich Stier bin«, antwortete er und starrte meine Arme und Hände an.

»Wirklich? Ich auch. Zweiundzwanzigster April.«

»Das kann nicht dein Ernst sein«, sagte er und sah mich mit großen Augen an. »Da habe ich Geburtstag.«

Ich hatte nur einmal einen anderen Mann kennengelernt, der am selben Tag Geburtstag hatte wie ich, da war ich Anfang zwanzig gewesen. Ich hatte ihn als verwandte Seele empfunden, hatte seine Avancen aber letztlich zugunsten von Scott zurückgewiesen.

»Aber ich wette, nicht im selben Jahr«, sagte ich und strahlte das übertrieben selbstbewusste Lächeln, das Unsicherheit überspielen soll. »Ich bin Jahrgang 1964.«

Seine Augen wurden noch größer. »Wow… da habe ich mir ja eine ältere Frau ausgesucht.« Zwölf Jahre älter, um genau zu sein.

Jude arbeitete an einer Novelle in der Art einer Fabel über einen begabten Jungen, der sich auf eine mystische Reise begibt. Außerdem arbeitete er als Kellner im Café Gratitude, dem berühmt-berüchtigten veganen Restaurant in San Francisco, spielte Gitarre und nahm Songs auf. Er beugte sich vor, um mich zu küssen, und ich wich zurück.

»Am Wochenende sind mein Mann und ich monogam. Während der Woche leben wir dann getrennt.«

»Cool. Wie wär's mit Dienstag?« Als wir zu OneTaste zurückgingen, gab er Acht, mich nicht zu berühren.

An dem Nachmittag erhielten wir eine Einführung in orgasmische Meditation. Eine Asiatin mit langen dunklen Haaren betrat den Raum, sie trug ein rotes Seidenkleid und war in Begleitung eines Mannes um die vierzig, der große blaue Augen und ein liebes Gesicht hatte. Sie zog sich aus und legte sich nackt auf einen Massagetisch, der in der Mitte des Raums aufgebaut worden war. Wir stellten unsere Stühle vor den Tisch und blickten direkt zwischen ihre gespreizten Beine.

Ihre Knie waren weit geöffnet, ihre Fußsohlen lagen aneinander. Ihre hellbraune, glatte Haut spannte sich über feste Muskeln. Der Mann stand rechts von ihr neben dem Tisch, seine linke Hand lag leicht auf ihrem Schambein. Grace stand auf der anderen Seite und erläuterte, was jetzt passieren würde.

»Als Erstes wird Joe May fragen, ob sie bereit ist, berührt zu werden«, sagte Grace. May nickte und schloss die Augen, ihre Hände lagen auf ihren kleinen spitzen Brüsten. »Dann beginnt er, die obere linke Seite ihrer Klitoris ganz leicht zu streicheln, so leicht, wie es ihm überhaupt möglich ist.«

Joe fuhr mit der Hand in ein Gefäß mit Gleitmittel, das wie Vaseline aussah, dann beugte er sich vor und begann konzentriert, aber ganz leicht mit dem Finger zu reiben. Fast sofort fing May zu stöhnen an, ein gehauchtes »ja« im Rhythmus von Joes Streicheln. Die Luft im Raum wurde dichter, wir rutschten auf unseren Stühlen hin und her. Allmählich wurden Joes Bewegungen schneller, sodass May lauter stöhnte, »ja-ja-ja-ja-ja-ja«. Sie klang wie ein Instrument, das gezupft wurde. Joe beugte sich noch weiter vor, sein Blick war auf einen Punkt etwas neben Mays Möse gerichtet, und er hörte auf Nuancen, wie ein Cellist in einem Orchester.

»Jetzt führt er sie höher«, erklärte Grace. »Aufstriche steigern die Energie.« Immer wieder einmal hielt Joe inne, und May verstummte, bis er erneut begann. Dann setzte ihr Stöhnen wieder ein, ihre Laute wurden immer heftiger, bis sie nach gut zehn Minuten zum Höhepunkt zu kommen schien.

»Jetzt bringt Joe sie runter«, sagte Grace. Joe strich mit

dem Finger von Mays Klitorisspitze ein paarmal nach unten, steckte den rechten Daumen in ihre Vagina und drückte mit dem Handballen der Linken fest auf ihr Schambein. »Durch seinen Daumen in ihrem Scheideneingang und den Druck seiner anderen Hand wird sie geerdet«, erläuterte Grace.

Sacht wischte Joe Mays Vulva mit einem kleinen Handtuch ab und half ihr, sich aufzusetzen, und sie zog lächelnd ihr Kleid um sich. Sowohl ihr als auch Joes Gesicht war tiefrot geworden.

In der Sprache von OneTaste bezeichnete man die Lust, die May vom ersten bis zum letzten Streicheln empfand, als »Orgasmus«. Der Höhepunkt selbst wurde »Übertreten« genannt. Eine OM-Sitzung, die immer fünfzehn Minuten dauerte, endete nicht mit dem Übertreten, das auch gar nicht das erklärte Ziel war. Viele Frauen, so erklärte Grace, traten bei OM nie über, andere hingegen mehrmals. Sinn und Zweck der OM war allein, dass beide Partner jede Empfindung bewusst erlebten. Hinterher tauschten sie sich über ihre Erfahrungen aus. May berichtete, wie die Lust kreisförmig in ihren Bauch gewandert sei, Joe sprach von Energiespiralen, die sich von seiner Fingerspitze den Arm hinaufzogen.

Das alles erinnerte mich an das, was ich in *XXL Orgasmus: Lustvoll lange Höhepunkte* gelesen hatte, dem Buch von Steve und Vera Bodansky, einem mit Regena befreundeten Paar in der Bay Area. Auch für sie befand sich der magische Punkt der Klitoris im »oberen linken Quadranten« – der Ein-Uhr-dreißig-Punkt, wenn man sie von vorn betrachtete. Auch in Regenas Sprachgebrauch bedeutete »Orgasmus« schlicht Lust, und der eigentliche Höhepunkt wurde heruntergespielt beziehungsweise als »Niesen im Schritt« abgetan.

Es gefiel mir, dass bei OneTaste versuchte wurde, eine Vorstellung von Sex zu lehren, bei dem die Frau im Mittelpunkt stand. Aber ich wollte nicht alle Lust als »Orgasmus« bezeichnen und meinen eigentlichen Orgasmus als »Übertreten«. Ich nannte Dinge gern bei ihrem Namen. Sowohl die Praxis als auch die Sprache gingen auf die Gründerin von OneTaste zurück, eine Frau namens Nicole Daedone, die ich noch nicht kennengelernt hatte.

Als es Abend wurde und alle sich auf den Weg machten, ging ich zu Jude.

»Mein Mann wartet draußen auf mich«, sagte ich. Ich kam mir ein bisschen vor wie Aschenputtel, das den Ball verlässt. »Wir sehen uns am Dienstag um sieben bei mir.«

»Ich freu mich drauf«, sagte er und sah mir nach.

12.

Acht Tage

In der Redaktion, mitten am Union Square über einem Agnès B.-Laden, saß ich mit acht weiteren Redakteurinnen in einem großen Büro mit hoher Decke. Durch die hellgrünen Wände, die rein weißen Vorhänge und die Blumenkästen vor den Fenstern wirkte der Raum sehr einladend trotz der Postberge, die sich überall stapelten. Autohupen, Sirenen und eine Reihe Fremdsprachen trieben von der Straße zu uns herauf, wo wir zu einem Nonstop-Soundtrack von Alternative Rock – Gomez, Arcade Fire, the Shins – schweigend auf unsere Tastaturen einhackten. Ich saß neben der Chefredakteurin, hinter unseren Schreibtischen hingen an Schienen Layouts aus allen Stadien der Herstellung. Es versetzte mich immer in gute Laune, wenn ich morgens das Büro betrat oder vom Kaffeeholen bei der französischen Bäckerei um die Ecke zurückkam und die Seiten dort hinter meinem Stuhl hängen sah. Ich liebte meinen Job, und die Arbeit mit meinen Kolleginnen bereitete mir mehr Freude, als ich mir je hätte vorstellen können. Die vielen Arbeitsstunden, die ständigen Deadlines und die mäßig gute Bezahlung wurden mehr als wettgemacht durch die kreative Freiheit, durch das Gefühl von Solidarität zwischen uns und durch Einladungen zu allen Konzerten, Theaterstücken, neuen Restaurants und Partys, die es in San Francisco gab.

Wir alle hatten iPhones, die unablässig piepten, wenn eine

SMS eintraf, oder mit ihrer durchdringenden Marimba entgangene Anrufe verkündeten. Am Tag meines Dates mit Jude vibrierte meins um die Mittagszeit, sein Name stand klar und deutlich im vertrauten blauen Kästchen. *Wie fühlst du dich?*

Gibt es eine Frage, die eine Frau lieber hört?

Glücklich und aufgeregt, schrieb ich zurück. Es war Hochsommer, und ich hatte ein richtiges Rendezvous mit einem Mann, den ich persönlich kennengelernt hatte und nicht durch einen Computer. Auch wenn ich eine viel beschäftigte, Fleisch essende Zeitschriftenredakteurin war und er ein sanfter veganer Kellner, glaubte ich, eine Seelenverwandtschaft zwischen uns zu spüren.

Ich bin auch aufgeregt. Dann bis 7. Ich habe was für dich.

Ich kam später als geplant aus dem Büro weg und lief zu Whole Foods, einem Geschäft ein paar Straßen weiter. Ich hatte noch nie vegan gekocht. Im Eiltempo suchte ich Pasta, sonnengetrocknete Tomaten, Brokkoli, vegane Tofu-»Würstchen« und eine Flasche Bio-Wein zusammen. Als ich schließlich mit meiner schweren Einkaufstüte wieder draußen stand, war es zu spät für die U-Bahn, also verbrachte ich eine Viertelstunde damit, ein Taxi zu bekommen.

Um fünf vor sieben stürzte ich in die Wohnung, hoffte, Jude würde sich verspäten, stellte die Lebensmittel ab, wusch mir das Gesicht und wühlte in Joies Schrank nach etwas zum Anziehen. Sie und ich waren gleich groß, deswegen hatten wir beschlossen, dass wir die Kleider der anderen, die sie im Schrank hängen ließ, auch tragen durften. Das erleichterte mir den Übergang zwischen meinen beiden Existenzen. Ich schlüpfte in einen Baumwollrock von mir und ein schwarzes geripptes Trägerhemd von Joie, auf dem in großen weißen Buchstaben »Hugs For Thugs« stand.

Es klingelte. Da Joies Summer nicht funktionierte, musste ich nach unten laufen und Jude öffnen. Er stand vor der Glastür mit einem Rucksack über die Schulter geschlungen und einer sehr kleinen »Henne-und-Küken-Pflanze« in der Hand. »Das ist für dich«, sagte er und reichte mir den Blumentopf.

»Irre«, sagte ich und sah die Pflanze an. »Das ist meine Lieblingspflanze. Einmal habe ich sogar von ihr geträumt. Das ist doch unglaublich, oder?«

»Ich bin etwas medial veranlagt«, sagte er und trat durch die Haustür.

»Hab ganz vielen Dank.« Alles in mir vibrierte, als er mir die Stufen hinauffolgte. Ich konnte es nicht glauben, dass er mir von allen denkbaren Geschenken ausgerechnet diese Pflanze mitgebracht hatte.

Während ich das Essen zubereitete, folgte er mir durch die Küche. Ich schenkte ihm ein Glas Wein ein. »Ich kann beim Kochen nicht gut reden, aber ich kann dir zuhören.«

Er erzählte mir von der Scheidung seiner Eltern, wie er zur Astrologie gekommen war und dass er von seiner Großmutter genügend Geld geerbt hatte, um nicht Vollzeit arbeiten zu müssen, er aber etwas dazuverdienen wollte, um seine Mutter zu unterstützen. Vor allem aber unterhielten wir uns über Musik. Er steckte sein iPod an Joies Stereoanlage. Begeistert stellte ich fest, dass auf seiner Playlist viele Titel standen, die für mich prägend gewesen waren: Dire Straits, Talking Heads, Tom Petty and the Heartbreakers.

»Du warst, na ja, sechs, als diese Musik rauskam«, sagte ich erstaunt und schloss die Kühlschranktür.

»Du bist, na ja, körperlich genau mein Typ«, sagte er und kam näher, sodass ich seinen Atem auf meiner Haut fühlte. »Dein Gesicht, deine Haare, dein Körper, alles.«

»Wirklich?«, fragte ich. Das machte mich verlegen, obwohl ich mich unendlich freute. Genau diese Art Aufmerksamkeit hatte mir gefehlt, als ich Anfang zwanzig gewesen war. Entweder waren meine ersten Freunde zu jung gewesen, um sie mir zu geben, oder ich war zu unsicher gewesen, um sie zu bemerken. Dass Scott mich sexuell attraktiv fand, daran bestand kein Zweifel. Aber wenn ich ihn fragte, ob ihm meine Frisur gefalle, sagte er: »Wenn sie dir gefällt, gefällt sie mir.« Wenn ich ihn fragte, ob ich hübsch aussehe, sagte er: »Du bist *attraktiv*. Die hast eine Energie, die Menschen anspricht.« Es brachte mich durcheinander, Jahrzehnte währende Sehnsüchte auf der Stelle erfüllt zu bekommen, und zwar von jemand anderem als Scott.

Wir saßen auf Joies Couch, aßen Pasta, tranken Wein und hörten uns Judes Playlist an. Mich störte weder, dass er von Geistführern sprach, noch dass er vegane Schuhe trug. Ich konnte unter der Beanie den jüdischen Ostküsten-Jungen mit Gitarre sehen. Er nahm die Mütze ab und fuhr sich mit seinen eleganten Musikerhänden über den geschorenen Schädel. »Ich weiß nicht, was ich davon halten soll, dass meine Stirn immer höher wird.«

»Ich finde sie sehr schön«, sagte ich, und er strahlte. Er knöpfte seine Ärmel auf und rollte sie hoch, sodass auf seinen Unterarmen zwei gälisch wirkende Tätowierungen zum Vorschein kamen, ein Wort auf jedem Arm. Ich drehte seine Handgelenke um, um sie zu lesen. »Geh Liebe«, las ich. »Das ist ja cool.«

»Das heißt ›Sei Liebe‹«, stellte er richtig.

Ich schaute genauer auf seinen linken Unterarm. »Ach, stimmt. Mir gefällt ›Geh Liebe‹ allerdings besser.«

Ich wollte meine Hand wegnehmen, doch er packte mich am Arm und zog mich an sich. »Oha«, sagte ich und lachte nervös.

Er küsste mich sacht. Ich hatte noch nie einen Mann mit volleren Lippen als meinen geküsst. Wir gingen die zwei Meter von der Couch zum Bett, er zog mir das Oberteil über den Kopf und drückte mich sanft auf die Matratze.

»Deine Brüste sind unglaublich.«

»Du hättest sie sehen sollen, als ich zwanzig war«, sagte ich und legte meine Hände um meinen schwarzen Push-up-BH.

»Du hast Selbstbewusstsein, das gefällt mir.«

»Alles Fassade.«

»Das dachte ich mir schon«, sagte er und streifte die BH-Träger über meine Schultern. Die ersten Akkorde von Roxy Musics »More than This« drangen aus den Boxen, genau der Song, den ich vor all den Jahren öfter mit dem Mann gehört hatte, der am selben Tag Geburtstag hatte wie ich.

Wieder die Verbalerotik, wieder die Penis-Show, und wieder konnte ich mich nicht beklagen. Jude war elegant, voller Energie und hatte keine Angst zu fordern. »Lutsch mir den Schwanz«, sagte er und drückte mit seiner Hand fest auf meinen Kopf. Als ich die ganze Länge seines Penisses auf meiner Zunge spürte, zog sich mein Unterleib vor Lust zusammen.

»Mach die Beine breit«, befahl er, und als ich gehorchte, glitt er mit dem Finger an dieselbe Stelle wie Paul, als er mich das erste Mal berührt hatte, vermutlich mein G-Spot. Ein Schockstoß fuhr mir den Rücken hinauf, ich empfand das überwältigende, drängende Verlangen, mich aufzulösen. Wie eine Verrückte hätte ich ihn ganz schlucken können. Beim Vögeln dann behielten wir immer dasselbe Tempo bei, als wären wir verschmolzen und hätten das Bewusstsein verloren, sodass unsere Körper wie ein einziger Organismus zusammenwirkten.

Hinterher lag ich erhitzt da, mein ganzer Körper bebte. Was war ein sieben Sekunden dauernder Orgasmus im Vergleich zu dieser körperlichen und geistigen Euphorie? Diese alles erfüllende Lust brauchte für mich nicht anzusteigen, zu kulminieren und abzufallen, ich brauchte keine Gauß'sche Glockenkurve oder welchen Weg auch immer durch sie hindurch. Ich war damit zufrieden, in dieser Lust zu treiben. Die Feministin in mir hätte vielleicht gern Einspruch erhoben – von meinem College-Seminar in Women's Studies erinnerte ich mich vage an eine Abhandlung, laut der Frauen, die behaupteten, auch ohne Orgasmus Spaß am Sex zu haben, sich selbst belogen –, aber sie war zu müde und zu gut durchgevögelt, um sich groß auf eine Debatte einzulassen.

Als Teenager und junge Frau hatte ich unendlich viel Mühe darauf verwendet, nicht in die schmachvolle weibliche Fallgrube des Benutztwerdens zu geraten. Warum hatte mir nie jemand von der Befriedigung erzählt, *nützlich* zu sein, durch meinen Körper Lust und Lebenskraft zu schenken und dadurch selbst zu bekommen? Beim Einschlafen spürte ich, wie mich der physiologische Prozess des Verliebens durchflutete, der Drang, mich um Jude zu kümmern und ihm Freude zu bereiten.

Es fiel mir nicht schwer, am Freitag von meinem promiskuitiven Leben als Single in Mission zu meinem beschaulichen Eheleben in Castro zurückzukehren. Im Gegenteil, es beruhigte mich. Die Aufregung, Postings in Nerve.com zu beantworten, mich bei OneTaste herumzutreiben und frivol mit Paul und Jude hin und her zu simsen war ein Gegengewicht zu der Häuslichkeit, die mich am Wochenende erwartete. Ich freute mich darauf, für Scott zu kochen, in unserem Bett aufzuwachen, bei uns im Viertel irgendwo zum Brunch zu gehen. Am Montagmorgen war ich dann bereit, zu meinem hektischen Job und den wechselnden Liebhabern zurückzukehren. Alle Enttäuschungen, die ich zu Hause erlebte, verloren an Bedeutung.

Jahrelang hatte ich Scott immer wieder einmal gebeten, mich ab zu mit irgendetwas zu verführen. Darauf hatte er entweder mit einem »Ich weiß schon, ich bin nachlässig geworden, ich gelobe Besserung« reagiert oder mit einem »Wenn dir nach Verführung ist, dann lass dir was einfallen«. Ich hatte versucht, Scott mit Kurztrips, dem Unterricht in weiblichen Künsten und der Poledance-Stange zu verführen. Nur wusste ich nie, wie ich mir selbst das Prickeln einer Verführung bereiten konnte. Eine Frau, die ihre eigene Verführung planen muss, ist wie eine Katze, die ihrem eigenen Schwanz nachjagt. Vor zehn Jahren hatte ich ihm ein Buch über romantische Kurzurlaube in Nordkalifornien auf seinen Nachttisch gelegt. Nach jahrelangem Nörgeln hatte er schließlich ein Wochenende daraus organisiert.

Am Morgen, nachdem ich mich bei Joie mit einem Kuss von Jude verabschiedet hatte und ins Büro gegangen war, bekam ich eine E-Mail von OpenTable, die mir mitteilte, dass Scott einen Tisch bei Michael Mina reserviert hatte, dem teuersten Restaurant in San Francisco.

Michael Mina?!, schrieb ich zurück. *Und dafür brauchte ich nichts weiter tun, als auszuziehen!*

Du weißt, ich lerne langsam, antwortete er. *Aber irgendwann kapier's sogar ich.*

An dem Freitag ging ich nach der Arbeit also zum St. Francis Hotel am Union Square, schritt durch das Marmorfoyer und betrat den Hohetempel der Gastronomie. Scott saß schon mit einem Glas Wein am Tisch und las in seinem BlackBerry. Im Hochsommer hatte seine Haut einen wunderbar gesunden Teint. Seine breiten Schultern füllten das graugrüne Jackett.

Ich küsste ihn auf die Wange – ein warmer Duft nach sauberer Erde – und setzte mich. »Was liest du gerade?«, fragte ich. Unsere jeweils aktuelle Lektüre bot sich in der momentanen Situation als unverfänglicher Einstieg in ein Gespräch an.

»*The Barbary Coast* von Herbert Asbury«, sagte er, steckte den BlackBerry in seine Tasche und nahm die schwarze Lesebrille ab. »Hier in San Francisco herrschte während des Goldrauschs die reinste Anarchie.«

»Inwiefern?«

»Nicht weit von hier, drüben beim Embarcadero, gab es Saloons mit einer Falltür im Boden. Die Kidnapper versetzten den Whiskey von einem Gast mit irgendeinem Betäubungsmittel, ließen ihn durch die Falltür verschwinden, und er wachte auf einem Schiff in Richtung China wieder auf. Daher kommt auch der Ausdruck ›schanghaien‹.«

»Aber warum?«

»Unbezahlte Arbeitskraft. Oft saß der Typ jahrelang auf dem Schiff fest. Hier herrschte die absolute Gesetzlosigkeit. Ich meine, die Gegend hier war wie der Wilde Westen.«

»Das ist sie ja immer noch.«

»Gesellschaftlich vielleicht, politisch. Aber nicht so wie damals. Im Vergleich zu denen sind wir die reinsten Waisenknaben.«

Ein befrackter, weiß behandschuhter Kellner nahm unsere Bestellung entgegen: guter französischer Wein, Austern, Sashimi, Minas berühmter Hummer-Potpie. Beim Essen erzählte Scott weiter von der *Barbary Coast*, den Typen, die die Spelunken betrieben, den korrupten Politikern, die die Entführungen unter den Teppich kehrten. Geschichte faszinierte ihn. Es hatte mich immer geärgert, dass er sich irgendwie mehr für das Leben fremder Toter interessierte als für das, was hier und jetzt zwischen uns passierte. Und nicht nur fremde Tote, wenn ich es mir recht überlegte – auch fremde Lebende interessierten ihn mehr. Bei unserer Hochzeit waren seine Augen trocken geblieben, sogar, als er mich in meinem Brautkleid sah. Aber das hatte ich erwartet. Es störte mich erst ein paar Jahre später, als er bei der Hochzeit von Freunden Tränen unterdrücken musste, als die Braut hereinkam. Irgendwie berührte deren großer Moment ihn mehr als unserer. In der Nacht nach dem Hochzeitsfest dieser Freunde weinte ich mich in den Schlaf.

Immer wieder hatte ich versucht, Scott aus sich herauszulocken, indem ich ihn nach Dingen fragte, die ihn oder uns betrafen: Arbeit, Geld, Familie, seine Kindheit, seine Freundschaften, Sex. Nach einer kurzen Wiedergabe seiner vielfach erläuterten Einstellungen – er hatte eine durchdachte Ansicht zu jedem Thema, auf seinem Notebook gab es sogar eine Datei namens »Meine Weltsicht« – versandete das Gespräch, und ich fühlte mich frustriert und ausgegrenzt. Je mehr ich mich bemühte, desto elender ging es mir. Schlimmer noch, ich führte diese einseitige Dynamik auf einen Mangel meinerseits zurück, auf fehlende Kommunikation oder fehlendes Verständnis, und wenn nicht das, dann auf fehlende Distanz.

An diesem Abend allerdings wollte ich mich nicht darüber beschweren, dass er sich auf unpersönliche Themen beschränkte. Schließlich konnte er sich schlecht erkundigen, wie meine Woche gelaufen war. Die gedämpfte Stille und der Luxus des Restaurants entspannten und belebten mich. Der Potpie für fünfundsiebzig Dollar war ein Gericht, wie man es nur einmal im Leben isst. Und Scott sah in Graugrün sehr attraktiv aus.

»... also mietet dieser Typ ein Schiff, lädt hundert Matrosen zu einer Party an Bord ein und versetzt ihre Getränke mit Opium. Dann verteilt er diese armen Kerle auf drei Schiffe, und das alles in einer Nacht ...«

Ich spürte am Oberschenkel mein Handy vibrieren, das in meiner Handtasche steckte. Später, auf der Toilette, sah ich nach: eine SMS von Paul, eine von Jude und eine dritte von einer Nummer, die ich nicht kannte.

Hi Robin, hier ist Andrew vom OneTaste-Workshop. Wie wär's mit einem Drink nächste Woche? Er hatte meine Nummer wohl von der Kontaktliste, die online stand.

Gern, simste ich zurück. *Wie wär's mit Donnerstag?*

Scott unterschrieb gerade die Rechnung, als ich zum Tisch zurückkam. Ich beugte mich über seine Schulter und gab ihm einen Kuss auf die Wange. Vierhundert Dollar. Dreimal mehr, als wir je zuvor an einem Abend zu zweit ausgegeben hatten. »Hab vielen, vielen Dank, mein Liebling«, sagte ich. »Es war wirklich köstlich. Ich liebe dich.«

»Ist mir ein Vergnügen, mein Schatz«, sagte er, küsste mich ebenfalls und tätschelte meine Hand, die auf seiner Schulter lag. »Ich liebe dich auch.«

Nach siebzehn Jahren hatte ich schließlich und endlich etwas Distanz gewonnen. Ich verließ Michael Mina als zufriedene Ehefrau.

Am Montagabend kam Jude wieder zu mir, er platzte schier vor Vorfreude und Lust. Dieses Mal brachte er mir eine funkelnagelneue Taschenbuchausgabe von *Autobiographie eines Yogi* mit. Ich kochte wieder vegane Pasta, er spielte wieder Musik. Der Sex war wie beim ersten Mal: schnell, verbal, intensiv. Hinterher lag ich da und dachte an May, wie sie von Joe gestreichelt wurde und beim Orgasmus sang.

Am Dienstagabend ging ich zu einer Frauengruppe bei OneTaste. Wir saßen im Schneidersitz auf überdimensionalen Kissen, die im Kreis angeordnet waren, und sprachen über Eifersucht, Konkurrenz, Sex und unser Körperbild. Ich erfuhr, dass bei OneTaste häufig auch Frauen andere Frauen streichelten, es gab keine Vorschrift, die besagte, nur ein Mann dürfe das Streicheln übernehmen. Als ich gegen elf nach Hause kam, rief ich bei Jude an.

»Hi«, sagte er mit seiner ruhigen, heiseren Stimme.

»Hi. Hast du Lust, zu mir zu kommen?«

»Schon, aber es ist spät. Bis ich ein Taxi bekäme, wäre es Mitternacht.«

Stille.

»Sei nicht sauer«, sagte er.

»Bin ich auch nicht.« Nach drei Dates fingen die Schwierigkeiten schon an, aber mit denen durfte ich mich jetzt nicht aufhalten. Alle Energie, die ich aufs Lösen von Problemen verwendete, sollte ich in meine Ehe stecken und nicht in meine Liebhaber. Wir unterhielten uns noch ein paar Minuten und legten dann auf.

Fünf Minuten später simste er: *Sitze im Taxi. Bin in einer halben Stunde da.* Glückseligkeit.

Aber als er kam, kroch er unter die Decke, knutschte mit

mir und schlief ein. Ich lag neben ihm und spürte einen Kloß in der Kehle, der immer größer wurde. Das bedeutete gemeinhin, dass ich mich innerlich darauf vorbereitete, etwas zu sagen, das mir unangenehm oder peinlich war.

Morgens, als das Licht durch die Nordfenster hereinströmte, fragte ich: »Hast du schon einmal diese OM gemacht?«

»Ja, ein paarmal.«

»Das würde ich gern probieren.«

Er lächelte. »Auf den Rücken mir dir, Frau.«

Ich nahm die Position ein, die ich bei May gesehen hatte, spreizte die Knie und legte die Hände übereinander auf den Bauch. Jude saß aufrecht neben mir, verschränkte die Beine wie im Lotussitz und hob mein rechtes Knie darüber. Er gab Gel auf seinen linken Zeigefinger und fragte, ob er mich berühren dürfe.

»Ja«, sagte ich und wappnete mich innerlich. Die geballte sexuelle Aufmerksamkeit eines Mannes zu bekommen, den ich kaum kannte, machte mich verlegen. Es war sicherer, nur zu liefern, ihn zu lutschen, mich auf ihn zu legen.

Meine Klitoris war immer schon so empfindlich, dass jeder direkte Kontakt zuerst eher schmerzte, als dass er lustvoll war. Wenn ein Mann sie doch mit dem Finger oder der Zunge berührte, mussten seine Bewegungen langsam und gleichmäßig sein. Judes Finger war langsam, aber sein Streicheln – vielleicht war es auch das OneTaste-typische Streicheln – war zu leicht. Jedes Mal, wenn er mich streifte, fuhr ich innerlich ein wenig zusammen, sodass es mir, wie immer in solchen Fällen, kalt durch die Beine in die Füße fuhr.

Meine Aufgabe war es, meine Empfindungen zu kommunizieren und alles zu sagen, was ich mir anders wünschte. Das war schwierig. Selbst wenn ich mich selbst berührte, funktionierte das immer nach der Trial-and-Error-Methode. Fast jedes Mal war es anders, abhängig von meiner Stimmung und meinem Zyklus. Es war ebenso schwierig zu erklären wie Musik.

»Ein bisschen weiter nach rechts«, sagte ich zögernd. Dann: »Ja, genau da. Und jetzt etwas mehr Druck.« Das war besser, aber keine halbe Minute später veränderte sich mein Empfinden wieder. Ich beschloss, mich einfach zu entspannen und den Prozess zu beobachten, anstatt ihn kontrollieren zu wollen. Nach fünfzehn Minuten steckte Jude den Daumen in mich, drückte auf mein Schambein, und ich stand auf und zog mich an, um zur Arbeit zu gehen.

Am Donnerstag traf ich Andrew im Dalva, einer Bar in Mission, die bekannt war wegen ihrer Jukebox und der Poetry Slams, die im Hinterzimmer stattfanden. Er war so groß wie Scott und kleidete sich ähnlich wie er – Jeans und ein weites Jeans-Hemd –, als bedeutete Mode ihm wenig. Aber durch sein Aussehen und seinen kräftigen Körperbau fiel er trotzdem auf. Er war fünf Jahre jünger als ich. Er bestellte Bourbon, ich Wein, und wir absolvierten die Was-machst-du-Routine.

»Ich bin leitende Redakteurin bei *7x7*, dem Stadtmagazin«, sagte ich. Das beeindruckte ihn weniger als die meisten anderen. »Und du?«

»Ich sitze an meiner Dissertation an der CIIS.« Das war das California Institute of Integral Studies, eine Hochschule, die das Akademische mit mystischen und spirituellen Traditionen verband.

»Irre, du promovierst. Worüber?«

»Im Grunde über die Beziehung zwischen Schopenhauers Theorien und der Bhagavad Gita. Das ist natürlich sehr verkürzt gesagt, aber …« Er zuckte mit den Achseln.

»Das klingt nach einer Wahnsinnsarbeit.«

»Das ist es auch.« Er lachte und schwenkte seinen Bourbon. »Ich arbeite seit vier Jahren daran. Ich bin pleite.«

Ich musste mich sehr konzentrieren, um den verschlungenen Wegen von Andrews Gedanken zu folgen, und dennoch fiel es mir schwer, sie später zu wiederholen oder zu rekapitulieren. Wie er mir erzählte, studierte er auch holistische Sexualität bei einem Paar, das durch das CIIS und das Esalen Institute in Big Sur Workshops gab. Ihr Ziel war, »die spirituelle und intellektuelle Energie, die hier lebt« – er formte mit den Händen einen Rahmen um den Kopf – »und die vitale und sexuelle Energie, die hier lebt« – er bewegte die Hände zu seinem Bauch – »zu integrieren.«

»Hat man bei diesen Workshops auch Sex?«

»Nein, es gibt keinen eigentlichen sexuellen Kontakt. Die Leute legen dir die Hände auf, um dir zu helfen, mit deinen Energiezentren in Kontakt zu treten. Es geht darum, das alles in dir selbst zu integrieren, nicht notwendigerweise mit einer anderen Person.«

Andrew hatte seine Kindheit und Jugend in Philadelphia verbracht, eine Gemeinsamkeit, die uns Gesprächsstoff gab. »Ich habe drei Jahre dort gelebt und bin in der Umgebung von Scranton aufgewachsen«, sagte ich.

»Ich war beim Workshop gern in deiner Nähe, weil du Stärke ausstrahlst«, sagte er. »Solidität. Als könnte ich mich an dich drücken, ohne dass du zerbrichst.«

»So wird man eben, wenn man in der Umgebung von Scranton aufwächst«, scherzte ich. »Aber ehrlich gesagt bin ich nicht besonders hart im Nehmen. Als junges Mädchen hatte ich für nichts anderes Interesse als Ballett und Lernen. Immerhin war ich Klassenbeste.« Angesichts seines intellektuellen Horizonts fühlte ich mich wohl bemüßigt, das einfließen zu lassen.

Er stellte sein Glas ab und straffte die Schultern. »Du warst Klassenbeste?«

»Ja. Aber die Klasse war recht klein.«

»Ich habe eine Schwäche für Klassenbeste.«

»Was für ein Zufall! Ich habe eine Schwäche für Typen, die Klassenbeste mögen.«

Wir bestellten noch einen Drink, dann gingen wir die geschäftige Valencia Street entlang, um irgendwo Falafel zu essen. Für Andrew musste alles billig sein, er lebte von sehr wenig Geld. Nach dem Essen sagte ich: »Meine Wohnung ist ganz in der Nähe.«

Dort angekommen, setzten wir uns an entgegengesetzte Enden der Couch, tranken Wein, legten die Beine hoch und unterhielten uns weiter über die Ostküste, unsere verkorkste Kindheit und östliche Philosophie.

»Zeig mir doch mal, was ihr in dem Workshop zur holistischen Sexualität so macht«, sagte ich.

Er streckte sich auf der Couch aus und legte seine Handflächen zuerst auf die Brust, dann auf den Solarplexus und schließlich auf die Beckenknochen und beschrieb, wie die Energie zwischen den drei Stellen pulsierte. Dabei verwendete er Ausdrücke wie »Ich fühle mich dem und jenem sehr präsent« und »Was mich im Moment durchfließt, ist …«, als wäre er weniger eine Person als vielmehr ein beobachtendes Gefäß. Ich hatte den Eindruck, als genieße er meine Gesellschaft, hätte es aber nicht eilig, mich zu verführen. Wir waren seit über vier Stunden zusammen.

Nach dieser Demonstration setzte er sich auf und forderte mich auf, mich hinzulegen. Er legte eine Hand auf meinen unteren Bauch und die andere auf meine Stirn. »Spür die Empfindung hier«, sagte er und drückte auf meinen Bauch, »und dann spür die ganzen Gedanken und die Anspannung, die sich hier in deinem Kopf stauen. Stell dir vor, dass die geistige Anspannung nach unten wandert und die Urenergie aufsteigt, bis sie sich hier treffen.« Er berührte mein Brustbein.

Seine Hände auf mir zu spüren hatte dieselbe elektrisierende Wirkung wie bei OneTaste. Bald küssten wir uns, dann gingen wir langsam zum Bett hinüber. Wir waren beide noch immer bekleidet, er legte sich auf mich und drückte meine Arme auf die Matratze. Er war bei Weitem der kräftigste Mann, mit dem ich je geschlafen hatte, kräftiger noch als Scott. Sein volles Gewicht auf mir zu spüren gab mir – im Gegensatz zu den federleichten Berührungen der orgasmischen Meditation – das Gefühl, ganz in meinem Körper zu sein. Ich fühlte mich fest im Bett verortet und konnte mich ausdehnen. Ich knöpfte sein Hemd auf und öffnete den Reißverschluss seiner Jeans, er zog mir das Kleid über den Kopf. Er redete nicht, aber er gab viele laute und lebhafte Geräusche von sich. Wenn er doch sprach, dann um zu sagen, was er wollte, oder um zu fragen, was ich wollte. Er kam mir sehr präsent vor, ohne Maske, ohne Schau.

Das befreite mich von einem uralten unausgesprochenen Diktum. Ich lag unten und stemmte mich gegen ihn, als plötzlich der Druck in mir überlief. Ich drehte mich um, um auf ihm zu liegen, und wir sahen uns in die Augen, schweigend und wissend. Wortlos legte er sich auf den Bauch und streckte das Gesäß in die Luft. Ich setzte mich rittlings auf ihn, packte mit einer Hand seine Schulter, mit der anderen sein Haar und zog fest, rieb mich an seinem Gesäß. Mittlerweile stöhnten wir beide laut. Ich kam mit einem kehligen Grunzen.

Benommen fiel ich ins Kissen. So war das mit dem Hergenommenwerden. Die ganze Zeit hatte ich mich gefragt, wann ein neuer Liebhaber mir einen Orgasmus bescheren würde, dabei brauchte ich ihn mir nur zu nehmen.

13.

Die Glory Road

In meiner kleinen Heimatstadt in den Appalachen gibt es ein gleichschenkeliges Dreieck, dessen Eckpunkte drei Gebäude bilden. Das erste liegt an der Glory Road und ist das Haus, in dem ich aufwuchs und in dem meine geschiedene Mutter lebt. In siebenhundert Meter Entfernung, an der Spitze des Dreiecks, steht das Haus meiner Großmutter mütterlicherseits. Und wieder in der Glory Road, gerade drei Straßen weiter von dem Haus, in dem ich meine Kindheit verbrachte, ist die katholische Kirche St. Mary's, wo meine Brüder und ich getauft wurden und zur Kommunion und zur Firmung gingen.

Wer um 1970 oder 1975 einen Blick in das erste Haus geworfen hätte, hätte mich in einem schmalen Bett hinter einer dünnen Wand liegen sehen, wie ich auf das heftiger werdende Flüstern meiner Eltern lausche. Es ist ein Wochenende im Herbst. Mein Vater hat ein NFL-Spiel nach dem anderen angesehen, dabei Kette geraucht und den Fernseher angebrüllt. Meine Brüder schlafen im Zimmer nebenan. Zwischen meiner Tür und der Küche liegen keine zwei Meter. Ich höre meinen Vater das Wort »blöde Kuh« lauter als andere schreien. Dann, noch etwas lauter, »bescheuerte Fotze«. Meine Mutter schweigt nicht, ich weiß aus Erfahrung, dass sie sich nichts gefallen lässt. Sie gibt ihm Widerworte, aber ich kann nicht verstehen, was sie sagt, nur ihn. Er schreit: »So schnell, wie ich dir die Kehle durchschneide, bist du tot, bevor die Sanitäter kommen.«

Seltsam, denke ich mir, während ich im Dunkeln daliege. *Ich habe keine Angst, es trifft mich nicht einmal besonders. Ich muss schon sehr stark sein.* Mein Herz schlägt ganz normal. Ich denke an andere Kinder, die an meiner Stelle weinen oder das Licht anmachen würden. Das brauche ich alles nicht. Allerdings werde ich auch nicht einschlafen, für den Fall, dass meine Mutter nach mir ruft. Ich weiß, wann der Zeitpunkt gekommen ist. Die Worte schlagen fast nie in körperliche Gewalt um – schlimmstenfalls reagiert er sich an den Möbeln oder den Türen ab –, aber sie stehen immer kurz davor. »Robin!«, schreit meine Mutter dann trotzig, und ich laufe in die Küche und stelle mich zwischen die beiden, hebe die Hände und rede beruhigend auf meinen Vater ein: »Daddy, bitte, ich bin's, Robin. Bitte, Daddy, bitte, geh doch ins Bett.« Er ignoriert mich, streckt die Arme an mir vorbei aus, um meine Mutter in die Schulter zu boxen, nennt sie weiter eine Fotze, eine verfickte Hure. Die Worte »Daddy, bitte« machen mir ein komisches Gefühl in der Brust, aber nur ein paar Sekunden. Wenn ich lange genug zwischen ihnen stehen bleibe, geht er manchmal tatsächlich einfach ins Bett. Nur ganz selten gibt er mir eine Ohrfeige oder stößt mich zur Seite, um an meine Mutter zu gelangen.

Als ich älter bin, werde ich lauter und dreister, freue mich über die Schläge, die er mir bisweilen versetzt, fordere ihn regelrecht dazu heraus mit Sätzen wie: »Bist du aber ein starker Mann! Schubst Frauen und Kinder herum!« Dann schlägt er mich zu Boden. Mein Vater ist stark und gnadenlos. Sein Körper ist eine Mauer der Grausamkeit, mit der ich unweigerlich kollidieren muss. Das Wissen, dass ich nicht gewinnen kann, hindert mich nicht daran, es zu versuchen. Allein der Kampf zählt. Das hat er selbst mir beigebracht.

Einmal, da bin ich zwölf, stelle ich mich bei einem besonders heftigen Streit zwischen ihn und meine Mutter, und er stößt mich mit Fußtritten über den Boden, bis ich zusammengekrümmt liegen bleibe. Am nächsten Morgen scheiße ich Blut. Ich rufe meine Mutter, sie brüllt ihn an, und als er ins Bad kommt, erstarrt er und wird leichenblass, als wäre Gott selbst von oben heruntergefahren und hätte ihm ins Gesicht geschlagen.

Einen Monat später habe ich meine erste Panikattacke. Ich schließe gerade meinen Spind und gehe den Korridor entlang zum Klassenzimmer. Plötzlich wankt die Schar Schüler, die vor und neben mir geht, dann weicht sie zurück, ich falle aus ihrer Welt in ein Paralleluniversum. Alle Stimmen haben einen Widerhall. Ich bekomme keine Luft mehr. Um meinen Blick zu fokussieren, richte ich ihn auf die rote Ziegelwand und sehe, dass die geraden Linien im Zickzack verlaufen. Ich strecke die Hand aus, um mich an der Wand abzustützen und nicht zu stürzen, stehe wie gelähmt im sich drehenden Korridor und warte darauf, verschlungen zu werden. Ist das der Tod? Bin ich am Sterben? Irgendwie schaffe ich es, mich ins Klassenzimmer zu schleppen, und lege den Kopf auf mein Pult. In dem dunklen Raum hinter den Augen, die ich gegen meine gefalteten Handrücken auf dem Pult drücke, verflüchtigt sich die Panik allmählich wie Partikel, die sich von einer schwarzen Masse lösen und zu körnigem Pulver werden. Und während sie abebbt, wird sie von einem warmen Licht ersetzt, das heller wird und mich mit Frieden erfüllt. Aber es ist nicht nur Licht, in seinem Zentrum ist auch eine Präsenz, eine Bewusstheit, die unangreifbare Kraft und Güte verströmt. Und diese Präsenz verkündet lautlos: *Dir passiert nichts. Ich passe auf dich auf.* Jede Zelle in meinem Körper ist von Freude durchdrungen. Diese Versicherung trägt mich durch die folgenden fünf Jahre und ist bis heute die tiefste spirituelle Erfahrung meines Lebens. Als im letzten Schuljahr eine meiner Klassenkameradinnen stirbt und die Panikattacken wieder einsetzen, warte ich auf die beruhigenden Worte. Sie kommen nie wieder.

Die meisten spätnächtlichen Auseinandersetzungen enden nicht mit Schlägen, sondern mit dem Brüllen meines Vaters: »Nimm deine Kinder und verschwinde! Ihr macht mich alle verrückt! Ich kann mich nicht mehr um euch kümmern!« Meine Mutter und ich packen meine Brüder, wir sind alle im Pyjama, und fahren zum Haus meiner Großeltern. Dort verbringen wir das Wochenende, schlafen in unseren Schlafsäcken im Wohnzimmer auf dem Fußboden, sehen mit Opa im Fernsehen Comedysendungen und Music-Shows, zwängen uns in seinen Chrysler Cordoba, um zum Eisessen zu fahren. Oma kocht uns zum Frühstück Eier und zum Abendessen Spaghetti und Fleischklößchen. Am späten Sonntagabend oder vielleicht auch erst am Montag nach der Schule gehen wir wieder nach Hause. Dann liegt manchmal zerschlagenes Geschirr auf dem Boden, oder die Stühle sind umgeschmissen. Einmal steckt eine Axt in der Haustür.

Daddy entschuldigt sich nie. Wir machen einfach weiter wie bisher, und das fällt mir nicht einmal schwer. Da sind die Schule, das Ballett, Footballspiele und Footballtraining, und das alles in einer Stadt, in der die Kinder in Horden durch die Straßen streifen und ein Fremder Seltenheitswert hat. In unserem Garten gibt es einen Pool; an Kleidern, Spielzeug und Geld haben wir alles, was wir brauchen. Es gibt Dad, der nicht immer wütend ist und mir dann sagt, wie klug und hübsch ich bin und wie stolz er auf mich ist. Es gibt Mom, die kocht und mein Bett macht. Es gibt die beiden, die uns vier ständig in den Arm nehmen und uns küssen und sagen, dass sie uns lieben. Ich glaube es ihnen. Selbst an den Tagen, an denen ich einen von ihnen oder beide hasse, weiß ich, dass es stimmt.

Bei einem Besuch meiner Mutter bei uns in Kalifornien fragte ich sie einmal, denn ich weiß, dass Kinder oft übertreiben: »Wie oft hat Daddy uns rausgeschmissen? Zwanzigmal? Fünfzigmal?«

Sie schaut mich an. »Zwanzigmal? Fünfzigmal? Du machst Witze. Hunderte Male.«

Was immer mich achtzehn Jahre lang beschützt hatte, während ich wach lag und meinen Eltern beim Streiten zuhörte, fiel innerhalb weniger Wochen von mir ab, nachdem ich das Haus meines Vaters verlassen hatte und in ein staatliches Studentenwohnheim zwei Stunden von zu Hause entfernt gezogen war. Außerhalb meiner gewohnten Umgebung war ich auf mich selbst angewiesen, und es gab kein Selbst. Sobald ich morgens aufwachte, schoss eine brennende Hitze meinen Rücken hinauf und ließ mich in kalten Schweiß ausbrechen. Übelkeit stieg in mir auf, sodass ich aus dem Bett springen und zur Toilette laufen musste. Eine schwarze Hässlichkeit legte sich über alles. Im Unterricht, wo das Bemühen um gute Noten nach wie vor der einzige Halt war, der mich vor dem völligen Zusammenbruch bewahrte, sah ich fassungslos, dass die Minuten wie in Zeitlupe verstrichen. Ich hatte keine Ahnung, wie ich die nächste Stunde überstehen sollte. Wenn ich mir vorzustellen gestattete, dass ich erst achtzehn war und noch sechzig oder siebzig weitere Jahre auf der Erde verbringen musste, bereitete mir das körperlich Schmerzen. Mehrmals am Tag riss ich den Kopf herum, weil ich glaubte, jemand habe gehässig meinen Namen gezischt. Auf dem Heimweg vom Abendseminar balancierte ich akrobatisch auf der Bordkante entlang und sagte mir, wenn ich ohne herunterzufallen zum Wohnheim gelangte, sei alles in Ordnung, aber wenn ich auch nur einmal aus dem Gleichgewicht geriete, bedeute das, dass ich den Verstand verlöre.

Ich sprach mit niemandem darüber. Wenn ich am Wochenende nach Hause fuhr, bemerkte meine Mutter manchmal, dass mir nach dem Aufwachen übel war und ich Panik hatte, und dann tat sie ihr Bestes, mir gut zuzureden. Es waren leere Worte, die ich ihr nicht glaubte. Was wusste sie schon, was es bedeutete, allein zu sein, die Familie zu verlassen und sich in einem College mit sechsunddreißigtausend Unbekannten einzuleben? Nichts. Ich war allein.

Sechs Monate lang kämpfte ich mich durch, dann gab ich auf und ließ mich an einen Satelliten-Campus in Scranton versetzen. Doch kaum war ich dort, passierte etwas ausgesprochen Merkwürdiges: Plötzlich konnte ich das Haus meiner Eltern nicht mehr betreten. Auf den Stufen zur Haustür spannte sich mein ganzer Körper an, als wappnete er sich für einen Schlag. Hatte ich es bis zur Tür geschafft, konnte ich mich kaum mehr bewegen. Gefühle, für die ich keinen Namen hatte, schossen wie Flipperkugeln in mir umher. Ohne Ventil und ohne Kontext konnte ich sie mit schierer Willenskraft kaum bändigen.

Meine Großeltern nahmen mich auf. Ich floh in ihr kleines Haus, wo es immer nach Speck oder Zwiebeln roch, und versteckte mich hinter ihren schweren grünen Vorhängen. Sie kauften mir einen Gebrauchtwagen, gingen am Samstagabend mit mir Muscheln essen und sorgten dafür, dass ich von meinem Job als Bedienung fünfundzwanzig Dollar die Woche sparte. Ich schlief in ihrem winzigen Gästezimmer am oberen Ende der knarzenden Treppe mit dem schmiedeeisernen Geländer. Das ganze Haus war auf Minimalgröße reduziert, umschloss mich und hielt mich fest, wie es einem übergroßen Kind im Märchen passiert. Dort sammelte ich Kraft, dort plante ich meine Flucht nach Kalifornien. Ich war zu jung, um zu wissen, dass es vor mir selbst kein Entkommen gab.

In ebendiesem Gästezimmer meiner Großmutter schliefen Scott und ich immer, wenn wir meine Familie besuchten. Zwar gingen wir jeden Tag zu meiner Mutter zum Essen, aber ich hatte seit dreiundzwanzig Jahren keine Nacht mehr dort verbracht.

Meine neunzigjährige Großmutter protestierte immer, wenn Scott aufsprang und sich an den Abwasch machte, kaum hatten wir morgens ihren French Toast gegessen. Lachend tat er ihre Einwände ab. Er saß lesend im alten Sessel meines Großvaters, der mittlerweile gestorben war, während meine Großmutter und ich in großer Lautstärke *Der Preis ist heiß* und *Schatten der Leidenschaft* sahen. Gerahmte Fotos ihrer Kinder und Enkelkinder hingen überall an den Wänden und standen auf den Tischen, darunter auch mehrere von Scott und mir: kuschelnd in Wollpullovern am Ufer vom Lake Tahoe, uns ansehend in Puerto Vallarta in bunten Sommersachen, die unsere Bräune wunderbar zur Geltung brachten. Auf dem ältesten Bild, das um meinen achtundzwanzigsten Geburtstag in Venedig aufgenommen wurde, sitzen wir Arm in Arm auf einer schmalen Kanalbrücke. Wann immer ich meine Großmutter aus Kalifornien anrufe, fragt sie mich, was ich abends für Scott kochen werde. Nur dank der vielen Tage, die wir im Lauf der Jahre bei ihr verbrachten, war mir klar geworden, dass ein Familienleben etwas Schönes und Wertvolles sein kann.

Das schlichte Kreuz von St. Mary's und ihr eines Rosettenfenster halten feierlich Wacht über die umliegenden Häuser der Glory Road. Das Datum ihrer Erbauung ist in römischen Ziffern in den Eckstein gemeißelt. Licht fällt im Inneren der Kirche durch die doppelreihigen, hohen Buntglasfenster auf den himmelblauen Altar, der vom flackernden Schein der Votivkerzen am Fuß der Muttergottesstatue beleuchtet wird. Als ich das letzte Mal vor ihr gestanden hatte, trug ich mein Hochzeitskleid und weinte, und Scott und ich tauschten mit zitternden Händen die Ringe. Am liebsten hätte ich an einem Strand geheiratet, hatte mich aber meiner Großmutter zuliebe für den traditionellen Rahmen entschieden. Und so ging ich an jenem Frühlingsabend etwas schwindlig und zitternd das Schiff von St. Mary's hinauf, meine lebenslangen Ängste konzentrierten sich auf einen einzigen Punkt, der sowohl in der realen Zeit existierte – ein Moment, der rasch näher rückte – als auch in meinem Körper, tief im Inneren meiner Brust. Zu meiner Überraschung sprach das Ritual diese Angst an und verwandelte ihre Dunkelheit in etwas Erhabenes. Kurzatmig taumelte ich zur Schwelle, um zwanzig Minuten später Hand in Hand mit Scott strahlend und entspannt wieder zu erscheinen.

Nachts, nach unserem wilden Hochzeitsfest, waren Scott und ich übermüdet sofort eingeschlafen. Am folgenden Nachmittag dösten wir dann in einem Beach Resort in Jamaika auf einem großen Doppelbett unter einem sich langsam drehenden Deckenventilator, während draußen im Gewitter die Palmen rauschten und der Duft von Frangipani und Gras aufstieg. Im abgedunkelten Raum legte Scott sich wie immer auf mich, aber irgendetwas war anders. Und zwar an genau der Stelle, wo am Tag zuvor mein Herz ein wenig gezogen, ein Rad sich ein winziges Stück gedreht hatte, gerade genug, um es aufzuschließen. Scotts Berührung löste eine unbekannte Nachgiebigkeit in mir aus. Meine Haut wurde durchlässig, sein leichter Waldgeruch durchdrang sie ungehindert. Ein Orgasmus baute sich auf, aber nicht an der üblichen Stelle, sondern viel höher, hinter meinem Bauchnabel. Er schoss mir durch die Brust, die Kehle und die Gliedmaßen und richtete mich aus. Und zum ersten Mal berührte er einen Akkord, der tief in meinem Innersten vergraben war. Er genügte, um all meine früheren Bedenken wegen der Ehe zu zerstreuen.

Scott und ich fuhren zur Taufe des ersten Kindes meines Bruders Rocco nach Pennsylvania. Mein Neffe war drei Wochen alt, ich sollte seine Patentante werden. Meine Mutter hatte mir ein paar Fotos geschickt: eines von Rocco, der seine Frau und das Baby umarmt; eines von ihm mit dem gewickelten Kind im Arm, neben ihm stehen mein Vater und meine beiden anderen Brüder und lächeln; und ein drittes von dem Neugeborenen, das gerade aus der Gebärmutter herausgepresst und gewaschen worden war, purpurrot wie Herbstlaub. Es sitzt mit gebeugten Knien auf weißen Tüchern, die winzigen Hände geballt und wie zur Selbstverteidigung erhoben. Die behandschuhte Hand einer Krankenschwester stützt seinen Kopf, der größtenteils nicht zu sehen ist, weil er ihn in den Nacken geworfen hat, der Mund ist weit aufgerissen, die Zunge vibriert in einem existenziellen Schrei.

Ich hatte nicht vor, meiner Großmutter jemals von dem Projekt zu erzählen, und die Taufe war nicht der richtige Zeitpunkt, um mit meinen Brüdern darüber zu sprechen. Aber meine Mutter stand mir zu nah, als dass ich es ihr verschweigen konnte. Wir waren gerade in der Küche beschäftigt, sie packte Lebensmitteleinkäufe aus, ich füllte den Geschirrspüler und schaute zum Fenster über dem Spülbecken auf den Garten und den alten Pool hinaus, der mittlerweile eingestürzt war und überwuchert von mannshohem Unkraut.

»Scott und ich leben jetzt unter der Woche getrennt«, sagte ich. »Ich habe mir eine eigene Wohnung genommen.«

»Warum? Hat er etwas gemacht?« Sie blieb neben dem Kühlschrank stehen und drehte sich zu mir.

»Nein, nichts Dramatisches. Nachdem er sich hat sterilisieren lassen … ich weiß nicht, Ma. Ich werde nicht jünger, und es gibt ein paar Dinge, die ich einfach ausleben muss. Und wenn ich schon keine Kinder bekomme – was hindert mich daran? In San Francisco führen viele Paare eine offene Ehe.«

»Gut«, sagte sie bestimmt und räumte weiter Einkäufe in den Kühlschrank. »Gute Entscheidung. Du musst tun, was dich glücklich macht. Scott tut, was ihn glücklich macht.«

Ihre Beweggründe, das zu sagen, waren mir nicht ganz klar. Nachdem sie sich mit Mitte vierzig von meinem Vater hatte scheiden lassen, hatte sie zwölf Jahre mit einem Mann verbracht, der immer schwer arbeitete und sie schließlich mit seiner Kommunikationsunfähigkeit wahnsinnig gemacht hatte. Nachdem sie beide Extreme der Leidenschaft kennengelernt hatte, sang sie jetzt das Loblied des Alleinlebens. Sie schloss die Kühlschranktür, auf der Familienfotos und Zwölf-Schritte-Mottos geheftet waren: »Ein Tag nach dem anderen«, »Gott schenke mir Abgeklärtheit«, »Keep it simple«, und inmitten dieser Sinnsprüche ein lilafarbener Magnet, auf dem stand: »Bei Männern gibt es nur zwei Probleme: Alles, was sie SAGEN, und alles, was sie TUN.«

»Als ich Mitte vierzig war, hatte ich auch eine wilde Phase«, sagte sie. Sie ging durch die Küche und faltete Einkaufstüten zusammen. »Die hat jede Frau irgendwann mal.«

An dem Abend traf ich mich mit meinen beiden ältesten Freundinnen Stacey und Maria in einer Kneipe. Wir kannten uns seit dem Kindergarten.

»Ich muss euch von meiner Midlife-Krise erzählen. Nach der Sterilisation habe ich irgendwie Zustände gekriegt. Ich habe Scott gesagt, dass ich mir die Hörner abstoßen muss, bevor es zu spät ist. Wir leben unter der Woche getrennt und gehen mit anderen aus. Und am Wochenende bin ich zu Hause.«

Das beeindruckte sie offenbar wenig. Stacey, die Tolerantere der beiden, schaute in ihr Glas und dann wieder zu mir. »Rob, das wundert mich nicht. Ich mag Scott wirklich gern, aber er muss immer seinen Kopf durchsetzen. Er wollte nicht hier leben, also seid ihr nach Philadelphia gegangen. Er wollte nicht in Philadelphia bleiben, also seid ihr nach Kalifornien gezogen. Er wollte keine Kinder, also hast du keine bekommen.«

»Ich weiß«, sagte ich. »Und jetzt geht es endlich nach meinem Willen.«

»Aber ich an deiner Stelle würde es trotzdem nicht tun«, fuhr sie fort. »Das kann kein gutes Ende nehmen.«

»Ich weiß, es ist riskant. Aber ich muss es machen.«

»Du bist verrückt«, sagte Maria und schüttelte den Kopf. Sie war noch mit dem Mann zusammen, den sie mit neunzehn geheiratet hatte. Obwohl sich unser Leben schon vor Jahren in völlig unterschiedliche Richtungen entwickelt hatte, wusste ich, dass sie mir ungeschminkt die Meinung sagen würde.

»Was soll ich denn sonst tun? Keiner von uns will sich scheiden lassen. Aber ich will nicht als brave, kinderlose Ehefrau ohne Abenteuer abtreten. Ich war bereit, wegen einer Familie auf mehr Liebhaber zu verzichten, aber auf beides verzichten, das kann ich nicht.«

»Aber wieso solltest du besser damit zurechtkommen, keine Kinder zu haben, bloß weil du mit vielen Männern schläfst?«

»Mit der Kinderlosigkeit komme ich deswegen nicht besser zurecht. Aber wenn ich mit vielen Männern schlafe, wird es mir auf dem Sterbebett besser gehen. Dann kann ich das Gefühl haben, dass ich in vollen Zügen gelebt habe und nicht mein Leben lang eingesperrt war. Wenn Kinder und Enkelkinder um mein Sterbebett stehen würden, bräuchte ich das nicht. Kinder sind der Beweis dafür, dass man gelebt hat.«

»Aber warum hast du dann Scott geheiratet?«

»Weil ich ihn geliebt habe und gehofft, dass wir Kinder kriegen würden!«, sagte ich etwas zu laut. »Aber ehrlich, Maria, willst du mir sagen, dass du dich mit Jim erfüllt fühlen würdest, wenn ihr nicht eure Söhne hättet? Kannst du mir wirklich in die Augen sehen und das behaupten?«

Sie überlegte. »Das kann ich mir nicht einmal vorstellen.«

»Du und Jim tagein, tagaus allein im Haus, bis dass der Tod euch scheidet. Er weigert sich, ein Kind zu haben, obwohl du ihn darum anbettelst. Wärst du glücklich?«

»Bernie und ich werden keine Kinder haben, es macht

mich glücklich, einfach mit ihm zusammen zu sein«, sagte Stacey.

»Ja, aber du hast schon einen erwachsenen Sohn, Stace. Und wenn du noch ein Kind wolltest, würde Bernie sofort mitmachen. Das würde er dir nie abschlagen.«

»Du rächst dich also an Scott, weil er dir den Wunsch abgeschlagen hat.«

»Nein, das ist nicht Rache, das ist ein Aufstand«, sagte ich. Ich war unendlich erleichtert, Freundinnen zu haben, die mir unverblümt die Meinung sagten. Zwar verteidigte ich das Projekt mit Verve, aber in Wirklichkeit wusste ich nicht genau, was ich da machte und warum. Die Fragen der beiden halfen mir, das herauszufinden. »Ich will Scott wirklich nicht wehtun, das schwöre ich. Aber ich will keine Kompromisse mehr eingehen. Ich kann einfach nicht mehr. Ich will das bekommen, was ich brauche.«

»Was brauchst du denn, was Scott dir nicht geben kann?«, fragte Maria.

Ich suchte nach den richtigen Worten. »Leben«, sagte ich. »Es ist so still, wenn nur er und ich da sind. Ich brauche *Leben.*«

Die beiden tauschten einen Blick. Stacey zuckte leicht mit den Schultern, Maria schüttelte leicht den Kopf.

»Findet ihr, dass ich ein schlechter Mensch bin?«, fragte ich.

»Nein«, sagte Maria. »Du bist kein schlechter Mensch. Aber du bist eindeutig verrückt.« Beide lächelten, worüber ich lächeln musste, und dann tranken wir gemeinsam einen großen Schluck Bier, wie wir es seit der neunten Klasse machten, und sprachen über andere Sachen.

Ich saß mit Scott, Rocco, seiner Frau und dem zweiten Taufpaten in der ersten Reihe von St. Mary's. Obwohl Rocco erst einunddreißig war, hatte er die hohe Stirn eines älteren Mannes und trug entsprechend elegante Anzüge.

Als meinen jüngsten Bruder betrachtete ich ihn halb wie mein eigenes Kind. Seine Frau, fünf Jahre jünger als er, war eine natürliche Schönheit mit langen Beinen, großen braunen Augen und glänzendem braunem Haar, das sie zu einem schweren Pferdeschwanz gebunden hatte. Sie hielt das Baby im Arm, sein rosa Gesichtchen guckte kaum zwischen dem weißen Satin hervor.

Scott blieb sitzen, während wir anderen – die Eltern und Paten – zum marmornen Taufbecken am Altar schritten, wo der Priester in seiner goldenen Robe wartete. Er begann die Ablution, vertrieb den Teufel und weihte die Seele des Kindes Gott. Als ich an die Reihe kam, machte auch ich das Zeichen des Kreuzes auf seine Stirn. Dabei kam ich mir nicht scheinheilig vor. Ich war zwar keine praktizierende Katholikin mehr, aber ich glaubte an Gott – an die geheimnisvolle Kraft, die mich als Kind beschützt hatte, an das Licht, das mich nach meiner ersten Panikattacke erfüllt hatte. Ich glaubte aber auch an einen dunkleren heidnischen Aspekt des Göttlichen, dargestellt in dem Gemälde der Pele in Delphynes Praxis, der Göttin, die neues Leben schafft, indem sie das alte verbrennt. Ich war felsenfest davon überzeugt, dass das Bild der Fruchtbarkeitsgöttin Demeter, die Delphyne damals für mich auf das Kerzenglas gemalt hatte, irgendwie dazu beitragen hatte, die Schwangerschaftskrise auszulösen, durch die Scotts und mein jahrelanges quälendes Dilemma ein Ende fand. Und ich fing allmählich sogar an, an Christus zu glauben. Je älter ich wurde, je weiter ich mich von der Kirche zu entfernen wagte, desto mehr erkannte ich in Seinen Augen und Seinen Worten eine stille, alles durchdringende Präsenz, eine von Dogma, Schande und Patriarchat unberührte Macht. Ich wollte Christus erleben, aber nicht auf die demütige Art eines braven Mädchens, das sich vor Strafe fürchtet, sondern als leibhaftige Sünderin, sprich, auf die intime Art.

Roccos Frau gab mir das Kind zu halten. Ich drückte das kostbare, knapp dreitausend Gramm schwere, zappelnde Bündel an mich. Der tief im Bauch sitzende Instinkt, es zu beschützen, stieg von derselben Stelle auf, von der in den Flitterwochen auch mein Orgasmus hervorgebrochen war, trieb auf derselben Strömung, die mich jetzt in das Bett von Liebhabern trug. Ich sah zu Scott, der mit lachsrosa Hemd und Krawatte unter einem adretten Anzug auf der Bank saß. Die Kraft hinter seinem stillen Lächeln war unverkennbar, eine Kraft, die er für sich behielt. Ein Teil von mir wünschte, er würde mich am Arm packen und sagen: »Dieser Unsinn mit der offenen Ehe hat jetzt ein Ende. Du bist meine Frau. Wir verlassen San Francisco und gehen nach …« Wohin? Bring mich irgendwohin, Scott. Wenn nicht in das Leben als Mutter, dann entführe mich woandershin.

Das Kind wand sich in meinen Armen, boxte mit seinen winzigen Fäusten und Füßen in die Luft, ein Atemzug begleitete jeden Stoß. Das riss mich aus meinen Gedanken. Mit etwas Glück war knapp die Hälfte meines Lebens vorüber. Ich hatte schlicht keine Zeit mehr, darauf zu warten, dass irgendjemand mich irgendwohin entführte.

14.

Der Schriftsteller

Sobald ich in meiner Inbox bei Nerve.com die Nachricht von einem Mann namens Alden sah, einem Schriftsteller Ende dreißig, der rund eine Stunde nördlich von San Francisco lebte, ahnte ich, dass ich es mit einer anderen Art Mann zu tun hatte. Schon allein, dass er schrieb, mein Profil sei ihm aufgefallen, weil ich *Middlemarch* als mein Lieblingsbuch genannt hatte. Ein Mann, der die geniale George Eliot zu schätzen wusste, war zumindest ein Treffen wert.

Seine E-Mails waren kurz und bündig. Als Treffpunkt schlug er Dogpatch vor, ein industriell geprägtes Viertel am Rand der Stadt, wo in den letzten Jahren eine Handvoll Bars und Restaurants aufgemacht hatte. Er schrieb: *Geben Sie mir Bescheid, an welchem Abend Sie Zeit haben, und ich kümmere mich um den Rest.* Am vereinbarten Abend simste ich ihm, dass ich unterwegs sei, er schrieb zurück: *Sie werden mich erkennen. Ich bin der größte Mann in der Bar.*

Aufmerksam. Selbstbewusst. So nahm ich ihn wahr, als ich ihn an einem Ecktisch beim Fenster sitzen sah. Er fragte mich, welchen Wein ich gern trinke, dann wählte er einen Viognier für mich. Er fragte, ob ich etwas essen wolle, und als ich bejahte, winkte er der Kellnerin und bestellte eine Käseplatte. Er war tatsächlich der größte Mann in der Bar, und er trug ein frisches weißes Hemd, einen Kaschmirpullover, Jeans und abgewetzte schwarze Stiefel. Mit seinen breiten

Wangenknochen und dem sehr kurz geschnittenen Haar sah er fast aus wie jemand vom FBI. Seine Miene variierte zwischen aristokratisch attraktiv und verschmitzt.

Nach einem Glas Wein und der unvermeidlichen Aufzählung unserer Eckdaten – was wir beruflich machten, welche Ausbildung wir hatten, wo wir aufgewachsen waren – stand ich auf, um zur Toilette zu gehen. Dabei spürte ich Aldens Blick auf meinem Po unter dem eng anliegenden, weißgetupften schwarzen Jerseykleid. Ich war jetzt vierundvierzig und hatte mich noch nie so wohl in meinem Körper gefühlt. Der Verlust des ersten jugendlichen Kollagens wurde durch eine sinnliche Leichtigkeit im Gang wettgemacht. In ein paar Jahren würde die Waagschale kippen, aber jetzt war ich in meiner vollsten Reife. Das Feste wurde gerade erst saftig.

Als ich wieder auf meinen Platz glitt und die Beine übereinanderschlug, starrte er unverhohlen auf mein bloßes Knie, biss sich auf die Unterlippe und sagte: »Wie wär's, wenn wir jetzt irgendwohin essen gehen?«

Wir entschieden uns für den Slow Club, ein kleines Restaurant in einem abgelegenen Winkel in Potrero Hill. Es war sehr gut besucht und so dunkel, dass wir die Speisekarte bei Kerzenlicht lesen mussten. Beim Essen – Burger und Pommes und mehr Wein – unterhielten wir uns über Literatur, Musik und die Weltreise, die er vor Kurzem allein unternommen hatte.

»In deiner Anzeige heißt es, nur drei Treffen«, sagte er irgendwann.

»Ja.«

Unbeeindruckt, als wäre er sich dessen nicht ganz bewusst, streckte er die Hand über den Tisch hinweg nach meiner aus und umfasste leicht meine Fingerspitzen. Seine Hände waren lang und elegant wie die eines Pianisten, aber größer, männlicher. »Glaubst du, dass wir das schaffen, uns zu beschränken?«

Seine Zuversicht gefiel mir. »Ich denke, das werden wir feststellen.«

Wir beschlossen, dass er noch nicht zu mir mitkommen würde. Wir mussten am nächsten Tag beide früh aufstehen. Wir gingen zu seinem Wagen, er öffnete die Beifahrertür, drehte sich zu mir und zog mich behutsam an sich. »Darf ich einen Kuss bekommen?«, fragte er.

»Vielleicht.«

»Warum vielleicht?« Lächelnd hielt er mich ein Stück von sich.

»Weil vielleicht interessanter ist als Ja.« Das amüsierte ihn einen Moment, dann küsste er mich. Ein selbstbewusster Kuss, zart, aber fordernd. Hinterher legte er die Hände um meine Wangen und sagte: »Du kannst großartig küssen.«

»Ich passe mich nur dir an.«

Auf der Heimfahrt wichen die Lichter und Geräusche von Mission jenseits der Scheiben zurück, während ich den vagen Raum zwischen meiner und seiner Welt betrat. Ich schwelgte in der freudigen Erwartung der Momente, ehe sich der Vorhang hob: ein anderer Mensch, der seit neununddreißig Jahren sein einzigartiges Leben lebte, mit allen Höhen und Tiefen, mit allem Glück und Leid. Er parkte bei mir vor dem Haus und stellte den Motor ab, und wir schlüpften in eine andere Dimension, ein aus zwei Menschen bestehendes Universum, in dem wir uns als lang getrennte Reisende wiedererkannten. Ich weiß, dass wir miteinander sprachen, als wir uns berührten, aber an die Worte kann ich mich nicht mehr erinnern. Irgendwann steckte ich die Hand unter mein Kleid und lehnte mich im Beifahrersitz zurück. Das Licht einer Straßenlaterne fiel direkt auf den schwarzen Schaltknüppel. Ich weiß nicht, wie lange wir dort waren oder ob jemand am Wagen vorbeiging. Ich hatte mich noch nie vor den Augen eines Mannes selbst berührt.

Meine darauf folgenden Erinnerungen an Alden heben

sich in meinem Kopf klar und deutlich vor allem anderen ab. Seine E-Mail am nächsten Tag, in der er schrieb, das sei eines der sinnlichsten Erlebnisse seines Lebens gewesen. Das Online-Chatten mit ihm, das in ein fast erotisches Chatten überging – eine weitere Premiere – und sich als befriedigender erwies als der meiste richtige Sex. Das Treffen um Mitternacht im dunklen Presidio auf halbem Weg zwischen seiner und meiner Wohnung, wo ich mich auf dem Rücksitz seines Mercedes auf ihn setzte. Ich menstruierte stark und trug meine weiße Lieblingsbluse. Die Flecken gingen nie mehr raus. Wann immer ich das Wort »Presidio« lese oder die große grüne Ecke sehe, die der Park auf dem Stadtplan von San Francisco einnimmt, beschwört es selbst heute noch wie ein Juwel die präzise Erinnerung herauf, die ich mir von meinem Projekt erhofft hatte: Mein blutiger animalischer Körper war einmal über diese Erde gestreift und hatte sich mit ihr vermischt.

Alden lud mich zum Essen zu sich nach Hause ein. An einem Augustabend fuhr ich über die Golden Gate Bridge, die Sonne sank langsam hinter der Landzunge. Er stand auf der Terrasse und grillte Lamm. Er gab mir einen grellroten Negroni mit einer Spirale frischer Orangenschale, bitter und belebend. Nach kurzem Suchen in seiner Vinyl-Sammlung legte er eine LP auf den Plattenteller: Nina Simones *Pastel Blues*. Seine wenigen Möbel waren sorgfältig ausgewählt, einige geometrisch und modern, andere behaglich. Während er kochte, sah ich mir die Bücher in seinen Regalen an. Er besaß unendlich viele, wunderschöne Hardcover-Ausgaben von praktisch jedem Schriftsteller, den ich mochte, und viele, die ich immer schon einmal lesen wollte. Dicke Klassiker, Coffeetable-Bildbände zur Architektur, Romane von James Salter und Italo Calvino. Die neuesten Sachbuch-Bestseller fehlten, stattdessen entdeckte ich Laotse, Kierkegaard und *Die Psychologie sexueller Leidenschaft*, einen Ratgeber, der vor ein paar Jahren zu einem Streit mit Scott geführt hatte, weil ich ihn gebeten hatte, ihn gemeinsam mit mir zu lesen.

Mein Blick fiel auf ein paar Titel von David Deida, der Neotantra lehrte – wie man es mangels eines besseren Begriffs nennen muss – und eine kleine, aber treue Fangemeinde hatte. Auf ihn war ich vor einem Jahr gestoßen, als ich einmal in der Mittagspause bei Barnes & Noble geschmökert hatte. Das Buch hieß *Sex als Gebet*. Der Integralphilosoph Ken Wilber hatte die Einführung geschrieben, Marianne Williamson und Gabriel Cousens hoben in ihren einleitenden Worten anerkennend Deidas Fähigkeit hervor, das Sexuelle und das Spirituelle zu verbinden. Innerhalb kurzer Zeit hatte ich sieben Bücher von ihm gelesen, wie berauscht von seiner Beschreibung der universellen maskulinen und femininen Energie und wie man sie kanalisiert. Vor einigen Monaten hatte ich mich versucht gefühlt, mich für einen Wochenend-Workshop in der Bay Area anzumelden, aber der Preis von tausend Dollar hatte mich letztlich davon abgehalten.

Ich ging nach draußen und setzte mich an den Tisch, den Alden gerade zum Essen deckte. Er schenkte mir ein Glas dunklen Pinot Noir ein. Am blauschwarzen Himmel funkelten die ersten Sterne.

»Ich bin ganz begeistert von deinen Büchern«, sagte ich. »Ich kann gar nicht glauben, dass du David Deida kennst. Ich habe alles von ihm gelesen.«

»Ich habe ihn erst letztes Jahr entdeckt, als ich bei einem Freund das Haus gehütet habe. Im Frühjahr habe ich an einem Workshop von ihm teilgenommen.«

»Dafür hätte ich mich beinahe angemeldet!«

»Witzig. Da wären wir uns begegnet. So groß war die Gruppe nicht, und man wechselt die Partner durch und kommt mit jedem zusammen. Im September besuche ich in L.A. noch einen Workshop.«

Ich aß das Lamm mit großem Appetit, es schmeckte so

gut wie im Restaurant. Ich versuchte mir vorstellen, Alden bei einem Deida-Workshop kennengelernt zu haben statt auf Nerve.com. »Was für Übungen macht man denn bei ihm?«, fragte ich.

Alden beschrieb, wie eine Reihe Frauen einer Reihe Männer mit geringem Abstand gegenüberstand und sie sich in die Augen sahen. »Die Frau musste meine Präsenz bewerten, auf einer Skala von eins bis zehn. Das heißt, wenn sie das Gefühl hatte, dass ich ganz bei ihr war, sagte sie acht oder neun, und wenn sie spürte, dass meine Konzentration nachließ oder ich träumte, ging die Zahl nach unten: sieben, fünf, vier … Um ehrlich zu sein hat mich das ziemlich verunsichert. Dann tauschten wir Plätze, und ich musste ihr Strahlen bewerten.« Er lächelte.

Ich rutschte auf meinem Stuhl umher und trank einen Schluck Wein.

»Dann geht man eine Person weiter und macht mit der nächsten Frau dasselbe. Das ist eine Standardübung. Einmal mussten wir Sätze wiederholen, die Deida uns vorgab. Lass mich mal überlegen.« Er schaute auf die Serviette in seinem Schoß. »Genau. Ich musste der Frau sagen: ›Du bist schön.‹ Dann schwiegen wir, und sie sagte: ›Ich würde dir überallhin folgen.‹«

»Im Ernst?«, sagte ich und legte die Gabel beiseite. »Eine Schönheitsbekundung, und im Gegenzug dafür händigt sie dir ihr Leben aus? Wenn du mich fragst, ist das kein fairer Tausch.«

Alden lachte. »Na, du kennst doch die Prämisse. Deida geht es mehr um Polarität als um Gerechtigkeit.«

Die Prämisse kannte ich in der Tat. Laut Deida gibt es drei Stadien der Beziehung. Das erste Stadium ist das präfeministische Stereotyp von männlicher Energie und weiblicher Unterwerfung, dem man aus Angst oder Abhängigkeit folgt, das zweite die moderne Beziehung, die auf Autonomie und Gleichberechtigung aufbaut und in der alles ausdiskutiert wird. Der Preis, den das Paar für diese penibel ausgehandelte Gleichheit bezahlt, ist mangelndes Prickeln im Bett. Deida will Paare zum dritten Stadium führen, in dem der Mann kurzzeitig ganz bewusst seine weibliche Seite aufgibt, die der Frau ermöglicht, Energie und Gefühl zu verkörpern, während die Frau kurzzeitig auf ihre männliche Zielgerichtetheit und Konzentration verzichtet und diese Rolle dem Mann überlässt. Mag es diesem Modell auch an politischer Korrektheit mangeln, so Deida, werde das mehr als wettgemacht durch die körperliche und spirituelle Ekstase, die als Folge des Zusammenspiels der göttlichen polaren Energie entstehe: männliches Bewusstsein und weibliches Licht.

Ich bearbeitete mein Lamm mit dem Steakmesser und sägte mir ein großes Stück ab. So reagierte ich immer auf Deida: eine spontane Mischung aus selbstgerechtem Zorn und schmerzlichem Verlangen, die ein nicht zu stillendes Jucken auslöste. Ich wusste nicht, ob ich die Beine breitmachen oder schreien sollte, und trotzdem kaufte ich jedes neue Buch von ihm, fühlte mich unerbittlich dazu hingezogen.

»Für Deida empfinde ich eine Art Hassliebe«, sagte ich. »Ich wünsche mir Polarität, aber wenn ich nur Energie bin und du nur Bewusstsein, dann bist du der Einzige, der wirklich menschlich ist. Schließlich haben Pflanzen und Erde auch Energie.«

»So reagieren viele Frauen«, sagte Alden. »Bei dem Workshop erklärte er, dass Make-up und Schmuck notwendige Aspekte des Weiblichen sind, und dagegen haben sich manche Frauen heftig verwahrt.«

Gut. Alden folgte Deida also nicht unbedingt in allem. Außerdem überwog meine Begeisterung, dass er sich von Deida angesprochen fühlte, ohnehin meine Angst, meine feministischen Überzeugungen könnten vor die Hunde gehen.

In Aldens Schlafzimmer stand auf einer Plattform ein großes Bett, flankiert von zwei Mid-Century-Nachttischchen; auf einem stapelten sich Türme spannender Bücher. Und dort erlaubte ich Alden, meine verbalen und körperlichen Grenzen weiter auszureizen als je einem anderen Mann zuvor. Was immer er mich nennen wollte, ich ließ es zu. Wo immer er seine Hand hinlegte, wie viel Druck er auch ausübte, wie steil der Winkel, in dem er in mich stieß, ich gab mich ihm hin.

Alden strahlte Energie nach außen, und ich spielte mit ihr. Das empfand ich weder als Unterwerfung noch als Empfangen, sondern vielmehr als kreativ. Jedes Wort, das er äußerte, war für mich ein Stichwort, das ich einen Augenblick überdachte und dann verkörperte. In seinem Bett entdeckte ich Frauen, die jahrelang in mir geschlummert hatten. Jeder Druck, den er ausübte, ließ mich wachsen – oder vielmehr, er erinnerte mich daran, wie groß ich im Grunde war. Er stieß an meine Ränder, bis sie sich ausdehnten und mir schier unendlich erschienen. Dann sah er mir in die Augen und sagte, ich sei eine Göttin, er bete mich an.

Nach mehreren Stunden gingen wir nackt ins Wohnzimmer. Ich setzte mich auf die große Couch, während er eine Platte auflegte. Er schenkte sich ein Glas Wasser ein und kam zu mir, beugte sich vor, um mir einen Kuss zu geben, und wenige Sekunden später bestieg er mich wieder, dieses Mal ohne Kondom. Noch bevor meine Lippen irgendwelche Worte über Safer Sex oder meine eheliche Vereinbarung formen konnten, wölbte mein Becken sich ihm entgegen, und ich kam, sobald er in mich eingedrungen war. Dass ich so schnell zum Höhepunkt kam, hatte ich noch nie erlebt.

Wir beschränkten uns nicht auf drei Treffen. Ich fuhr fünf-, sechs-, siebenmal über die Golden Gate Bridge. Ich traf Alden in der Stadt. Wir simsten täglich und chatteten. Ende August musste Joie plötzlich wieder ganz in ihre Wohnung ziehen, und ich hatte keine Bleibe mehr. An einem Freitagabend packte ich all meine Sachen in meinen VW Cabrio, traf mich mit Alden auf einen Drink in einer Bar, ging für eine Stunde mit ihm in Joies leere Wohnung und fuhr dann nach Hause. Es war nach ein Uhr nachts. Ich hatte Angst, dass Scott den Sex an mir riechen würde, fürchtete aber auch, ihn zu wecken, wenn ich duschte, also legte ich mich einfach so leise wie möglich ins Bett.

Nachdem Joie ganz in ihr Apartment gezogen war und ich wieder zu Hause lebte, bis ich eine andere Wohnung gefunden hatte, konnten Alden und ich uns nur hier und da diskret ein paar Stunden sehen. Und er war hin und her gerissen. Er hatte mehrere unverbindliche Beziehungen hinter sich und wollte gern monogam leben. Einen Monat nach unserer ersten Begegnung merkte ich, dass sich meine lebenslange Neigung zu ausschließlichen Beziehungen wieder bemerkbar machte. Ich malte mir aus, wie es wäre, mit ihm zusammenzuleben. Ich hörte ihm zu, wenn er von seinen Reisen sprach, von früheren Beziehungen und seinem Schreiben. Er hatte schon einiges in Literaturzeitschriften veröffentlicht und gab mir eine Geschichte zu lesen. Es war eine nicht-lineare Erzählung von einem Mann, der sich nach einem Herzinfarkt in seine Pflegerin verliebt. Die Geschichte schlug Haken, führte im Kreis zurück, ich musste mich konzentrieren, um ihr zu folgen. Sie ging in die Tiefe und verweilte dort, fasste eine Trauer und eine Sehnsucht in Worte, die wohl nur Frauen und Schriftsteller kennen. Ich las sie in einem Rutsch von Anfang bis Ende durch, und als ich die Zeitschrift aus der Hand legte, dachte ich mir: *Eigentlich gehöre ich zu einem solchen Mann.*

Aber ich konnte mich nicht überwinden, Scott zu verlassen, und ich wollte nicht meinen einzigen Versuch, Abenteuer zu erleben, aufgeben, nur um mich sofort wieder an einen neuen Partner zu binden. Sobald ich mir real eine Beziehung mit Alden vorstellte, bei der wir täglich zusammen waren, schreckte ich zurück. Zwar würde es mir einerseits sehr viel geben, andererseits sah ich unendliche Untiefen. Das Vertrauen und die lange Geschichte, die mich mit Scott verbanden, waren für mich im Gegensatz dazu ein solides Fundament. Nur das gab mir überhaupt das Vertrauen, mich ins Unbekannte zu wagen, auch wenn ich mich mit jedem Schritt weiter von Scott entfernte.

Am Abend, bevor Alden zum Deida-Workshop nach Los Angeles aufbrach, verbrachte ich die Nacht bei ihm. Er holte mich von der Arbeit ab, fuhr mit mir über die Brücke, und zum ersten Mal wachten wir im selben Bett auf. Am nächsten Morgen warf er eine Reisetasche in seinen Kofferraum, brachte mich in die Stadt und setzte mich in der Sanchez Street vor meinem leeren Haus ab. »Wart einen Moment«, sagte ich aus dem Impuls heraus. »Ich möchte, dass du Cleo kennenlernst.«

Ich kam mit der kleinen Kaliko im Arm wieder. »Sie ist süß«, sagte er. Sie gähnte und sah ihn aus schläfrigen Augen an. Als er ihr die Wange kraulte, gingen in meinem Herzen zwei kleine Feuerwerke los: das Gefühl von schrecklichem Verlust und von ferner Hoffnung.

Ich küsste ihn leicht auf den Mund. »Gute Fahrt«, sagte ich. Cleo schnurrte, als er wegfuhr. Ich kehrte ins Haus zurück und legte sie auf ihren angestammten Platz auf dem Sofa, dann ging ich ins Bad und betrachtete mich lange im Spiegel. Rosige Wangen, strahlende Augen, Haare, die über Nacht um zwei Zentimeter gewachsen waren, als hätte ich ein Zauberelixier getrunken. Ich holte mein Handy und machte ein Foto. Dieses Gefühl wollte ich um keinen Preis vergessen.

15.

Die Sanchez Street

Im Lauf der Jahre hatte ich Scott nicht nur gebeten, mit mir zusammenzuziehen, um meine Hand anzuhalten, wieder an die Ostküste zu ziehen, ein Kind mit mir zu haben, romantische Wochenenden zu organisieren und mir beim Sex in die Augen zu sehen, ich hatte ihn auch gefragt, wie es ihm ginge (gut), wie ich ihm helfen könne (er werde es mich wissen lassen), wie ich ihm eine bessere Partnerin sein könne (ich sei als Partnerin gut genug). Ich hatte ein Video zur Einführung in Tantra besorgt (das wir uns einmal ansahen) und Bücher über Beziehungen (von denen er einige nach einer Weile gelesen hatte). Ich hatte versucht, ihn für Workshops über Paar-Kommunikation zu interessieren (wir hatten an einem teilgenommen). Ich hatte vorgeschlagen, verschiedene Kirchen auszuprobieren (wir besuchten ungefähr ein halbes Jahr eine Kirche der Unitarian Universalist Association), und ihn gefragt, ob er mit mir gemeinsam meditieren möchte (nein, danke). Außerdem hatte ich ihn gefragt, in welcher Art Unterwäsche er mich am liebsten sähe (am allerbesten gefalle ich ihm nackt) und ob er sich gern mit mir gemeinsam Pornos ansehen möchte (eigentlich nicht).

Jahrelang hatte ich den Verdacht, dass Scott meine Versuche, größere Intimität herzustellen, bewusst oder zumindest halbbewusst unterwanderte. Ganz allmählich ging mir auf – und es war jämmerlich, dass ich so lange gebraucht hatte, das zu begreifen –, dass er einfach er selbst war. Er war vom Wesen her nicht romantisch, östliche Spiritualität interessierte ihn nicht, und er beschäftigte sich selten mit dem Zustand unserer Beziehung. Die Gedanken, die er sich über die Welt und seinen Platz in ihr machte, gingen nicht ins Detail. Von mir wünschte er sich, dass ich mit ihm Rad fahren und wandern ging und das Buch über Weinherstellung redigierte, das er schrieb. Ich ging auch mit ihm Rad fahren, in Philadelphia wochentags praktisch jeden Morgen, in San Francisco am Wochenende. Vielleicht einmal im Jahr ging ich mit ihm wandern und bereute jede Minute. Und was sein Buch betraf, so hielt ein ebenso unüberwindlicher wie unerklärlicher Widerwille mich davon ab, mich hinzusetzen und es tatsächlich zu redigieren.

Durch das Projekt stellte sich unweigerlich eine gewisse Distanz zwischen uns ein, der Schleier meiner gewohnheitsmäßigen Projektionen hob sich ein wenig, sodass Scotts tatsächliche Konturen deutlicher zutage traten. Hatten wir uns nicht eben wegen unserer Unterschiede zueinander hingezogen gefühlt? Bauten nicht viele erfolgreiche Ehen auf Gegensätze auf? Allmählich empfand ich sogar einen gewissen Respekt für seine Entscheidung, sich sterilisieren zu lassen. Obwohl ich nach wie vor der Überzeugung war, dass eine Elternschaft die beste Möglichkeit gewesen wäre, um unsere Unterschiede zu einem harmonischen Ganzen zu fügen, war es letztlich gleichgültig, was ich glaubte. Er hatte ein Recht auf seinen Körper und sein Schicksal. Trotz der schrecklichen Ungewissheiten, die sowohl die Sterilisation als auch das daraufhin begonnene Projekt mit sich brachten, bewahrte er seine stoische Ruhe, und das nötigte mir eine neue Achtung ab.

Und natürlich brachte das Projekt Seiten an Scott hervor, wie es mir mit Bitten und Betteln nie gelungen war. Ob nun dank des Einflusses seiner eigenen Affären oder schlicht aus Angst, mich zu verlieren, wusste ich nicht. Jetzt wachte er regelmäßig frühmorgens auf und bestieg mich wortlos. Manchmal nahm er mich mitten beim Vögeln an der Hand, führte mich in die Küche und hob mich auf den Hackblock, wo er vor mir stand und ich die Beine um seine Taille schlang und alles etwas wilder wurde.

Wenn die offene Ehe nötig gewesen war, damit sich endlich ein paar Dinge veränderten, würden wir, so sagte ich mir, schnell zum Status quo zurückkehren, wenn ich das Projekt vorzeitig abbrach. Und es hatte jetzt, im fünften Monat, Fahrt aufgenommen. Im Großen und Ganzen verschwanden die Liebhaber nicht einfach nach drei Treffen, vielmehr fächerten sich die Beziehungen auf. Nach Denver, ohne den Alkohol und ohne die räumliche Entfernung zu San Francisco, wurden Paul und ich richtig gute Freunde. Jude und ich hatten nach einem Monat zwar aufgehört, miteinander zu schlafen, aber wir trafen uns alle paar Wochen, aßen zusammen, hörten stundenlang Musik und unterhielten uns. Nach zwei Dates hatte Andrew eine neue Freundin gefunden, aber wir blieben durch SMS und E-Mails in Kontakt. Alden hatte mich nach seiner Rückkehr aus Los Angeles gewarnt, dass er unsere Beziehung früher oder später beenden müsste, aber ich freute mich auf die Zeit, die mir mit ihm noch blieb. Angesichts der neuen Freundschaften, die ich bei OneTaste schloss, hatte ich auf einmal viele Beziehungen, die ich pflegen wollte. Ich überließ mich einfach dem Lauf der Dinge, vielleicht auch getragen vom Gefühl der Freiheit, das ich mir bislang versagt hatte. Ich suchte weiterhin nach einer neuen Wohnung.

Einmal kam ich an einem Dienstag von der Arbeit nach Hause, Scott übte Tonleitern auf dem Keyboard, das ich ihm geschenkt hatte. »Ich habe bei Craigslist eine Wohnung gesehen, die ich mir heute Abend ansehen kann«, sagte ich. »Sie ist drüben in Sunset, es könnte also später werden.« Was ich ihm nicht sagte, war, dass ich anschließend zu Jude fahren würde.

Jude wohnte im zweiten Stock eines mächtigen viktorianischen Hauses in Outer Sunset, einem oft nebligen Wohnviertel südlich des Golden Gate Park. An einem Ende des langen Flurs befand sich sein Schlafzimmer, das wir im Lauf des Sommers nur einmal benutzt hatten, und am anderen Ende das große Wohnzimmer, in dem nichts als Musikinstrumente und, verstreut auf einem riesigen Orientteppich, überdimensionale Bodenkissen herumlagen. Meist hielten Jude und ich uns in der altmodischen Küche auf, wo er auf der schäbigen Couch saß und Gitarre spielte, während ich in den zwei billigen Töpfen, die er besaß, ein veganes Essen zu kochen versuchte.

Warum, so fragte ich mich mehr als einmal, musste ich nach meinem ultrahektischen zehnstündigen Arbeitstag in der Redaktion nach Outer Sunset fahren, um einen Astrologen zu besuchen, mit dem ich nicht einmal vögelte, wenn ich in mein wunderschönes, sauberes Zuhause mit den gemütlichen Möbeln und dem gut aussehenden Ehemann zurückkehren konnte, der zwar weder ein Kind haben noch Tantraseminare besuchen wollte, mich aber auf seine Art vergötterte und einfach nur Wein machen wollte, während ich im Wohnzimmer las? *Warum kann ich nicht einfach still im Wohnzimmer lesen und damit glücklich sein?*

Weil. Während ich gehackten Knoblauch und Sojawürstchen in den Topf gab, spielte Jude hinter mir einen Song, den er gerade geschrieben hatte. Er begleitete die gedämpften Akkorde mit seinem herben Bariton, im Text ging es um einen Kampf mit Zweifeln und Dunkelheit. Es störte mich nicht, dass er ein Hippie war und Feuerzeremonien leitete. Worauf es mir ankam, war, dass ich seine Schönheit sehen konnte: in seiner Musik, in den Filmemachern und Tänzern, aus denen sein Freundeskreis bestand, in dem Geld, das er jeden Monat seiner Mutter schickte. Mir gefiel auch, dass Jude sich mit mir auseinandersetzte. Er stellte mir Fragen und machte mich auf Aspekte meines Verhaltens aufmerksam, die ich selbst nicht sah und von denen mein Mann nie sprach. »Du fängst regelrecht zu schmollen an, wenn du um etwas bittest«, sagte Jude einmal, und ein anderes Mal: »Du könntest im Bett etwas selbstbewusster sein.« Wer sonst würde mir solche Dinge sagen?

Mittlerweile hatte ich den chemischen Prozess oft genug durchlaufen, um zu wissen, dass verknallt zu sein nicht unbedingt etwas mit der Person an sich, sondern vielmehr etwas mit ihrem Menschsein zu tun hatte. Paul, Jude, Alden – sie alle waren Fremde gewesen, denen ich mich genähert hatte und die sich von mir hatten berühren lassen. Ich schwelgte in ihrer Nähe, war fasziniert von jedem Detail ihrer Kleidung, ihrer Vorlieben, ihres Akzents, ihrer Gewohnheiten. Auch wenn die sexuelle Intensität nachgelassen hatte, blieb ein heller Glanz zurück. Alles strahlte und funkelte – die Touristen am Union Square, die Blumen in den Eimern vor einem Floristen, die U-Bahn, die beschleunigte und in einem Tunnel verschwand, nachdem sie mich morgens abgesetzt hatte.

»Könnte es sein, dass du manisch bist?«, hatte Andrea mich gefragt, als sie versuchte, mir das Projekt auszureden. »Vielleicht solltest du mal mit deinem Arzt sprechen.« Wütend hatte ich geantwortet: »Andrea, du weißt genauso gut wie ich, dass ich nie manisch gewesen bin.«

Jetzt erkannte ich, dass sie mit ihrer Frage gar nicht so falschgelegen hatte. Gut möglich, dass ich manisch war und ein Kontakt-High nach dem anderen suchte, um die Ernüchterungen einer Ehe, die aus Gegensätzen bestand, erträglicher zu machen, den Ennui der mittleren Jahre, die Sehnsucht der Kinderlosigkeit. Vielleicht beleuchteten meine Liebhaber aber auch eine untergründigere Realität als die offensichtliche, nämlich, dass man beim Verlieben einen – wenn auch nur flüchtigen – Blick auf die Erhabenheit wirft, die das Leben im Innersten zusammenhält.

Jude und ich setzten uns zum Essen, ich holte mein Handy aus der Tasche und schrieb Scott eine SMS: *Ich esse hier in Sunset. Bin gegen zehn wieder da.* Innerhalb von Sekunden simste er zurück: *Ich möchte die Scheidung.*

Ich erstarrte. Ich tippte *Bin auf dem Heimweg* und warf das Handy in die Tasche. »Es tut mir wirklich leid, aber ich muss los«, sagte ich zu Jude. »Sofort, in dieser Sekunde.«

»Wirklich?«, fragte er und stand auf. »Ist alles in Ordnung?«

»Ja, aber ich muss jetzt gehen. Ich erklär's dir morgen. Es tut mir leid.«

Ich stieg in den Wagen und tat mein Bestes, mich ans Tempolimit zu halten. Im Lauf der Jahre hatte ich zwei- oder dreimal von Scheidung gesprochen, das Wort aber binnen Minuten wieder zurückgenommen. Jetzt hatte zum ersten Mal Scott es in den Raum gestellt. Vor Panik spürte ich Nadelstiche unter der Hautoberfläche. Einmal, zweimal, dreimal wählte ich seine Nummer. Keine Antwort. Als ich heimkam, lag sein Handy in der Küche auf der Arbeitsfläche.

Er kam an dem Abend nicht nach Hause, und am nächsten Morgen auch nicht. Die ganze Nacht lag ich im Bett, starrte in die Dunkelheit und dachte: *Also gut, jetzt ist es soweit, jetzt bricht alles um mich zusammen, so musste es ja kommen.* Um sieben schleppte ich mich in die Arbeit und wählte seine Büronummer.

»Scott am Apparat«, sagte er.

»Hallo«, sagte ich und brach in Tränen aus.

»Hallo«, sagte er.

»Kommst du nach der Arbeit nach Hause?« Mehr brachte ich nicht hervor.

»Ja.«

»Gut. Dann sehen wir uns dann.«

»In Ordnung. Ciao.«

Mittags holte mich die durchwachte Nacht ein. Ich ging nach Hause, ließ meine Sachen im Flur fallen und legte mich ins Bett. Cleo machte es sich in meiner Armbeuge bequem, und so lagen wir zusammen da und erwarteten mein Schicksal.

Viele Jahre zuvor, ich war einunddreißig gewesen, hatten Cleo und ich einen ganzen Sommer, von Mai bis September, auf dem Bett in Scotts Haus in Sacramento verbracht. Ich lag auf dem Rücken, sie auf meiner Brust, und starrte auf einen Stuckschnörkel an der weißen Decke, der genau wie ein breitschultriger Mann in einer Toga aussah. Manchmal drehte ich mich auf die Seite und sah durch das Mückennetz im Schlafzimmerfenster hinaus auf Scotts Tomaten, die dort draußen wuchsen. Den ganzen Tag zwitscherten Vögel in der Chinesischen Ulme, die im Garten stand. Der weiße Baumwollquilt unter mir, den Scotts verstorbene Mutter genäht hatte, war mit kleinen blauen Blüten gemustert. Neben mir lag Scotts altes weiches rotes Taschentuch, das an den Rändern ausfranste und feucht vor Tränen war.

In dem Sommer in Sacramento stand ich morgens auf, putzte mir die Zähne, wusch mir das Gesicht, zog meinen Pyjama aus und eine weite Shorts und ein T-Shirt an, legte mich mit der Katze und den Vögeln und dem Mann in der Toga auf den Quilt und rührte mich nicht mehr vom Fleck. Ich konnte mich nicht genügend konzentrieren, um ein Buch zu lesen. Ich konnte es nicht ertragen, den Fernseher anzustellen und Simulationen von normalen Menschen zu sehen, die ihrem lauten Leben nachgingen. Nachmittags schlurfte ich manchmal zur Küchenzeile und versuchte abzuspülen, mein Blick richtete sich starr auf die grünen Blätter im Blumenkasten vor dem Fenster. Aber wenn ich aufrecht stand, musste ich noch mehr weinen. Ich drehte das Wasser ab und beugte mich schluchzend vornüber, Rotz tropfte in die Spüle, das Geschirrtuch hing unbenutzt in meiner Hand.

Ich war ins Trudeln geraten, als ich mit achtundzwanzig bei einem Fahrradunfall gestürzt war und mir die kleinen Schamlippen zerfetzt hatte. Bis Scott Hilfe geholt hatte, hatte ich sein T-Shirt durchgeblutet. Der Frauenarzt, der mich zusammennähte, wollte mir nicht sagen, wie viele Stiche nötig gewesen waren, und erklärte nur, es sei nicht schlimmer, als hätte ich bei der Geburt einen Dammriss gehabt. Er versicherte mir, dass ich in einem oder zwei Monaten wieder auf dem Posten sein würde.

Ich brauchte vier Jahre, um wieder auf die Beine zu kommen. An den meisten Tagen hatte ich Halsschmerzen. An manchen Tagen taten mir die Arme so weh, dass ich mir nicht einmal die Haare bürsten konnte. Ein scharfer Schmerz fuhr mir durch die Brust, und ich musste mich an der Wand festhalten, um gerade zu gehen. Senkrechte Wellenlinien zogen unvermittelt durch mein Blickfeld, mir brannten die Augen. Ich nahm acht Kilo ab und träumte häufiger, mir würde dicker Eiter aus dem Körper tropfen. Bisweilen spürte ich einen Druck um den Hals, als würde ich erdrosselt.

Ich wurde auf Borreliose untersucht, auf eine Schilddrüsenfehlfunktion, Multiple Sklerose, Leukämie und ein Dutzend anderer Krankheiten. Ich erweiterte meine regelmäßigen Therapien um Körperarbeit, Akupunktur, Allergietests, Vitamin-B12-Spritzen, Antidepressiva und Clonazepam. Ein Arzt diagnostizierte meinen Zustand als Depression, obwohl ich noch nie gehört hatte, dass eine Depression derart akute Symptome hervorrufen kann. Ein anderer riet mir, auf Weizen und Zucker zu verzichten. Einer sagte: »Manchmal erkranken Menschen und sterben, ohne jemals den Grund dafür herauszufinden.« In diesen vier Jahren lernte ich sehr viel über höchst unterschiedliche Möglichkeiten beim Umgang mit Kranken. Ich wurde zur Expertin.

Schließlich einigte man sich auf chronisches Erschöpfungssyndrom, was lediglich ein Etikett ohne jeden Informationsgehalt war und mir das Recht gab, mich einer weiteren Selbsthilfegruppe anzuschließen. Allerdings, als ich einunddreißig und seit drei Jahren krank war, taten Etiketten sowieso nichts mehr zur Sache. Die körperlichen Symptome erwiesen sich als bloße Stationen auf einem Weg, der in einen dunklen Brunnen ohne Grund hinabführte.

Im Versuch, Scott zu erklären, was mir fehlte, schrieb ich ihm einmal einen Brief, in dem ich sagte, dass ich eine schreckliche Verletzung in mir trage, die nicht mit Worten zu fassen sei, und dass seine freundliche Geduld sie zuerst lindere, dann aber eine noch tiefere Schicht dieser Wunde aufreiße. Dass ich durch die Schichten tödlicher Verzweiflung stürze und jeden Tag glaube, ich werde sterben, aber dann doch nicht starb. Als Scott klein war, hatten seine Eltern ihn »Sonnenschein« genannt wegen seines heiteren Gemüts. Ich erklärte ihm, dass sich meine Dankbarkeit für seine Kraft mit Schamgefühl wegen meiner jämmerlichen Hilflosigkeit abwechselte. Scott steckte den Brief bei sich in die oberste Schublade zu den Erkennungsmarken seines Vaters aus dem Zweiten Weltkrieg. Wenn er jeden Tag um Punkt 17.15 Uhr von seinem Job bei der Softwarefirma nach Hause kam, legte er sich zu mir aufs Bett.

»Hi, Süße«, sagte er. Manchmal nannte er mich auch Goldstück, Trüffel oder Schnecke. Er erzählte mir von seinem Tag, und ich erzählte ihm, wie es mir ging, auch wenn ich jedes Wort über viele Hürden von Selbsthass hervorpressen musste. Dann legte er sich auf den Rücken und hielt mich im Arm, während ich an seiner Schulter weinte. Nach diesen zwanzig Minuten einfachem Körperkontakt hatte ich die Energie, aufzustehen, etwas zum Essen aufzuwärmen und vielleicht mit ihm auf der Couch zu sitzen und einen Film anzusehen, ehe ich mich wieder ins Bett legte.

Rückblickend kann ich das Geheimnisvolle dieser Erfahrung würdigen. Ich sehe sie als erste Kontaktaufnahme mit meinem Körper, den Fahrradunfall als einen Schock, der mein Bewusstsein zum ersten Mal auf meinen Körper unterhalb des Halses lenkte, auf meinen Bauch, die Beine, die Arme, den Unterleib. Während ich in einem Hexenkessel lang unterdrückter Gefühle trieb, wurde ich langsam gezwungen, mich mit dem gegenwärtigen Moment zu beschäftigen. Ich lernte, in den Schmerz zu atmen, in die Erschöpfung, den Schwindel, die Trauer. Nach drei Jahren, und nachdem ich geschlagene vier Monate reglos auf Scotts Bett gelegen hatte, war ich am Tiefpunkt angelangt. Ich war nicht der Typ für Selbstmord, also beschloss ich, dass ich, wenn dieses lähmende Gefühl nicht aufhörte, meine Träume von Journalismus und Reisen und Intimität begraben und irgendwo als buddhistische Nonne leben würde. Stunde um Stunde starrte ich zum Mann in der Toga hinauf und fragte, wo Gott sei, warum Er sich mir seit der siebten Klasse nicht mehr eindeutig gezeigt habe. Sein Schweigen musste auf meine mangelnde Aufrichtigkeit zurückgehen, denn so groß mein Bedürfnis nach Gott auch war, meine Angst war noch größer. Diese Angst hatte ich den Katholiken zu verdanken, die mich gelehrt hatten, dass selbst Heilige es kaum ertragen können, Ihm von Angesicht zu Angesicht gegenüberzustehen, ohne den Verstand zu verlieren, und dass bloße Sterbliche gut beraten sind, davor zurückzuschrecken. Anstatt auf die Gnade Gottes musste ich mich auf meine verlassen. In meinen schlimmsten Momenten versuchte ich, wenigstens einen Ansatz von Mitgefühl dafür aufzubringen, was ich gerade durchmachte. Den Bruchteil einer Sekunde schlichter Güte in einem Meer von Chaos, Widerstand und Verzweiflung.

An einem Nachmittag im August schleppte ich mich aus Scotts Bett ins Kino. Ich sah Patricia Arquette als junge verwitwete Ärztin, die sich im Krieg durch den burmesischen Dschungel kämpft, um sich nach Hause durchzuschlagen. Es war ein unbedeutender Film, der nirgends großen Eindruck hinterließ, aber es gab eine entscheidende Szene, in der Arquettes Figur unvermittelt den Entschluss fasst, in dem verwüsteten Land zu bleiben, um den Flüchtlingen zu helfen, und ihren Kummer in etwas Nützliches verwandelt. Nach der Vorstellung ging ich zu einer kleinen Plattform am Sacramento River und schaute ins schlammige Wasser. Und als meine Augen dem Fluss stromaufwärts zum verblichenen Horizont meiner Asylstadt folgten, tat sich in mir ein winziger Spalt auf, ein Fünzelchen Licht und Luft.

Wenige Monate später fing ich wieder Teilzeit zu arbeiten an. Im darauf folgenden Jahr besuchte ich ein paar Journalistikkurse, um meine Kenntnisse aufzufrischen und endlich das technische Schreiben hinter mir zu lassen. Als ich mich allmählich wieder in die Welt hinauswagte, bemerkte ich eine schleichende Veränderung. Wenn ich Scotts Haus betrat, spürte ich keine vage drohende Gefahr mehr. Wenn ich eine Straße entlangging, flirrte das Laub an den Bäumen nicht mehr von einer alles durchdringenden Trauer. Das verzweifelte Bedürfnis, meine Umwelt zu kontrollieren, löste seinen Würgegriff. Zuerst wusste ich nicht, wie ich dieses neue Gefühl nennen sollte. Es war eigentlich nicht Glück, aber auch nicht Frieden, eher eine gedämpfte Lebendigkeit, ein Gefühl von Platz, wo zuvor Enge geherrscht hatte. Schließlich ging mir der Name für dieses Gefühl auf: Sicherheit. Ein anderer Mensch hatte mich in meiner Gänze gesehen und war immer noch da. Er war immer noch freundlich.

Die Zwölf-Schritte-Foren, die Therapeuten und Selbsthilfebücher sagen alle, ein anderer Mensch könne einen nicht heilen. Man müsse es selbst tun oder Gott bitten, es für einen zu tun. Aber da irren sie. Was mich geheilt hatte, oder was zumindest die Grundlage meiner Heilung gebildet hatte, war

Scotts stoische, sanfte Liebe. Dieselbe Liebe, an der ich mich jetzt so rieb.

Als ich, immer noch mit Cleo im Arm, aus meinem Nachmittagsschlaf aufwachte, hallte das Wort »Scheidung« durch den Raum. Ich setzte mich an den Küchentisch, nahm allen Mut zusammen und versuchte, mir diese Möglichkeit wenigstens ein oder zwei Minuten lang real vorzustellen. Ich sah eine Zukunft vor mir, die nicht aus endlosen Affären und Sexseminaren und neuen Freunden bestand, sondern aus … nichts. Ein Vakuum. Doch die Vorstellung, jetzt sofort in den Käfig unserer traditionellen kinderlosen Ehe zurückzukehren, erschien mir ebenso unmöglich. Jahrelang hatte mir die Sicherheit, die Scott mir bot, gereicht. Bis sie plötzlich nicht mehr genügt hatte.

Wie üblich kam Scott um 16.45 Uhr nach Hause. Ich wappnete mich. Er kam in die Küche, setzte sich neben mich und sagte: »Es tut mir leid. Ich war sauer. Ich habe es nicht so gemeint.«

»Schon in Ordnung«, sagte ich und griff nach seiner Hand. Durch meine Tränen der Erleichterung nahm ich alles nur noch verschwommen wahr. »Du brauchst dich nicht zu entschuldigen.«

»Ich möchte unsere Ehe wiederhaben«, sagte er. »Wir machen das jetzt seit fast fünf Monaten. Hast du noch nicht bekommen, was du brauchst?«

Ich hätte gern gesagt: Ja, ich habe mehr bekommen, als ich brauche. Du warst großherziger, als man es von einem Mann erwarten kann, und jetzt ist es vorbei, wir sind wieder in Sicherheit. Ich bin diejenige, der es leidtut. Es tut mir leid, dass ich mich nicht einfach mit der Sterilisation abfinden und weitermachen konnte, dass ich nicht erwachsen werden und das Gelübde, das ich am Tag unserer Hochzeit abgelegt habe, halten konnte, dass ich auf einer pubertären Suche nach Gottweißwas bin. Das hast du nicht verdient.

»Ich brauche noch etwas Zeit«, sagte ich.

Er überlegte einen Moment. »Wie viel Zeit noch?«

»Es ist fast Oktober. Wenn ich am ersten Oktober eine neue Wohnung habe, könnten wir Anfang Januar noch mal neu verhandeln.«

»Das neue Jahr ist keine gute Zeit, um schwerwiegende Entscheidungen zu treffen, gleich nach den Feiertagen und dem ganzen Familienwahnsinn«, sagte er. Das war eine Maxime, die er häufig wiederholte. »Sagen wir, erster Februar.«

»Also gut, erster Februar.« Genügten vier weitere Monate, damit sich dieser Sturm in mir austobte?

Wir saßen da und hielten uns schweigend an der Hand. Für einen Mann seiner Größe waren seine Hände recht klein, aber sie waren nicht weich. Die rauen Innenflächen verrieten, dass er viel mit den Händen arbeitete.

»Ich mache uns etwas zu essen«, sagte ich. Träge sprang Cleo von meinem Schoß auf den Boden und dann mühelos vom Boden auf seinen Schoß. Dort machte sie es sich bequem, und er kraulte sie am Hals.

»Es kann nicht alles schlecht sein, wenn einem eine Katze schnurrend auf dem Schoß sitzt«, sagte er. Das war ein weiterer Satz, den er gern sagte.

Und es stimmte. Er hatte recht.

16.

South of Market

Ich fand ein Apartment in einem Loft-Gebäude im Viertel South of Market, das auf Monatsbasis vermietet wurde, wobei »Apartment« eine gelinde Übertreibung war. Es war kleiner als ein durchschnittliches Hotelzimmer und hatte ein Doppelbett, eine Pantryküche, einen Schrank, einen Flachbildfernseher und ein Bad, das vom Eingangsbereich abging. Das Gebäude war durchgestylt und ganz neu, sieben Stockwerke Beton und Glas, und stand in der Bluxome Street, einer der vielen engen Straßen in SoMa. In jedem Apartment wurde eine ganze Wand vom Fenster eingenommen, bei mir im vierten Stock ging es auf den Innenhof mit einem Brunnen hinaus. Auf dem Dach befand sind der weitläufige Dachgarten, von dem man einen Blick auf die nur wenige Blocks entfernte Innenstadt hatte.

Ich packte meine Kleider aus, besorgte für den winzigen Kühlschrank nur ein Minimum an Lebensmitteln und hängte ein Bild auf, das ich bei Joie gemalt hatte, überdimensional groß mit abstrakten Blau-, Rot- und Orangetönen, und das an eine Unterwasserpflanze denken ließ. Auf den kleinen Ecktisch stellte ich das Foto meines neugeborenen Neffen, der sich im Kreißsaal die Seele aus dem Leib brüllt.

Seit Alden aus Los Angeles zurückgekommen war, hatte ich ihn erst einmal gesehen. Er hütete bei einem Freund in der Stadt zwei Nächte das Haus, ehe er für eine Woche ins

Death Valley fuhr, wo es weder Handyempfang noch Internet gab. Auf seinen Vorschlag hin trafen wir uns im Philosophers Club, einer alten Kneipe mit vielen Stammgästen in einer versteckten Ecke hinter Twin Peaks. Wir saßen auf Barhockern am Tresen, und er sagte, unsere gemeinsame Zeit nähere sich dem Ende. Er wolle keine dauerhafte Beziehung mit einer Frau, die nicht zu haben sei. Er wolle sich nicht das Herz brechen lassen.

»Bevor wir uns umsehen, sind die Feiertage da«, sagte er. »Ich kann mir nicht vorstellen, sie mit dir verbringen zu wollen und zu wissen, dass das nicht geht.«

Er hatte den Ellbogen auf den Tresen gestützt, eine tätowierte Schlange wand sich einmal um seinen Unterarm und verschluckte ihren eigenen Schwanz. Sie war in Rot- und Lilatönen gehalten, wie ich sie noch bei keiner anderen Tätowierung gesehen hatte. Aus irgendeinem Grund, vermutlich aus meinem egoistischen Bedürfnis heraus, ihn weiterhin zu treffen, fiel es mir schwer zu glauben, dass er wirklich so verletzlich war, wie er behauptete.

»Willst du damit sagen, dass wir sofort aufhören müssen, uns zu sehen?«, fragte ich.

»Nein. Aber bald.«

Als er die Rechnung bezahlte, sah er mich an, Verlangen und Beherrschung in seinem Blick. »Und, kommst du mit?«, fragte er.

Ich folgte ihm zur Wohnung seines Freundes, sie lag nicht weit von der Bar entfernt am steilen Abhang von Twin Peaks. Von den großen Fenstern im Wohnzimmer ging der Blick über das ganze erleuchtete Straßennetz der Stadt mit ihren Piers und dem Wasser bis nach Oakland hinüber. Alden führte mich nicht ins Schlafzimmer, sondern machte das Licht aus und setzte sich auf die Couch, legte ein Kissen auf seinen Schoß und bedeutete mir, mich hinzulegen. Dann öffnete er schweigend den Reißverschluss meiner Jeans und zog sie mir mitsamt dem Höschen aus. »Entspann dich einfach«, sagte er und legte seine linke Hand auf mein Schambein. »Atme nur ein und aus.«

Fast unmerklich krümmte er den Finger, als liebkoste er das winzigste, zerbrechlichste Tierjunge. Einen guten halben Zentimeter war er von meiner Klitoris entfernt und näherte sich erst, als sich meine Knie wie von selbst öffneten, streichelte mich langsamer, als überhaupt menschenmöglich erschien. Er sagte kein Wort. Irgendwann fielen meine Beine zur Seite, dann meine Arme, meine rechte Hand glitt zu Boden. Meine Augen schlossen sich, und als mein Kiefer sich entspannte, fiel mein Kopf nach rechts. Meine ganze Hautoberfläche flirrte vor innerem Strahlen und Wachheit, erfüllt von einer Lust, die weder etwas Dringliches noch Angespanntes hatte. Ich konnte sie nicht einmal Erregung nennen, es war eher eine ozeanische Ruhe, wie ich sie weder durch Drogen noch durch Meditation oder Yoga jemals erreicht hatte.

Der nächste Abend war der letzte vor seiner Abfahrt. Nach einem Abendessen mit Freunden stand ich beschwipst bei ihm vor der Tür und hoffte auf eine Wiederholung. Aus dem Kopfhörer in meinem iPod dröhnte Wolf Parade. Als Alden die Tür öffnete, nahm ich einen Ohrstöpsel heraus und reichte ihn ihm. Er hörte ein paar Sekunden zu, dann legte er den iPod auf den Flurtisch, küsste mich, drehte mich zur Wand und hob meinen Rock hoch. So vögelte er mich einmal und dann ein zweites Mal in ein paar Meter Entfernung auf dem Gästebett. Als wir hinterher im Dunkeln dalagen, unsere Kleider auf dem Boden verstreut, sagte er: »Bitte vergiss nicht, was ich für dich empfinde.«

Da hätte ich wissen müssen, dass ich ihn nicht wiedersehen würde, aber ich hatte meine Wirkung auf ihn überschätzt und seine auf mich völlig unterschätzt.

Als Alden vom Death Valley zurückkam, lud ich ihn in mein neues Apartment ein, aber das lehnte er ab. Seine SMS wurden freundlicher und weniger flirtend. Während des Duells der Vizepräsidentschafts-Kandidaten 2008, das ich mit meinen Kolleginnen in einer überfüllten Hotelbar mitten in der Stadt verfolgte, machten wir Scherze und sprachen uns für Joe Biden aus, der wie ich aus Scranton stammt. Als das Duell vorbei war, simste ich: *Kann ich jetzt zu dir kommen?*

Lieber nicht.

Als Alden zunehmend auf Distanz ging, quälte mich immer mehr der Gedanke, dass wir so oft ungeschützt miteinander geschlafen hatten. Nach dem ersten Mal hatte er mir gesagt, ich brauche mir keine Sorgen zu machen, bei seiner letzten medizinischen Untersuchung vor gar nicht langer Zeit habe er keine sexuell übertragbaren Krankheiten gehabt. Irgendwo in seinem Büro liege sogar ein Ausdruck davon. »Wenn es dir hilft, zeige ich ihn dir«, hatte er gesagt.

»Es tut mir leid, so pedantisch zu sein, aber zur Gewissensberuhigung muss ich den Ausdruck sehen.«

Eigentlich glaubte ich nicht, dass Alden HIV oder irgendetwas anderes hatte, aber sicher konnte ich nicht sein. Ich kannte ihn doch kaum. Mein unterschwelliges Schuldgefühl, die Kondom-Regel gebrochen zu haben, verstärkte meine ohnehin obsessive Angst, ich könnte Scott mit etwas anstecken. Mir wurde klar, dass ich Gewissheit brauchte, um wieder ruhig schlafen zu können. Ich bat meine Ärztin um eine Untersuchung auf alle sexuell übertragbaren Krankheiten, doch sie sagte, ich müsse acht Wochen auf die Ergebnisse warten, weil sich bestimmte Erreger erst nach zwei Monaten nachweisen ließen. Alden und ich chatteten miteinander, und er versprach, mir seine Ergebnisse zu mailen, um mich zwischenzeitlich zu beruhigen. Außerdem bat er mich, ihm die Literaturzeitschrift mit seiner Erzählung zurückzuschicken; es sei sein einziges Exemplar. Da wurde mir klar, dass ich ihn nie wiedersehen würde. Auch wenn er mich gewarnt hatte, dass es dazu kommen würde, konnte ich die Endgültigkeit jetzt nicht ertragen. Ich rief ihn an, seine Mailbox schaltete sich ein.

»Alden, hi, hier ist Robin. Ich weiß, du bist nicht dazu verpflichtet, aber könnten wir uns vielleicht ein letztes Mal treffen, in der Öffentlichkeit, wenn du magst, um uns zu verabschieden? Ich weiß nicht… Ich glaube, ich brauche für diesen Ablösungsprozess ein paar Wochen länger als du. Mir war nicht klar, dass der Abend neulich in Twin Peaks der letzte sein würde. Ich könnte dir dein Magazin geben, und du könntest mir die Untersuchungsergebnisse zeigen, und dann ist es gut. Selbst wenn du nur eine Viertelstunde Zeit hättest, das würde mir sehr helfen. Gib mir Bescheid, ja?« Zitternd legte ich auf.

Er rief nicht zurück, weder an dem Tag noch am nächsten. Ich verlor zunehmend die Fassung. Als ich abends zur Bluxome Street fuhr, schrieb ich ihm eine SMS und fragte, ob ich vorbeikommen, ihm sein Magazin geben, seine Ergebnisse sehen und auf Wiedersehen sagen dürfe.

Nein, Robin. Schick mir das Heft einfach mit der Post.

Ich erstarrte. Wollte er mir einen tödlichen Schlag versetzen? Das konnte ich nicht beurteilen, denn die Kälte seiner Worte löste in meinem Gehirn einen Kurzschluss aus. Eine bösartige Hitze stieg meine Brust hinauf und durch den Nacken nach oben. Das Innere des Wagens wand sich beklemmend um mich, plötzlich sah die Straße jenseits der Windschutzscheibe aus wie Pennsylvania: eine trostlose Straße, der Abend brach schnell herein, alles und alle wurden von einer verwaschenen Hand weggefegt. Ich konnte das Gefühl nicht benennen. Am ehesten konnte ich es als Verlassenheit bezeichnen, aber das war nur eine Vermutung. Es war zu gewaltig und ging zu tief, um sich auf ein Wort beschränken zu lassen. Seit ich erwachsen war, versuchte ich, dieses Gefühl zu beherrschen, doch es blieb, was es immer gewesen war, und war groß genug, um mich zu verschlingen.

Ich startete den Wagen wieder, fuhr die Bluxome Street hinunter und die Fifth Street hinauf. Ich würde zu ihm fahren.

Nein, Robin. Fahr an den Straßenrand.

Fahr zurück. Stell das Auto wieder ab. Geh nach oben.

Ich schloss die Wohnungstür hinter mir, setzte mich aufs Bett und holte das Handy heraus. Ich tippte: *Ich schick's dir, sobald ich eine Kopie von deinen Untersuchungen habe.*

Das Telefon klingelte.

»Warum machst du das, Robin?«

»Ich habe dich gebeten, mich persönlich von dir verabschieden zu können, mehr nicht.« Mit diesen Worten schrumpfte ich auf eine Größe von einem Meter.

»Ich habe dir gesagt, dass ich dich nicht sehen will. Ich möchte meine Zeitschrift wiederhaben.«

Mir wurde eiskalt am ganzen Körper. Rings um mich lauerte entsetzliche Gefahr.

»Gut, du brauchst mich nicht zu sehen. Aber du hast auch gesagt, dass du mir die Untersuchungsergebnisse zeigen würdest, weißt du noch?«

»Du kannst das Magazin nicht in Geiselhaft nehmen …«

»Ich nehme gar nichts in Geiselhaft.«

»Du respektierst meine Grenzen nicht. Dein Bedürfnis, das Ganze am Ende hübsch zu verpacken, ist narzisstisch.«

»Was redest du da? Warum behandelst du mich plötzlich, als würde ich dich stalken?«

»Weil du dich genauso benimmst. Wie eine Stalkerin.«

»Und du führst dich auf wie ein paranoides Arschloch!«, schrie ich so laut, dass es ihm in den Ohren wehtun musste. Die Wut half. Durch sie wurde der erstickende Schmerz in meiner Brust wenigstens etwas erträglicher.

Er legte auf. Als er wieder anrief, hob ich nicht ab. Der Schmerz verbarrikadierte sich jetzt hinter eisiger Zurückhaltung. Die ganze Nacht lag ich wach, hörte den Brunnen vier Stockwerke unter mir im Hinterhof plätschern und starrte in das klaffende Loch in mir hinab. Wenn ich es nur mit diesem Loch aushalten und in es hinunterblicken könnte, ohne zurückzuzucken, könnte ich vielleicht endlich groß genug werden, um es zu füllen. Das sagte ich mir immer wieder und schauderte, wenn ich mir diese Szene ohne meinen Mann vorstellte, der zu Hause auf mich wartete. Wie masochistisch muss man sein, um das Gefühl von Verlassenheit außerhalb einer stabilen Ehe heraufzubeschwören, weil die Ehe selbst keine derartigen Dramen mehr bietet?

Am nächsten Morgen bekam ich eine E-Mail von Alden, in der er schrieb, er werde mir das Untersuchungsergebnis schicken. *Danke*, antwortete ich. *55 Bluxome Street. Ich schicke dir heute das Magazin, danach hörst du nie wieder von mir.* Ich löschte die E-Mail, dann seine E-Mailadresse, als Nächstes seine SMS und Voice Mails und schließlich seine Telefonnummer. Ich entfreundete ihn auf Facebook und blockte ihn bei Nerve.com. Ich steckte seine Zeitschrift in einen wattierten Umschlag und dazu einen Zettel, auf den ich schrieb: »Ich vertraue darauf, dass du mir die Untersuchungsergebnisse schickst. Leb wohl.« Mit jedem Schritt gewann ich ein Stück weit die Kontrolle zurück, versiegelte ich die leeren Nischen meines Herzens.

Zwei Tage später traf in der Bluxome Street ein Briefumschlag ein. Darin lagen ein handschriftlicher Zettel – »Es tut mir leid, dass es unschön geendet hat, Robin. Ich hoffe, du findest, wonach du suchst« – und eine Kopie seiner Blutuntersuchung. Ihm fehlte nichts. Ich sah seinen vollen Namen, sein Geburtsdatum, seine Adresse, Größe und Gewicht – faktische Symbole für die Existenz zumindest eines Mannes auf dieser Welt, der mit mir umzugehen wusste. Ich zerriss die Kopie und warf die Schnipsel in den Papierkorb. Ich faltete den Zettel und legte ihn in das Kästchen, in dem ich Gebete und Sorgen aufbewahrte. Die einzige noch bestehende Verbindung zu ihm waren dieser Zettel und seine postalische Adresse. Ich senkte den Kopf und betete lautlos um die Kraft, ihn nicht aufzusuchen.

Ich steckte das Gebetskästchen in die Schublade. Das war also die Kehrseite der Leidenschaft, der Preis dafür. Ich konnte verstehen, dass er gehen musste, aber warum so abrupt? Und warum hatte er, wenn er wusste, dass der Abend in Twin Peaks unser letzter sein würde, das nicht gesagt? Aber vielleicht hatte er ja genau das gemeint, als er sagte: »Bitte vergiss nicht, was ich für dich empfinde«, und ich hatte es schlicht nicht wahrhaben wollen. Vielleicht war ich in seinen Augen diejenige, die alle Trümpfe in der Hand hielt – ich war die Verheiratete, die Gefährliche, sodass er sich keinen richtigen Abschied leisten konnte. Diese Erklärung war nachvollziehbar und tröstete mich. Am meisten schmerzte mich allerdings die Erkenntnis, dass es ihm offenbar nicht allzu schwer gefallen war, sich intensiv auf mich einzulassen und dann abrupt von mir abzuwenden. Das hatte er im Lauf der Jahre mit den vielen Frauen wohl perfektioniert.

Ich würde nie erfahren, warum er mir nicht noch diese eine Viertelstunde schenken konnte. Aber es überraschte mich nicht, dass der eine Mann, dem ich mich völlig hingegeben hatte, genau derjenige war, der keine Gnade zeigte. Jeder banale Ratgeber, den ich je gelesen hatte, hatte das prophezeit.

Das Gate von Virgin America am Flughafen von San Francisco war eine funkelnde weiße Oase im trostlosen Flughafen-Grau, ruhig und luxuriös. Jude saß auf einer weißen Bank mit knallroten Kissen und wartete auf mich. Wegen eines Patenkindes fuhr ich wieder einmal nach Hause – dieses Mal ging es um die Hochzeit meiner Patentochter – und wollte ein paar Tage Zwischenstopp in New York einlegen. Da Jude zufällig am selben Tag nach New York fliegen musste, hatten wir denselben Flug gebucht. Als ich ihn in seiner Jeansjacke und der Beanie-Mütze auf der Bank sitzen sah, eine kleine schwarze Leinentasche zu seinen Füßen, wurde mir elend zumute.

»Hi«, sagte er lächelnd, als ich ihm zur Begrüßung einen Kuss gab.

»Hi«, sagte ich. »Äh, bevor wir einsteigen, gehe ich noch mal kurz auf die Toilette.«

Ich blieb so lange wie möglich in der Kabine sitzen. Am Waschbecken ließ ich mir immer wieder warmes Wasser über die Hände laufen. Sie zitterten. Einmal schaute ich kurz in den Spiegel und sofort wieder weg. Ich hielt meine Hände geschlagene drei Zyklen in die beruhigende Warmluft. Schließlich warf ich einen Blick auf mein Handy: In fünf Minuten begann das Boarding. Ganz langsam ging ich zu Jude zurück. Das Ritual in der Toilette hatte nicht funktioniert. Bei Judes Anblick wollte ich mich nur in der nächsten Ecke zusammenrollen und weinen.

»Was ist los?«, fragte er, als ich mich setzte. Mich überkam der fast übermächtige Wunsch, aufzuspringen und zum Flughafen hinaus zu meinem Bett in der Sanchez Street zu laufen.

»Ich weiß es nicht genau«, sagte ich. »Ich habe vorm Fliegen immer ein bisschen Angst, aber …« Ich suchte nach Worten. Jude hörte mir ruhig zu. »Mit dir zu reisen kommt mir komisch vor.«

Jude und ich hatten seit Monaten nicht mehr miteinander geschlafen. Das Essen, das ich für ihn gekocht hatte, die Songs, die er mir vorgesungen hatte, unsere Gespräche über Kindheit und Religion erwiesen sich als weit weniger intim, als fünf Stunden im Flugzeug nebeneinander zu sitzen. Essen, Musik und gepflegte Unterhaltung fiel im weitesten Sinn in das Umfeld von Sex. Gemeinsam am Flughafen zu sitzen war das richtige Leben, und das richtige Leben wollte ich nur mit Scott.

»Ich verstehe«, sagte er. »Wir brauchen uns beim Fliegen nicht zu unterhalten. Wir können lesen oder so. Wir können schweigen.« Selbst das – nebeneinander zu sitzen und zu lesen – war etwas, das ich nur mit Scott machte. Ebenso war es mir unmöglich, mit einem anderen Mann Händchen zu halten oder bei einem Liebhaber auf dem Schoß zu sitzen. Zu Hause setzte ich mich mitten beim Aufräumen immer wieder einmal zu Scott auf den Schoß, während er am Computer arbeitete. Ich schwang die Beine auf eine Seite, legte den Kopf auf seine Schulter und schlang die Hände um seinen Hals.

Beim Fliegen wurde ich ganz still und traurig, aber davon abgesehen verlief der Flug problemlos. Nach der Landung sammelten Jude und ich unser Gepäck ein. Er musste weiter nach Brooklyn. Er umarmte mich fest.

»Kommst du klar?«, fragte er.

»Ja, danke, Jude. Wir sehen uns dann in San Francisco wieder.«

Ich stieg in den Zug zur Penn Station und nahm von dort ein Taxi zu meinem Hotel in Chelsea. In dem Moment, in dem ich dem Fahrer den Namen des Hotels nannte, überkam mich Übelkeit.

Neun von zehn Malen stieg mein Gefühl von Übelkeit nicht aus dem Magen auf und beschränkte sich auch nicht auf ihn. Es ging vielmehr unmittelbar darauf zurück, dass der Vagusnerv verrückt spielte. Das wusste ich, seit ich mich ausführlich mit Ursache und Wirkung von Panik befasst hatte, um sie besser bewältigen zu können. Der Vagus besteht aus vielfach verzweigten Ganglien, die sich vom Hirnstamm um die Luftröhre bis hinab in jedes Organ winden. Bestimmte Auslöser, zum Beispiel der Anblick von Blut oder starke Schmerzen, können dazu führen, dass der Vagus überreagiert, was meist Bewusstlosigkeit zur Folge hat. Bei Blut, Spritzen und allem, was die Knochen verletzte, fiel ich schon als Kind in Ohnmacht. Seit ich erwachsen bin, ist es meist eine Panikattacke oder ein emotionaler Schock, der bei mir eine vasovagale Reaktion auslöst.

Das beginnt mit einer Hitzewallung im oberen Rücken, die sich wie Gift den Hals hinauf ausbreitet. In meiner Brust kollabiert etwas, das Atmen fällt mir schwer, mein Magen krampft sich zusammen, meine Ohren sind wie verstopft. Ich schwitze heftig, und zum Ausgleich für den plötzlich extrem abgesackten Blutdruck schlägt mein Herz ungefähr 150-mal in der Minute. Ich muss mich flach hinlegen, um nicht das Bewusstsein zu verlieren, und bin zu nichts mehr fähig. Bis der Anfall vorbei ist, kann ich nicht aufrecht sitzen, nicht sprechen und mich nicht bewegen. Ich kann keine Telefonnummer wählen und nicht um Hilfe rufen. Es ist wie in einem Traum, wenn man schreien will, aber kein Wort herausbringt. So oft ich diese Attacken auch hatte, jedes Mal glaube ich wieder, dass ich sie nicht überleben werde. Ich kann nicht aufstehen, um zur Toilette zu gehen, also drehe ich mich auf die Seite für den Fall, dass ich erbrechen muss, obwohl das selten der Fall ist. Ich liege einfach da und versuche, ruhig zu atmen, bis mein System wieder funktioniert. Das kann eine Minute dauern oder in Wellen über eine Stunde weitergehen.

Und genau das überfiel mich jetzt im Taxi auf dem Weg nach Chelsea. Ich lag auf dem Sitz, was den Fahrer entweder nicht störte oder er nicht bemerkte, und als ich mich aufsetzen konnte, kurbelte ich das Fenster herunter, um frische Luft zu bekommen. Bis wir das Hotel erreichten, war die erste Welle vorüber. Langsam ging ich zur Rezeption und hoffte, eine zweite würde mir erspart bleiben.

»Guten Tag, ich möchte einchecken.«

Die Frau fragte nach meinem Namen und gab ihn in den Computer ein. »Es tut mir leid, Ihr Zimmer ist noch nicht ganz fertig. In einer halben Stunde sollte es soweit sein.«

Ich holte tief Luft.

»Ist alles in Ordnung?«, fragte sie. »Sie sehen ziemlich grün im Gesicht aus.«

»Mir geht es nicht gut. Können Sie mir sagen, wo die Toilette ist?«

Zum Glück lag sie weit vom Foyer entfernt und war verwaist. Ich saß zusammengekauert in einer Kabine, den Kopf zwischen den Knien, und weinte eine ganze Weile still und leise vor mich hin. Langsam wurde mir bewusst, dass in meinem Unterleib ein neues Gefühl war, ein mir bekanntes Ziehen in der Nähe des Schambeins. War meine Periode fällig? Ich konsultierte meinen Kalender auf dem Handy. Meine letzte Periode war ... vor sechs Wochen gewesen.

Alden. Sollte das möglich sein, mit vierundvierzig? Eine sechsundvierzigjährige Freundin hatte gerade ohne technische Hilfe ihr erstes Kind bekommen. Im letzten Monat hatte ich mindestens ein Dutzend Mal ungeschützt mit ihm geschlafen, mehr als mit irgendeinem anderen Mann im Lauf meines Lebens.

Ich blieb auf der Toilette sitzen, bis ich aufstehen konnte, ohne ohnmächtig zu werden, dann ging ich auf unsicheren Beinen die Straße hinunter zu einer Drogerie und kaufte einen Schwangerschaftstest, allerdings nicht die Marke, die beim letzten Mal möglicherweise ein falsches Positiv gezeigt hatte. Sobald ich mein Zimmer bezogen hatte, ging ich ins Bad, öffnete die Packung, pinkelte auf den Teststreifen, legte ihn auf das Waschbecken und setzte mich zum Warten aufs Bett.

Bist du um die Wege?, simste ich Ellen. *Ich bin in New York, meine Periode ist überfällig, mach gerade einen Test. Bin irgendwie von allem total überfordert.*

Klar, antwortete sie. *Bin auf Standby, gib Bescheid.*

Ich hatte von Alden nicht einmal die Telefonnummer oder E-Mailadresse. Ich stellte mir vor, ihm einen Brief zu schreiben, in dem nur stand: »Ich bin schwanger. Von dir.«

Bei der Vorstellung fuhr mir verbotenerweise ein köstlicher Schauder den Rücken hinunter. Wie mein klammheimlicher Wunsch, mich einem Wirbelsturm in den Weg zu stellen. Hau mich um. Her mit der Scheiße. Sehen wir doch mal, was ich alles aushalte.

Als ich wieder ins Bad ging, war ich zu erschlagen, um groß Hoffnung oder Angst zu empfinden. Meine Hand zitterte, als ich nach dem Streifen griff. Im nassen ovalen Sichtfenster zeigte sich ein rosafarbener Strich. Von einem Zweiten, der den Sieg der Natur über die Willenskraft bedeutet hätte, war nichts zu sehen.

Negativ, schrieb ich Ellen.

☹ *Irgendwie wär's ja irre gewesen, wenn das Ganze dazu geführt hätte.*

Stimmte das? War das Projekt letztlich nichts anderes als eine Suche nach frischem, zeugungsfähigem Sperma? Das könnte der Grund sein, weshalb ich mittlerweile zwei Männern erlaubt hatte, auf das Kondom zu verzichten. Ich wusste gar nichts mehr. Ich wusste nur, dass Ruby wieder einmal Glück gehabt hatte, sie war sicher in den Kulissen der Unendlichkeit geblieben, anstatt sich in meiner chaotischen Gebärmutter einzunisten, gezeugt von einem Mann, der nichts von ihr wusste und sie nicht wollte.

17.

Einsamkeit in Bewegung

Während des Internetbooms Ende der neunziger Jahre hatte sich das industriell geprägte Viertel South of Market mit seinen trostlosen Lagerhäusern, Möbel-Discountern und Kautionsbüros zu einem Viertel mit vielstöckigen Loft-Gebäuden gemausert, zwischen denen hier und da ein trendiges Restaurant oder eine Weinbar im Backstein-Look stand. Zehn Jahre später war SoMa auch das Zentrum für die Wiederauferstehung der Dotcoms. Viel Beton, dafür wenig Bäume, breite Straßenkreuzungen, die zu verschiedenen Stadtautobahnen hinaufführten – eine Gegend, in der ich nie auf Dauer leben wollte. Aber im Wissen, dass ich nur einige Monate hier verbringen würde, passte ich mich dem Rhythmus schnell an und genoss ihn.

Auf dem Weg zur Arbeit ging ich die Bluxome Street entlang an den offenen Toren der Station Nr. 8 vorbei, wo jeden Morgen die Feuerwehrleute in ihren marineblauen Hosen und T-Shirts den Einsatzwagen wuschen. Bei einem Doughnut-Laden an der Ecke kaufte ich mir einen billigen Kaffee und ging dann die Fourth Street hinauf. Ich brauchte ungefähr eine Viertelstunde zum Union Square, und an jeder Kreuzung wuchs die Menge schwarz gekleideter Männer von dreißig-plus mit Kuriertaschen um den Oberkörper geschlungen. Während wir an der Ampel auf Grün warteten, trank jeder einen Schluck Kaffee aus dem Becher in der einen

Hand und checkte mit der anderen sein iPhone. Auf meinem kamen laufend SMS von ehemaligen und potenziellen Liebhabern herein – Männer, die ich bei OneTaste oder auf Arbeitsveranstaltungen kennengelernt hatte, die letzten verspäteten Kandidaten von Nerve.com –, sodass mich jeder Blick aufs Handy in vorfreudige Erwartung versetzte oder mich ins Träumen geraten ließ. Ich konnte große Teile meiner wachen Stunden in dem einen oder anderen Zustand verbringen. Sobald ich untätig im Supermarkt in der Schlange anstand oder im Zug saß, versank ich in einen Tagtraum, erinnerte mich an den letzten sinnlichen Rausch oder freute mich auf den nächsten.

Paul und ich hatten seit dem Wochenende in Denver nur sehr gelegentlich miteinander geschlafen. Da er Scott kannte und ich seine Freundin kennengelernt hatte, hatten wir beide nicht das Gefühl, die Affäre vertiefen zu wollen. Aber wir trafen uns nach der Arbeit oft auf einen Drink oder spätabends auf einen Absacker. Um ehrlich zu sein, hatte ich mich seit dem ersten Abend in seinem Haus in Pacific Heights ein bisschen in ihn verliebt, wie ich es ihm ja prophezeit hatte, aber nicht Hals über Kopf. Ich war in Paul verliebt wie in die ersten Jungen, die mir mit elf oder zwölf aufgefallen waren und die zum Teil Spielkameraden gewesen waren, zum Teil einfach Vertreter der Männlichkeit: solide gebaut, für jeden Spaß und Unsinn zu haben.

Als Schiffsingenieur standen Paul mehrere leichte Rennboote zur Verfügung, die so schnell und unsinkbar waren, dass sie vorwiegend an die Küstenwache verkauft wurden. Manchmal schickte er mir am frühen Nachmittag eine SMS.

Bin in der Bucht. In 30 min. am Ferry Building?

Dann sammelte ich meine Sachen zusammen und sauste aus dem Büro, als würde ich mir kurz etwas zum Mittagessen besorgen. Auf der Market Street sprang ich in den F Train oder in einen der Busse, die nach Westen zu den Piers fuhren, und stieg in der Nähe des Ferry Building aus. Vorbei an den Menschen, die nach Tacos und Burgern anstanden, lief ich zu der kleinen Bootsrampe am Nordende des Fährgebäudes, wo Paul wartete. Im Heck blubberten zwei große schwarze Motoren, durch deren Gewicht der Bug hoch in die Luft ragte. Das gesamte Boot verströmte die geballte Kraft von Pferdestärken. »Hi, Süße«, sagte er und half mir, über den dicken, mit Luft gefüllten Rand ins Heck zu steigen. »Hi, Paulie«, sagte ich, umarmte ihn und gab ihm einen Kuss auf die Wange, ehe ich mich auf den dick gepolsterten Sitz direkt vor den Motoren niederließ.

Paul kletterte auf den hohen Steuerstand in der Mitte, manövrierte das Boot langsam rückwärts in die Bucht hinaus und umrundete den Anleger, fort von den Menschenmengen am Ferry Building. Das war der Moment, der mir am besten gefiel – vom Land ablegen, alles andere zurücklassen und auf die Gewässer rund um Alcatraz zusteuern. Die starken Motoren legten rasch an Fahrt zu. Durch die Dünung wurden wir durchgeschüttelt wie auf der Loopingbahn, bis wir die Golden Gate Bridge erreichten. Zur Mittagszeit hatte sich der Nebel gelichtet, die strahlende Sonne machte die kalte Brise erträglich. Die Autos, die die Brücke hoch über uns überquerten, wirkten wie kleine, ferne Objekte. Wir kamen unter den drohenden Schatten ihrer steil aufragenden orangefarbenen Pylone durch. Auf der anderen Seite, dort, wo die Bucht auf den Pazifik trifft, flog das Boot aufgrund der größeren Wellen regelrecht durch die Luft. An dieser Stelle verunglückten oft aus Asien kommende Schiffe und gingen im Nebel unter. Ruhig navigierte Paul mit schnellen Ausweichmanövern durch die Schaumkronen, während ich mir die Gischt ins Gesicht wehen ließ. Wenn er nach rechts kurvte, beugte ich mich so weit wie möglich zur Seite und steckte die Hand in das durchscheinende Wasser. Es war erfrischend kalt.

Auf dem Rückweg zum Hafen setzte ich mich in den Passagiersitz neben Paul und sah den herzförmigen Bug durch die Gischt pflügen. Die laut dröhnende Musik verschmolz mit dem Motorenlärm und dem satten Donnern, mit dem Fiberglas und Wasser aufeinanderprallten. Paul nahm meine Hand, beugte sich zu mir und sagte: »Ich liebe dich.«

»Ich liebe dich auch.«

»Platonisch.«

»Ich auch, platonisch.« Wir lachten laut, weil wir so abgedroschen klangen, und ich drückte ihm die Hand und spürte einen Moment die Leidenschaft aufflammen, die wir damals in Denver empfunden hatten, und freute mich, sie langsam verglühen zu lassen, um unsere Freundschaft mit dieser Erinnerung zu stärken.

Die Schönheit der Postkarten-Skyline von San Francisco liegt in ihrer kompakten mediterranen Weiße. Sie verheißt, dass hier zwar die typischen Laster der Großstadt zu finden sind, das Meer sie aber auslöscht, wie immer schon, seitdem der erste Städter mit all seinem Überdruss in ein Küstendorf zog, um seiner Vergangenheit zu entkommen. Je mehr wir uns dem Pier näherten, desto größer ragte diese verlockende Vision vor uns auf. Paul drosselte das Tempo und navigierte das Boot an genau die Stelle, von der wir abgelegt hatten. Ich stand auf, verabschiedete mich mit einer Umarmung, sprang an Land und eilte wieder zur Market Street, ließ das Mittagessen ausfallen und kehrte mit einem Salzgeschmack auf den Lippen an meinen Schreibtisch zurück.

Wenn wir nicht im Boot saßen, dann auf dem Motorrad. Paul rief gegen sieben an, wenn der Feierabend in Sicht kam, und fragte, ob ich nicht Lust hätte, zum Ocean Beach zu fahren. Dann ließ ich alles stehen und liegen und lief nach unten. Er fuhr auf seiner schwarzen Viper vor, gekleidet in eine zerschlissene Jeans, schwere Stiefel und eine teure Motorradlederjacke, die bis unters Kinn geschlossen war und Dutzende Geheimtaschen hatte. »Robs!«, sagte er, als er das Visier aufklappte und mir den zweiten Helm reichte, der an der Seite des Motorrads hing. Ich setzte ihn auf, stopfte meine Haare hinein, schlang mir die Tasche über die Schulter und stieg auf den Sattel.

Paul fuhr sehr schnell, die steile California Street hinauf und über die Kuppe nach Fulton hinaus, wo es weniger Ampeln gibt und er auf Highway-Tempo beschleunigen konnte. Ich brauchte beide Hände, um nicht das Gleichgewicht zu verlieren, hielt mit der rechten den Griff hinter mir umklammert und schlang die linke um Pauls Taille. Er fädelte sich durch den Verkehr, oft so knapp, dass ich fast zu spüren glaubte, wie meine Knie die Autos streiften, und zu sehen vermeinte, die Spiegel der Viper würden die anderen berührten. Wir fuhren kilometerweit am Golden Gate Park entlang, eine kühle dunkelgrüne Wand, die allmählich ins Schwarze überging, und als wir die Küste erreichten, bog Paul nach links auf den Great Highway und ließ den Motor laufen, bis wir hundertdreißig, hundertvierzig, hundertfünfzig fuhren.

Rechter Hand brachen sich die Wellen, links nahm ich verschwommen pastellfarbene Häuschen wahr. Die unterbrochene gelbe Linie unter meinen Stiefeln verschmolz zu einem durchgehenden Strich. Ein Bremslicht, ein Stein, und wir wären tot. *Dann ist es eben so*, dachte ich mir. *Jetzt wäre ein guter Moment zu sterben.* Das sagte ich, die Frau, die früher panische Angst vor Autobahnen gehabt hatte, vor Brücken, vor Tunnels und Flugzeugen, vor Restaurants und Lebensmittelläden und in den allerschlimmsten Momenten sogar davor, das Haus zu verlassen. Mit Paul und seiner Viper fand ich das sommerliche Gefühl des Mädchens wieder, das gerade zur Frau wurde, als meine flaumigen Beine mich in die Wälder und auf die hohen Felsen trugen, als ich unbeschwert umherstreifte und Körper und Seele vor dem schlichten Wunder des Lebens vibrierten.

Das war der Grund, weshalb ich Paul liebte, weshalb ich

ihn meinen besten Freund nannte: weil er mich dem Wind und dem Wasser wiedergab. Wenn wir den Saum des Pazifiks entlangrasten, löste ich den Griff um Pauls Taille, forderte das Schicksal heraus, schlang den Arm dann wieder um ihn, dankte ihm lautlos dafür, dass er geholfen hatte, ein Mädchen auferstehen zu lassen, von dem ich geglaubt hatte, ich würde es nie wiedersehen – das Mädchen, das ich gewesen war, ehe die Angst einsetzte.

Einmal im Monat trafen Jude und ich uns im besten vegetarischen Restaurant von San Francisco und gönnten uns ein luxuriöses Essen. Wir tranken Cocktails, die üppig nach frischem Ingwer und Zitronengras schmeckten, und er bezirzte eine hübsche Kellnerin nach der anderen.

»Für einen empfindsamen veganen Heiler bist du ein ganz schöner Frauenheld«, zog ich ihn auf.

»Du bist bloß eifersüchtig.«

»Ich doch nicht. Ich hab dich doch schon gehabt. Sollen die anderen Mädels auch mal eine Chance bekommen.« In Wirklichkeit betrachtete ich Judes sexuelles Desinteresse an mir tatsächlich als Zurückweisung, auch wenn ich andererseits erleichtert war, weil ich nicht die mit Scott vereinbarte Regel brach, keine ernsthafte Beziehung einzugehen.

Hinterher fuhren wir mit dem Taxi in die Bluxome Street und gingen auf den Dachgarten hinauf. Dort machten wir es uns in den weich gepolsterten Deckstühlen bequem und betrachteten schweigend die Lichter der Wolkenkratzer downtown und der ersten Sterne, die am Himmel funkelten.

»Ich denke mir oft, dass wir wie füreinander bestimmt sind«, sagte er leise. »Ich kann mit dir über alles reden. Aber dann fällt mir wieder der Altersunterschied ein.«

Ich drehte mich zu ihm. »Nicht zu vergessen die Tatsache, dass ich verheiratet bin.«

»Komisch, das vergesse ich immer.«

»Könnte das einer der Gründe sein, weshalb du dich in meiner Gesellschaft so wohlfühlst? Weil du mich nicht haben kannst?«

»Autsch«, sagte er. »Das trifft.«

»Ich meine, schau dir doch die ganzen Frauen an, die um dich herumscharwenzeln. Du hast etwas.«

»Aber dieser ewige Kreislauf von Verführung ist so anstrengend. Ich bin müde.«

»Das wird schon«, beruhigte ich ihn. »Du bist erst zweiunddreißig. Du hast noch jede Menge Zeit.« Ich hätte alles darum gegeben, wieder zweiunddreißig zu sein und noch zehn Jahre vor mir zu haben, in denen ich sprungreife Eizellen produzierte. Für mich stellte diese biologische Realität, unabhängig von einer möglichen Schwangerschaft, die Trennung zwischen der ersten Hälfte des Lebens dar, in der jeder Moment vor Verheißungen flirrt, und der zweiten Hälfte, wenn selbst die schönsten Momente den Keim von Verlust in sich tragen.

»Was würdest du machen, wenn du in einem Monat sterben würdest?«, fragte er.

Ich überlegte. »Ich würde meine Familie besuchen. Wahrscheinlich würde ich noch einmal mit Scott nach Europa fahren. Und ich müsste etwas mit meiner Kiste mit den Tagebüchern unternehmen. Wahrscheinlich würde ich sie verbrennen. Und du?«

»Ich würde versuchen, Erleuchtung zu finden.«

»Warum? Du wirst doch im Moment des Sterbens höchstwahrscheinlich sowieso erleuchtet.«

»Ich würde gern transzendieren, noch während ich in meinem Körper bin. Ich möchte den schwebenden Raum erfahren, wenn man noch inkarniert ist, aber jenseits des Egos.«

»Ich will gar nichts transzendieren«, sagte ich. »Ich habe das Gefühl, dass meine Spiritualität in die entgegengesetzte Richtung wandert, nach unten und nicht nach oben. Je mehr ich auf meinen Körper höre, desto näher fühle ich mich Gott.«

»Das ist der Unterschied zwischen dir und mir.«

»Ja, das und das Tiere-Essen.«

Wir gingen nach unten, und ich machte Kräutertee, während er auf seinem iPod ein neues Album aufrief. »Die Typen musst du dir anhören«, sagte er. »Sie heißen die Fleet Foxes.« Im Sommer hatte Jude mir Bon Iver näher gebracht – es war das Jahr, in dem verstörende Falsette und sehnsüchtige Harmonien angesagt waren. Die Fleet Foxes klangen, als würden sie im tiefsten Inneren einer urzeitlichen Höhle singen, eine muntere Melodie unter einem traurigen Chor, der immer wieder in der Zeile »Shadows of the mess you made« gipfelte. Nachdem wir uns ins Bett gelegt hatten, schlief Jude schnell ein, während mir der Text in den Ohren widerhallte – »Shadows of the mess you made«, Schatten des Schlamassels, das man angerichtet hatte. Ich fragte mich, warum sowohl Paul als auch Jude gern mit mir zusammen waren, obwohl wir nicht miteinander schliefen. Vielleicht war ich für sie eine willkommene Abwechslung von den vielen ungebundenen Frauen, die erwarteten, dass die Beziehung irgendwohin führte. Ich konnte sie so akzeptieren, wie sie waren – genau das, wozu ich mich bei Scott nicht durchringen konnte. Natürlich war es wesentlich einfacher, Männer zu akzeptieren, die mich nie von meinen schlimmsten Seiten erlebt hatten und von denen ich mich nie abhängig gemacht hatte, als den einen Mann, der mich am besten kannte und am meisten liebte. Angesichts dieser Ironie krampfte sich mein Magen zusammen, ich schämte mich. Ich glaube, ich stöhnte sogar laut, direkt neben Jude im Bett.

Und trotzdem, das war eine Ebene der Akzeptanz, zu der ich mich nicht aufschwingen konnte. Eine der wortgewaltigsten Gestalten unter den vielen, die meine geistige Landschaft bevölkerten, war ein freundlicher alter Asiate, ein Mann in einem orange-roten Gewand mit rundem Gesicht und kahlem Schädel. Im Grunde sah er dem Dalai Lama sehr ähnlich. Er sagte: *Deine spirituelle Aufgabe zu diesem kritischen Zeitpunkt besteht darin, deinen Mann bedingungslos zu lieben. Verlange nicht mehr von ihm. Erwarte nicht, dass sich etwas verändert.* Um das zu tun, müsste ich auf das verzichten, was ich mir am meisten wünschte und was Scott selbst benannt hatte. »Du möchtest eine tiefe psychosexuelle Verbindung«, hatte er einmal gesagt. Genau. Den Wunsch aufzugeben, wäre wie sterben. Ich hatte einige Persönlichkeitsmerkmale, die abzulegen ich ertragen könnte, aber nicht das. Das ging zu sehr an die Substanz.

In der Zwischenzeit verzehrte ich mich nach Alden. Seit ich ihn vor zwei Monaten das letzte Mal gesehen hatte, war das Projekt ins Stocken geraten. Jeden Tag, wenn ich von der Arbeit nach Hause kam, sah ich in den Briefkasten mit der Hoffnung, dort läge eine Nachricht von ihm über die einzige Kontaktmöglichkeit, die ich ihm gelassen hatte. Aber ich bekam immer nur Werbung.

An den Abenden unter der Woche, die ich nicht bei OneTaste oder mit Paul verbrachte, ging ich mit meinen Kolleginnen zu den diversen Partys, die die Zeitschrift veranstaltete – Vernissagen, Cocktail-Wettbewerbe, Konzerte, offizielle Galas. So probierten wir in einer Woche Tequila in der neuesten Bar in Mission, in der nächsten schlüpften wir zur Eröffnung der Ballett- oder Opernsaison in bodenlange Abendgarderobe. Unsere größte Party des Jahres fand immer gleichzeitig mit dem Erscheinen von »Hot 20 Under 40« statt, dem Heft, in dem wir alljährlich die neuesten Senkrechtstarter San Franciscos vorstellten. In dem Jahr fand die Hot 20-Party im DeYoung Museum statt, dem Inbegriff moderner Architektur im Golden Gate Park, das kürzlich von Grund auf renoviert und wiedereröffnet worden war. Ich sauste vom Büro in die Bluxome Street, schlüpfte in ein türkisfarbenes Seidenkleid und Heels, steckte mir das Haar hoch und fuhr zum DeYoung, wo ich den Abend im Gespräch mit Modedesignern, Dramatikern und Startup-Gründern verbrachte.

Einige von uns gingen anschließend noch zu einer After-Party in ein überfülltes neues Lokal im Financial District gegenüber der Transamerica Pyramid. Zu unserer kleinen Gruppe von Redakteurinnen gesellten sich Männer aus der Crème de la Crème von San Francisco: altes Geld, Söhne aus gutem Haus, betuchte Investmentbanker, die Elite des Silicon Valley. Einer von ihnen war ein etwas verlotterter Mittdreißiger, der zu den ersten Mitarbeitern bei eBay gehörte und mithin Multimillionär war. Er war eindeutig in meine Freundin Ellen verknallt, aber sie hatte absolut kein Interesse an ihm, und nachdem sie gegangen war, um sich mit ihrem Freund zu treffen, fragte er mich, ob ich nicht mit ihm in Chinatown etwas essen gehen wollte.

Im grellen spätnächtlichen Neonlicht des Yuet Lee, wo sich viele Küchenchefs, nachdem sie ihr eigenes Etablissement geschlossen hatten, noch an Jakobsmuscheln und Tintenfisch gütlich taten, merkte ich sehr bald, wie betrunken Mr. eBay tatsächlich war. Nüchtern war ich allerdings auch nicht mehr. Nach sechs Stunden kostenlosem Wodka und amüsantem Geplauder war ich in dem angenehm schwindligen Zustand, in dem alles von großer Bedeutung ist. Mein Begleiter hatte vor Kurzem ein Haus gemietet, das ganz in der Nähe lag. Im Lauf unserer Unterhaltung fand ich heraus, dass er höchstwahrscheinlich mit mehreren Frauen, die ich kannte, ins Bett gegangen war.

»Schlaf doch bei mir«, sagte er.

»Das ist keine gute Idee.« Ich schüttelte den Kopf. »Ellen ist eine meiner besten Freundinnen, und du bist doch in sie verknallt.«

»Ich will nicht mit dir vögeln«, sagte er und wedelte mit

der Hand hin und her, als würde er Fenster putzen. »Ich steh total auf Ellen. Aber du bist cool. Lass uns doch Freunde sein! Im Ernst, komm einfach mit und bleib die Nacht bei mir. Mein Bett ist echt groß. Wir müssen uns nicht mal anfassen. Außerdem kannst du dann meinen Hund kennenlernen. Er ist der tollste Hund der Welt.«

Ich lachte. »Du bist schräg.«

»Ich weiß. Wie auch immer.« Er unterschrieb die Rechnung und zog sein Jackett an. »Komm schon, schlaf doch bei mir. Im Ernst. Warte, bis du den Hund siehst.«

»Also gut.«

»Cool!« Er legte den Arm um mich, wir gingen ein paar Blocks und bogen dann in eine dunkle Wohnstraße ab. An der Haustür, hinter dem Sicherheitstor und die Haustreppe hinauf, wartete schwanzwedelnd sein Golden Retriever. Mein Begleiter ging direkt ins Schlafzimmer, ließ sich aufs Bett fallen, griff nach der Gitarre, die am Boden lag, und schrubbte darauf herum. Der Hund, der wirklich eine Schönheit war, ließ sich zu seinen Füßen nieder.

Wenig später schnarchte der Mann, während ich auf der anderen Seite des breiten Doppelbetts lag und den Retriever streichelte. Was, wenn Mr. eBay irgendwann doch mit Ellen zusammen wäre? Würde ich es dann nicht sehr seltsam finden, dass ich eine Nacht bei ihm verbracht hatte? Außerdem: Warum wiederholte sich ständig diese Szene meiner Ehe – dass ich wach neben einem schnarchenden Mann lag und mir Selbstvorwürfe machte –, nur mit einem anderen Mann in einem anderen Schlafzimmer?

Es war vier Uhr. Langsam stand ich auf, sammelte meine Schuhe ein und schlich zur Haustür, wo ich den Hund zum Abschied tätschelte.

Der Herbst ist in San Francisco die wärmste Jahreszeit, die Luft war tropisch lau. Barfuß ging ich ein paar Blocks, bis ich die Columbus Avenue erreichte. Die Bäckereien, Läden und

Cafés warteten schweigend hinter den Rollläden, die Straßen waren, von wenigen vorbeifahrenden Autos abgesehen, verwaist. Kein fernes Martinshorn, keine Taxis, kein Mensch weit und breit. Als ich mit Anfang zwanzig die ersten Male nach San Francisco gekommen war, mit meinem damaligen Freund und später mit Scott oder meinen Freunden, waren wir unweigerlich in North Beach gelandet. Ich hatte die Columbus Avenue Hunderte Male zusammen mit anderen Leuten überquert. Als ich zehn Jahre später in Sacramento und dann in Philadelphia lebte, hatte ich immer wieder einen Traum gehabt, in dem ich nachts allein durch das verdunkelte San Francisco ging, einen Berg hinauf und den nächsten hinunter. Ich konnte keine Menschenseele finden. Die verhängten Fenster der Gebäude, an denen ich vorbeikam, ließen sich gerade noch ausmachen, und auf der Kuppe eines jeden Bergs die Lichter der zwei drohend aufragenden Brücken draußen in der endlosen Weite des Meeres. Vor Angst war ich dann immer aufgewacht und hatte mich einsam gefühlt. Jetzt, da der Traum Wirklichkeit geworden war, empfand ich nichts als die verwegene Freude des Alleinseins.

Mit den Schuhen in der Hand bog ich auf die Columbus Avenue ab und ging Richtung SoMa. Ich fragte mich, ob ich wohl drei Kilometer barfuß auf Asphalt laufen konnte.

18.

Orgasmische Meditation

Als ich eines Mittwochs zur wöchentlichen InGroup bei OneTaste kam, spürte ich sofort, dass etwas anders war als sonst. Der untere Raum, in dem man sich zunächst versammelte, hatte Schlagseite bekommen, das Zentrum hatte sich in eine Ecke verlagert, wo sich eine große, langhaarige Frau mit ein paar anderen unterhielt. Ich erkannte sie als Nicole Daedone, die Gründerin. Obwohl die Leute verstreut im Raum saßen, wanderten alle Augen zu ihr, wie Kompassnadeln, die sich nach Norden ausrichten.

Schließlich begegnete sich unser Blick. Es war schwer, sie nicht anzustarren. Ihre klassische Schönheit war fast vollkommen, aber auch so exotisch, dass man sie einfach länger betrachten musste. Nicole hatte sizilianische Wurzeln. Sie bewegte sich geschmeidig, hatte olivfarbene Haut und fast goldene Haare und trug eine teure Jeans, Heels und ein seidiges blaues Oberteil.

»Nicole, das ist Robin«, sagte Noah. Die beiden waren schon lange befreundet, noch aus der Zeit vor OneTaste.

Die Hand, die sie ausstreckte, wurde zu den Fingerspitzen hin immer schmaler. An ihrem Ringfinger steckte ein schmaler Reif aus Diamanten in der Form eines X. Ihr Händedruck war kräftig. »Oh, von dir habe ich schon viel gehört«, sagte sie und strahlte. Ihr Gesicht mit den ausgeprägten römischen Zügen war etwas schief, sie sprach mit der Andeutung eines Lispelns. Diese kleinen Makel steigerten nur ihren Reiz.

»Und ich habe viel von dir gehört«, sagte ich. In den wenigen veröffentlichten Artikeln über OneTaste wurde Nicoles Vergangenheit als etwas dubios beschrieben: Sie hatte Semantik und Buddhismus studiert, war geschieden und hatte mit Ende zwanzig, nach dem Tod ihres Vaters, eine Art Zusammenbruch erlitten. Dadurch war sie zu dem über siebzigjährigen Ray Vetterlein gekommen, einem Relikt der kalifornischen Sexkommunen aus den siebziger Jahren, der sie unter seine Fittiche genommen und sie vieles über den Orgasmus gelehrt hatte.

Was ich sonst über sie wusste, hatte ich eher zufällig aufgeschnappt. So hatte ich etwa gehört, dass sie sich gegenwärtig makrobiotisch ernährte, und mir war aufgefallen, dass einige andere ihrem Beispiel folgten. Mehrere weibliche Lehrende kleideten sich ähnlich wie sie. Die Gruppensitzungen unter ihrer Leitung hießen Darshanas, ein Begriff, der traditionell von hinduistischen Gurus verwendet wurde. Am auffälligsten war der bei OneTaste übliche, sehr eigenwillige Jargon, den sie geprägt hatte und den fast jeder nachahmte. Positive Aufmerksamkeit welcher Art auch immer hieß »Aufstrich«, negative Aufmerksamkeit »Abstrich«, Gefühle der Verbundenheit wurden als »limbische Resonanz« bezeichnet. Nicole pries die lange Zeit vernachlässigten Tugenden des limbischen Systems von Säugetieren im Gegensatz zur rationalen Großhirnrinde. Und was immer sie auf Facebook postete, gaben OneTaste-Mitglieder wortwörtlich wieder, wie Gedanken, die auf einem See kreisförmige Wellen ziehen.

An den Rest dieser ersten kurzen Begegnung erinnere ich mich kaum, vielleicht weil ich vor allem versuchte, mich zu behaupten und nicht dem allgemeinen Taumel zu erliegen. Der einzige Taumel, nach dem ich verlangte, war der im Schlafzimmer, und der hatte nichts mit Sprache und der Macht der Benennung zu tun.

Als sie gegangen war, wandte ich mich an Noah.

»Sie erinnert mich an eine historische Gestalt«, sagte ich. »Ich weiß – die griechische Helena. Das Gesicht, dessentwegen tausend Schiffe in See stachen.«

»In meinen Augen ist sie eher Hektor«, sagte er. »Der Krieger.«

Sowenig mir die Guru-Aura gefiel, die Nicole umgab, und ganz allgemein das Gruppendenken bei OneTaste, beides störte mich nicht genug, als dass ich meine Neugier verloren hätte. Durch meine Erfahrung mit Zwölf-Schritte-Gruppen hatte ich gelernt zu nehmen, was mir zusagte, und den Rest stehen zu lassen. Und es gab vieles, das mir zusagte. Je mehr ich über orgasmische Meditation lernte, desto klarer wurde mir, dass sie nicht einfach eine fünfzehnminütige Orgasmusübung war, sondern eine richtige Meditation. Genauso, wie man bei der Achtsamkeitsmeditation auf den Atem achtet oder bei der transzendentalen Meditation auf ein Mantra, so geht es bei der OM um die körperlichen Empfindungen, wenn ein Finger die Klitoris berührt. Nicole wollte dadurch die Achtsamkeit bei der Sexualität steigern, sodass sie einem mehr Kraft geben konnte. Und obwohl bei OneTaste bisweilen auch eine männliche Version der OM angeboten wurde, bei der man den Penis streichelt, ging es vor allem um die Klitoris, und zwar aus einem bestimmten Grund: Frauen fiel es schwerer, ihrem Verlangen Ausdruck zu verleihen und entsprechend zu handeln. Wenn aber die Begierde der Frau durch die OM erschlossen werden konnte, profitieren beide Partner davon. Nicole propagierte die OM als Ausgleich zu dem, was sie als das Pornomodell von Sex bezeichnete: Penisgesteuert, mit viel verbaler Gymnastik und Phantasie, in hohem Tempo und mit großem Druck. Sie behauptete, dass

Frauen ebenso viel Sex wollten wie Männer, nur nicht den Sex, »der auf der Speisekarte steht«. Porno-Sex eben.

Um ehrlich zu sein wollte ich beides: sowohl den ruhigen, auf die Klitoris konzentrierten Sex, den ich regelmäßig mit Scott genoss, und den schnellen, deftigen, verbalerotischen Sex, wie ich ihn mit mehreren Liebhabern erlebt hatte. Der erste war körperlich angenehm, doch fehlte ihm eine gewisse Durchschlagskraft. Der zweite gab mir das Gefühl, hergenommen zu werden, doch die Befriedigung war eher psychischer als physischer Natur.

Und auch auf meine Phantasien wollte ich nicht verzichten. Manchmal, wenn ich kurz vor dem Orgasmus und in der richtigen Stimmung war, trieb ich mich über die Klippe, indem ich mir einen gigantischen Schwanz vorstellte, der häufig einem schönen Schwarzen gehörte, und ein oder zwei Frauen, die ihn mit mir teilten. Als ich älter wurde, stellte ich fest, dass die Männer in meinen Phantasien mit mir alterten, die Frauen aber blieben unweigerlich jung und knackig. Sie waren körperlich in der Blüte und bereit, ins Leben zu starten, ihre überschäumende sexuelle Energie war kein Vergleich zu meinem labilen Auf und Ab. Diese Phantasiegestalten sahen nie aus wie jemand, den ich kannte – nichts als Sixpacks und Spray-Bräune –, und je nach Bedarf fügte ich weitere Spieler hinzu. Ich fand es zwar oberflächlich, mit derartigen Klischees zu phantasieren, und fast schämte ich mich dafür, aber ich behielt diese Figuren trotzdem als imaginierte Freunde in meinem Repertoire bei, nur für den Fall. Meine Orgasmus-Feen.

Ziel der OM war, all diese zusätzlichen Ebenen zu entfernen und das Erleben auf reine Empfindung zu beschränken. Ich fragte mich, was die OM mich wohl über meine launische kleine Klitoris lehren konnte, die an manchen Tagen innerhalb weniger Minuten zum Höhepunkt kam, an anderen scheu und zurückgezogen war und dann wieder derart empfindsam, dass ich eine Berührung anfänglich kaum ertragen konnte, nicht einmal die meiner eigenen Finger. Und mich interessierte ihr Verhältnis zu meinem Kopf und meinem Herz: dass ich bei Alden so schnell gekommen war, bei anderen aber nur selten, dass ich einen Orgasmus hatte, sobald ich Andrew wie eine Domina bestiegen hatte, obwohl ich geglaubt hatte, hergenommen werden zu wollen. Wurde mein Orgasmus von Hormonen bestimmt, von emotionalen Gegebenheiten oder von etwas ganz anderem Geheimnisvollen? Bald tat ich genau das, was ich Noah geschworen hatte, nie zu tun: Ich zog in einem Raum voller Menschen mein Höschen aus.

Ich meldete mich zu dem Body-Workshop an, bei dem man die OM lernte. Als Partner wurde mir ein nett aussehender Mann Mitte vierzig zugeteilt. Noah zeigte den Teilnehmern, wir waren etwa dreißig, wie man das sogenannte Nest für die OM baut: die Yogamatte auf den Boden, ein Kissen für den Kopf, Knierollen und eine Decke, dazu ein kleines Handtuch, Gummihandschuhe und ein Gefäß mit dem OneTaste-eigenen Gleitmittel.

Als das Nest gebaut war, ging es ans Ausziehen. Gleichzeitig kamen die weißen Oberschenkel aller Frauen zum Vorschein, wodurch es mir viel leichter als erwartet fiel, meine Jeans auszuziehen. Ich faltete sie zusammen, streckte mich auf der Matte aus, streifte rasch das Höschen ab und legte die Beine mit gespreizten Knien auf die Rollen; meine Hände lagen auf meinem Bauch. Mein Partner saß rechts von mir und zog die weißen Handschuhe an. Noah zückte sein iPhone, das er als Stoppuhr benutzte, und wir konnten anfangen.

Mein Partner gab Gleitmittel auf seinen Finger und verteilte es sanft auf meiner Klitoris, dann bewegte er ihn ganz sacht über ihren oberen Rand. Ich schloss die Augen und konzentrierte mich. Es war ein angenehmes Gefühl, so, wie auch eine leichte Brise oder die Wärme der Sonne es vermittelt, mehr nicht. Ab und zu löste ein Streicheln ein Rippeln tieferer Lust aus, das eine Minute an Intensität gewann, um dann auf dieser Ebene zu bleiben. Noah ging zwischen den Paaren umher und gab den Streichelnden Ratschläge, um die Bewegungen möglichst langsam und leicht auszuführen. Der eigentliche Luxus war mentaler Art: kein Druck, kein Ziel. Ich stöhnte nicht, ich strengte mich nicht an, ich sagte nichts und tat auch nichts. Ich lag einfach nur da und spürte. Nach fünfzehn Minuten läutete Noah die Meditationsglocke. Ich setzte mich auf, und mein Partner und ich tauschten uns über unsere Empfindungen aus, die OM-Nachbereitung, die »Rahmen« genannt wurde.

»Mein Finger und der Unterarm waren voll Energie, fast, als würden sie mit Strom aufgeladen«, sagte er.

»Bei mir hat sich ein warmes Gefühl aufgebaut und von der Klitoris aus ausgebreitet, und da hat es sich dann eingependelt.«

Als ich meine Jeans wieder anzog, dachte ich an meinen vorletzten Abend mit Alden. Ich hatte in Twin Peaks in seinem Schoß gelegen, die Beine geöffnet, während er mich schweigend, kaum merklich berührte – eine Berührung, die fast identisch war mit derjenigen von gerade eben. Aber Alden hatte in mir etwas ausgelöst, das ich eine spirituelle Erfahrung nennen musste, während die OM mir ausschließlich angenehme Gefühle bereitet hatte.

Nach Aussage Nicoles ging es bei der OM um genau einen solchen neutralen, freundlichen Austausch, eine Art Klitorisübung, bei der man Empfindungen ohne emotionale Verwicklungen und ohne Kontext erfahren konnte. Aber der Reiz von körperlicher Lust ohne Kontext, ohne Hintergrund oder Geschichte, entzog sich mir.

Natürlich bat ich Scott, orgasmische Meditation mit mir zu probieren. Nicht, dass er weitere Lektionen über das Funktionieren meiner Klitoris brauchte, aber ich wollte herausfinden, was ich bei einer derartigen Aufmerksamkeit von jemandem empfand, zu dem ich Vertrauen hatte.

Ich wartete einen Sonntagnachmittag ab, ein Tag, an dem wir uns oft liebten. Ich lag auf dem Bett und las, während er duschte. Als er ins Schlafzimmer kam, legte ich das Buch beiseite und versuchte, mein auf langjähriger Erfahrung beruhendes Gefühl zu überwinden, dass es ohnehin unnütz sei, ihm etwas Neues vorzuschlagen.

»Weißt du noch, als du sagtest, du hättest eigentlich keine Lust, mich zu OneTaste zu begleiten, aber ich sollte ruhig hingehen und dir erzählen, was ich lerne?«

»Ja«, sagte er, legte das Handtuch fort und schlüpfte in eine Boxershorts.

»Wie wär's, wenn wir orgasmische Meditation probieren? Das haben wir im letzten Workshop gelernt. Ich könnte es dir zeigen.«

Er kratzte sich an der Nase. Mit einem Blick in sein Gesicht wusste ich, dass er nach einer Ausflucht suchte. Am liebsten hätte ich geschrien, aber ich schwieg.

»Wenn du möchtest«, sagte er.

Ich legte mich richtig hin, steckte mir Kissen unter die Knie und zeigte ihm, wo er sitzen und welchen Finger er mit dem Gleitmittel verwenden sollte.

»Dieser kleine Wulst hier rechts, ein Uhr dreißig, wenn du von vorne drauf schaust, ist angeblich die empfindsamste Stelle«, sagte ich.

Es war erstaunlich, wie befangen ich meinem eigenen Mann gegenüber sein konnte. Ich war mir nicht sicher, ob das auf meine pathologische Abneigung gegenüber Intimität zurückzuführen war oder ob seine Hemmungen auf mich abgefärbt hatten. Aber da womöglich ich die Ursache des Problems war, blieb mir wie immer nichts anderes übrig, als es wieder einmal zu versuchen.

Er fing an, die Stelle zu streicheln, richtete den Blick nicht auf mein Gesicht oder meine Möse, sondern auf eine Stelle einen halben Meter entfernt. Ich schloss die Augen.

»Nicht ganz so fest«, sagte ich. Bei OneTaste nannte man das »um eine Anpassung bitten«. Tat ich das beim Vögeln zu oft, wurde Scott fast ungehalten. »Wenn du das machst, ist meine Stimmung dahin«, hatte er einmal gesagt. Aber ich dachte mir, dass es in diesem Fall etwas anderes war, schließlich machten wir ein Experiment.

Ein paar Sekunden streichelte er mich leichter, dann kehrte er zu seinem ursprünglichen Druck zurück.

»Nicht so fest«, sagte ich und wich mit dem Becken unwillkürlich einen Zentimeter zurück.

Seine Reaktion wiederholte sich – zuerst weniger Druck, dann wieder so fest, wie es ihm behagte. Ärger stieg in mir auf, gefolgt von Angst, den Ärger zu äußern, und dann Traurigkeit. Schließlich meldete ich mich innerlich ab und wartete auf das Ende der fünfzehn Minuten. Dabei versuchte ich nach Kräften, das Gefühl zu unterdrücken, ich wäre gescheitert. Als die Zeit um war, setzte ich mich auf und seufzte. »So richtig hast du dich nicht darauf eingelassen«, sagte ich.

Er zuckte mit den Achseln. »Eigentlich habe ich keine Lust, dasselbe zu machen wie das, was du mit den Typen bei OneTaste machst.«

»Aber du wolltest auch nicht zu OneTaste mitkommen. Du hast mir gesagt, ich soll allein hingehen.«

»Ach, Liebling«, sagte er. »An manchen Tagen habe ich das Gefühl, dass ich damit weitermachen kann, und an anderen Tagen glaube ich, dass ich auch etwas anderes machen könnte.«

»Und mit ›damit‹ meinst du unsere Ehe.«

»Ja.«

Ich spürte, dass er mich am liebsten wieder zu der Frau machen wollte, deren Bedürfnisse nicht erfüllt wurden und die das meist lächelnd hinnahm, die einfach alle zwei Jahre in die Luft ging und eine Scheidung verlangte, nur um die Worte sofort zurückzunehmen. Oder sprach sich da ein Teil von mir selbst dafür aus, dass ich mich mit der Situation abfinden sollte? Das wusste ich nie genau.

Es erschien mir unmöglich, das, was ich wollte, von einem einzigen Mann zu bekommen. Sicherheit und Liebe gab mir Scott, Erfüllung und Intensität fand ich bei Alden, kindliche Freude und Abenteuer erlebte ich mit Paul. Und überreichlich zielungerichtete klitoriale Aufmerksamkeit bekam ich von Fremden bei OneTaste. Vielleicht hatte Nicole recht, vielleicht war das Problem wirklich die Monogamie. Wahrscheinlicher allerdings war, dass die Buddhisten recht hatten: Die Wünsche und das Begehren selbst sind das Problem, die Wünsche, die ständig neue Blüten treiben, die sich verästeln und zu faszinierenden Mustern ranken, um uns nicht aus ihrem Griff zu lassen.

Aber vor der Schlussfolgerung schrak ich zurück, ebenso wie vor meiner automatischen Reaktion, mich wieder in meine alte Rolle einzufinden und Wohlverhalten zu zeigen. Mein Verlangen mochte ja verworren sein, aber ich hatte die Absicht, ihm bis zum Ende zu folgen.

Nicole bereitete es offenbar keine Schwierigkeiten, die Buddhisten mit den von Wünschen geleiteten Massen zu vereinen. Beim Mind-Workshop saßen zwei Dutzend von uns in einem Kreis am Boden, während sie stundenlang sprach. Mittags bat sie einen safrangelb gekleideten Mönch, mit uns zu meditieren. Offenbar wollte sie, dass sich die orgasmische Meditation ebenso konsequent auf einen einzigen Punkt ausrichtete, wie man es beim Buddhismus kennt. Allerdings war ich nicht in ein Zentrum für sexuelle Weiterbildung gekommen, um mir schon wieder die Lehren eines zölibatären Mannes anzuhören. Als Nicole referierte, man solle seinen gesamten Körper bewohnen, hob ich die Hand, deutete auf den schweigenden Mönch und fragte: »Bewohnt denn er seinen gesamten Körper?«

Sie zögerte. »Du«, sagte sie, deutete auf mich und verengte die Augen. »Du hast einen scharfen Verstand. Mir gefällt deine Denke.« Immer wieder entwaffnete sie mich mit einer viel freundlicheren Antwort, als ich es erwartet hätte. An ihre Antwort auf meine Frage kann ich mich nicht erinnern, nur an die innere Wärme nach ihrem Kompliment.

Bei einem anderen Workshop lagen wir auf dem Rücken und machten holotrope Atemarbeit: Zu Trommelmusik, die aus den Lautsprechern drang, atmeten wir mehrere Minuten schnell und tief ein und aus. Durch das Hyperventilieren begann sich der Raum bald zu drehen, meine Gliedmaßen wurden taub. Die Leute um mich her hämmerten auf den Boden, tanzten wie wild und schluchzten. Ich geriet in einen leicht psychedelischen Rausch, bis ich schließlich auf der Seite lag und lautlos weinte, weil meine Mutter mir fehlte. Dieses Gefühl ließ ich sonst selten zu.

Zu den grundlegenden Thesen bei OneTaste gehört, dass alle Beziehungen und jede Kommunikation ein Spiel sind, und zwar ein endloses Spiel. Dieser Ausdruck geht auf das Buch *Endliche und unendliche Spiele* des Religionsgelehrten James Carse zurück, mit dem wir uns einmal einen ganzen Samstag beschäftigten. Laut OneTaste haben Beziehungen keinen Anfang und kein Ende, sie kennen auch keine Gewinner und Verlierer, vielmehr sind sie unendlich, und die Regeln, die sich beständig aus ihnen herausbilden, entstehen ausschließlich zum Zweck des Spielens. Einer der wesentlichen Glaubenssätze lautet: »Wir sind verbunden, gleichgültig, was passiert.« Beziehungen werden wie Materie gesehen, die nie vergeht, sondern lediglich die Form verändert.

Einige Gedanken bei OneTaste sprachen mich sehr an, während mir andere recht beliebig erschienen. Erstaunlicherweise fühlte ich mich aber fast immer leicht und wach, wenn ich OneTaste verließ, als wäre ich innerlich gereinigt, gleichgültig, ob ich der jeweiligen These zustimmte oder nicht. Was immer die Workshops bei mir bewirkten, die verbale und körperliche Intimität belebte mich.

19.

Yin und Yang

Ellen und ich saßen in Pacific Heights mit einem halben Dutzend Freundinnen am Esstisch, allesamt Designerinnen und Moderedakteurinnen um die vierzig. Am besten gefiel mir Monica, die aus Brasilien zu Besuch war. Als Pointe ihrer langen Schilderung über das Scheitern ihrer letzten Beziehung sagte sie: »Dabei will ich doch nur einen, der mich an den Haaren zieht und mir auf den Hintern klapst! Ist das wirklich zu viel verlangt?« Alle lachten.

Nach dem Essen stand ich mit Monica allein am Spülbecken in der Küche. »Ich weiß, was du mit dem Haareziehen und dem Hinternklatschen meinst«, sagte ich.

»Für mich ist das der Club. Die Mädels, die's ein bisschen derber mögen.« Sie zwinkerte mir zu.

»Ich glaube, zu dem gehöre ich auch.«

»Natürlich tust du das. Das tun alle willensstarken Frauen.«

»Nichts zu Abwegiges, nur eine kleine Demonstration der Stärke. Ich will wissen, ob er Manns genug ist, mir Klapse zu verpassen. Verstehst du, was ich meine?«

»Du willst wissen, ob er es mit dir aufnehmen kann.«

»Genau. Und die Verbalerotik. Ich will hören, dass er sich keine inneren Zwänge auferlegt.«

»Ja, der Letzte war mucksmäuschenstill.« Missbilligend schüttelte sie den Kopf.

»Aus irgendeinem Grund treffe ich im Moment jede Menge Verbalerotiker.«

»Du Glückliche! Schick doch ein paar bei mir vorbei.«

Ich stellte mir vor, dass jetzt irgendwo an einer Universität oder in einem Thinktank eine feministische Dozentin, eine intelligentere und weniger egozentrische Frau als Monica und ich, ungehalten unser regressives Bedürfnis anprangerte, Unterwerfungsphantasien auszuleben, nachdem wir endlich echte emotionale und finanzielle Macht errungen hatten. Diese Frau rief mir die afrikanischen Mädchen in Erinnerung, die noch immer eine Klitorisbeschneidung erdulden müssen, und die vermeintlichen Ehebrecherinnen, die auf Marktplätzen in Afghanistan gesteinigt werden. Und was taten wir, die Frauen im Westen, die sich von allen Frauen weltweit am glücklichsten schätzen durften? Wir ergingen uns in kleinen Machtspielchen, anstatt unseren Schwestern beizustehen.

Diese afghanischen Frauen, die sich unter ihren Burkas versteckten, verfolgten mich auch auf andere Art. Manchmal, während ich ein Posting auf Nerve.com beantwortete oder zu einem Sex-Workshop bei OneTaste fuhr, durchzuckte mich eine Ahnung von körperlicher Gefahr. Wenn ich nicht weiter darauf achtete, war sie kaum wahrzunehmen, aber wenn ich mich darauf einließ, wurde ich mir einer erschreckenden Wahrheit bewusst: In ebendiesem Moment wurde irgendwo eine Frau dessentwegen, was ich hier gerade beiläufig machte, misshandelt oder sogar umgebracht. Es war reiner geografischer und historischer Zufall, dass ich ausgerechnet hier lebte, an einem der relativ wenigen Orte auf der Welt, an dem ich gefahrlos die Grenzen des Ehebruchtabus ausreizen konnte, eines Tabus, das so tief in der Gesellschaft verwurzelt war, dass Frauen seit Jahrhunderten deswegen verstoßen, gefoltert und ermordet wurden.

Ich war neun, als mein Vater seine Drohung meines

Wissens zum einzigen Mal wahr machte und meine Mutter schlug. Ich war nicht dabei, aber als mein Großvater sie ein paar Stunden später in seinem Wagen vom Krankenhaus nach Hause brachte, stürzte ich die Treppe hinunter zu ihr und sah die Reihe dicker schwarzer Stiche, mit denen die geschwollene Haut über ihrem Auge zusammengenäht war. Fünf Zentimeter schwarzer, blutverkrusteter Fäden. Meine Welt bekam einen Riss und offenbarte die Wahrheit – die entsetzliche Kraft hinter seiner Wut, die Kraft des Stärkeren, sich durchzusetzen. Meine Eltern stritten sich tagtäglich über alles Mögliche. Bei diesem Streit allerdings hatte er ihr vorgeworfen, ihn zu betrügen.

Ich nahm meinen Wunsch, auf den Hintern geklatscht und an den Haaren gezogen zu werden, also nicht auf die leichte Schulter. Wenn ich am Freitagabend unser Haus in der Sanchez Street betrat, blieb ich manchmal reglos im Flur stehen und wartete, dass Scott zu mir kam, und dann beobachtete ich seinen Gang und seine Miene und fragte mich, ob er sich noch einen weiteren Tag mit mir abfinden würde oder ob heute der Tag war, an dem er ein Machtwort sprechen würde. Wenn er mich dann unweigerlich an sich zog, schlang ich die Arme um seine Taille – überrascht, glücklich, schuldbewusst, beschämt.

Bald nachdem Alden den Kontakt zu mir abgebrochen hatte, meldete ich mich bei der Online-Gruppe Deida Connection an, einer Art kleinem, persönlichem Facebook mit nur rund zweihundert Mitgliedern. Auf der Homepage wurden Foren zu verschiedenen Themen angeboten, etwa wie man die weibliche Ausstrahlung stärkte, wie man der männlichen Zielstrebigkeit folgte und wie man sich durch Deidas drei Beziehungsstadien hindurch entwickelte: Abhängigkeit, Unabhängigkeit, Polarität. Zumindest meines Wissens trat Deida selbst auf dieser Site nie in Erscheinung, aber es wurde viel aus seinen Büchern zitiert. »Das Weibliche will gesehen und verehrt werden«, schrieb Deida. »Es will sich öffnen.«

Wann immer ich mich einloggte, fühlte ich mich jedes Mal wieder ebenso angezogen wie abgestoßen, angefangen mit Deidas Unterteilung in maskulines Bewusstsein und weibliches Licht. Wenn ich in aller Ruhe nach meinem weiblichen Kern suchte, um herauszufinden, ob er tatsächlich existierte, konnte ich ihn mühelos orten: In der Mitte meines Körpers schimmerte eine Präsenz. Sie zog sich nicht die Wirbelsäule hinauf, sondern weiter vorne, von der Vagina durch den Bauch und weiter durch das Herz zum Hals. Den Kopf erreichte sie nicht, sondern pulsierte mit ihrer eigenen Bewusstheit, als wären die Gehirnfunktionen in den Bauch hinabgewandert. Sie streckte ihre Fühler in alle Richtungen aus und suchte nach Lust, nach Verbindung, nach Trost. Sie war vom Instinkt geleitet, aber nicht wahllos, und ihre Zärtlichkeit wurde von großer Wahrnehmungsschärfe und einem ausgeprägten Gerechtigkeitssinn gezügelt.

So erlebte ich die Ausprägung meiner Weiblichkeit in meinem eigenen Körper, und sie war alles andere als Licht. Im Gegenteil, sie war der Inbegriff von Dunkelheit, wie dunkle Erde, die Tiefen des Meeres und des Alls. Wie war Deida auf den Gedanken gekommen, das Weibliche als Licht zu bezeichnen? Und woher wollte er das wissen, wo er doch einen männlichen Körper bewohnte?

Zudem zweifelte ich an seiner rein Freud'schen Orgasmustheorie. Seiner Ansicht nach war der klitorale Orgasmus nett, aber unterentwickelt. Der vaginale – also vom G-Spot ausgehende – Höhepunkt war intensiver und befriedigender. Der Heilige Gral allerdings war der Cervix-Orgasmus, eine in der Gebärmutter und im Herzen empfundene Explosion, die man erst nach mindestens einer Dreiviertelstunde ununterbrochenem Geschlechtsverkehr mit einem sehr versierten Partner erfahren konnte. Diese Art Grenzen sprengender Kulmination konnte einem »Gott durch Vögeln öffnen«, um mit Deida zu sprechen. Ob die vaginalen Höhepunkte, zu denen ich mit Scott und Alden gekommen war, vom G-Spot oder vom Gebärmutterhals ausgegangen waren, wusste ich nicht. Aber sie waren tatsächlich bedeutsamer und hatten etwas verändert, hatten meine Beziehung zu dem jeweiligen Mann im Bruchteil einer Sekunde vertieft.

Ich vertraute Deida fast ebenso wenig wie jedem anderen Mann, der sich über den weiblichen Orgasmus äußerte, aber ich sehnte mich so sehr nach dem, was er beschrieb, dass ich ihn nicht ohne Weiteres abtun konnte. Immer wieder kehrte ich zu seiner Bemerkung zurück, das Weibliche sei berufen, zu lieben und gesehen zu werden. Ich dachte an die Männer, bei denen ich die Rolle der Gebenden und des Objekts der Begierde gespielt hatte. Was mir an meinem Projekt vor allem gefiel, war, das gierige Verlangen der Männer zu stillen, als wäre ich die kostbarste Ressource. Die Bestätigung, die mir das gab, ging weit über Eitelkeit oder bewusste Objektivierung hinaus, sondern war für mich urzeitlich und gab mir Kraft.

Womöglich war Deidas Weltsicht nichts weiter als ein von Tantra bemänteltes Konstrukt, um das post-feministische Ego all jener Männer wiederaufzubauen, denen es schwerfiel, mit den vielen unterschiedlichen Aspekten einer Frau umzugehen und nicht nur mit den feuchten, weichen Teilen. Aber ob es mir gefiel oder nicht, in einer Hinsicht hatte Deida recht: Ich wollte mich öffnen.

20.

Golden Gate

Liam war mir bei OneTaste schon ein paarmal aufgefallen – durch sein Aussehen zog er alle Blicke auf sich –, aber eben wegen dieses Aussehens hatte ich nicht weiter auf ihn geachtet. Den Kapitän der Football-Mannschaft, den Beau der Klasse, den begehrtesten Junggesellen, die hatte ich noch nie auf meinem Schirm gehabt. Ihre ganze Pracht und Herrlichkeit schüchterte mich ein, also ignorierte ich sie.

Als Liam mich auf Facebook befreundete – auf dem Profilfoto waren seine Züge noch kantiger, seine Augen noch glutvoller – und sich dann bei OneTaste mit mir unterhielt, dachte ich mir nichts dabei. Dort flirteten alle miteinander, machten OM und knutschten herum. Außerdem war er fünfundzwanzig. Leute, die nichts von OneTaste wussten, dachten immer, dass sich dort alte und verzweifelte oder jüngere und schüchterne Männer einfanden, um die Geschlechtsteile mittelmäßig attraktiver Frauen zu berühren. Sie täuschten sich. Es wimmelte vor gut aussehenden, gut verdienenden Männern unter dreißig und ihren weiblichen Pendants: langhaarige Schönheiten, die auf dem Heißen Stuhl von ihren Weltreisen sprachen, unter ihren Kragen und Ärmeln lugten Tätowierungen hervor. Ein paar sahen sogar zu jung aus, um überhaupt dort zu sein; sie stürzten sich kopfüber in eine Sexualität, die noch nicht ganz ausgebildet war. Verdammt, *meine* Sexualität war noch nicht ganz ausgebildet, und ich war vierundvierzig.

Auf Facebook unterhielten Liam und ich uns über Musik. Wir chatteten. Er schickte mir mehrere iTunes, ich schickte ihm welche zurück. Er war gerade erst Küchenchef geworden, seine Eltern hatten ihn liberal erzogen, er war in Los Angeles aufgewachsen und meditierte, seit er ein Teenager war. Experimentelle Kommunen waren für ihn nichts Besonderes.

Er flirtete, zog sich zurück, flirtete, zog sich zurück. Erst kurz vor Weihnachten lud er mich schließlich zum Essen ein. Ich traf ihn bei mir vor dem Haus, und dann gingen wir ein paar Blocks weiter zu einem Thai-Restaurant. Ich bestellte ein Glas Wein, er ein Kännchen Tee. Er trank nicht.

»Ich leide unter Panikattacken«, erzählte er beiläufig, »und durch Alkohol werden sie schlimmer.« Ich hatte neununddreißig werden müssen, um über meine Panikattacken sprechen zu können, ohne mich zu schämen.

»Die habe ich, seit ich zwölf bin«, sagte ich. »Heftig. Ich wache dann mitten in der Nacht auf.«

»Mit Schwitzen und Kotzen und allem Drum und Dran?«

»Schwitzen, entsetzliche Übelkeit, Herzrasen. Wenn ich mich aufsetzen oder aufstehen will, falle ich in Ohnmacht. Und hinterher friert es mich ganz furchtbar. Wenn mich friert, weiß ich, dass es vorbei ist.«

»Also, ich kotze. Das ganze Programm. Das kann Stunden dauern.«

»Wenn man einen solchen Anfall hat, fühlt man sich manchmal schrecklich einsam«, sagte ich. »Wenn du mal bei einem Hilfe brauchst, kannst du mich gerne anrufen.«

»Danke. Manchmal glaube ich, dass in meinem Körper einfach zu viel Energie steckt. Zu viele Empfindungen.«

Es kam mir seltsam vor, einen derart athletisch wirkenden Mann von so großer Verletzlichkeit erzählen zu hören. Er steckte voller Gegensätze. Er interessierte sich für Zen-Meditation ebenso wie für Sinnlichkeit. Neben seiner Empfindsamkeit hatte er auch etwas Verwegenes. Als ich ihn fragte, ob ihm ein Song gefallen habe, den ich ihm geschickt hatte, sagte er: »Ja, obwohl mir Musik besser gefällt, wenn ich sie selbst entdecke.«

Als wir nach dem Essen bei seinem Wagen angekommen waren, fragte ich: »Und wohin fährst du jetzt?«

»Nirgends. Ich möchte raufgehen und deine Wohnung sehen.«

Das war der Moment, in dem die reife Vierundvierzigjährige, die Liam bemutterte, Platz zu tauschen begann mit der aufgeregten Achtzehnjährigen, die ihr Glück nicht fassen konnte.

Er setzte sich aufs Bett. Ich legte Wilcos *A Ghost Is Born* in den CD-Spieler, übersprang ein paar Tracks bis zu »Muzzle of Bees« und ließ mich auf das kleine Sofa gut einen Meter von Liam entfernt fallen. Schweigend hörten wir zu, wie sich der Song vom kontemplativen Anfang langsam zu mitreißenden Gitarrenklängen aufbaute. »Hör dir das an«, sagte ich und hob den Zeigefinger, als Nels Cline das Schlusssolo anstimmte. Liam schloss die Augen und öffnete sie erst wieder, als der Song zu Ende war.

»Wenn Elektrizität Sex haben könnte, würde das genau so klingen«, sagte er.

Ich lachte. »Das ist die beste Beschreibung, die ich für Wilco je gehört habe.«

Aber er wirkte angespannt, auf seiner Stirn bildeten sich Falten.

»Was ist los?«, fragte ich.

»Ich habe ein Problem.«

»Was für ein Problem?«

»Ich fühle mich total zu dir hingezogen, aber ich habe Angst, dass du mich hinterher nicht mehr gut finden könntest.«

Er fühlte sich total hingezogen. Zu mir.

»Und wieso sollte ich dich danach nicht mehr gut finden?«

»Weil ich nach dem Sex verschwinde. Wenn es um Frauen geht, will ich bekommen, was ich möchte, und dann die Fliege machen.«

Unwillkürlich musste ich lächeln.

»Liam, mir geht es genauso. Mach dir keine Gedanken. Ich lebe in einer offenen Ehe, ich bin noch verheiratet.« Ich hielt den Finger mit dem Ehering hoch.

Seine Miene entspannte sich.

»Aber ich werde nicht den ersten Schritt machen«, sagte ich. »Ich bin alt genug, um deine Mutter zu sein, und … ich möchte mir nicht als Cougar vorkommen.«

»Aber ich mag ältere Frauen.«

»Trotzdem.«

»Wir können das auch totreden.«

»Das wollen wir aber nicht.«

»Ich bin zu einem Entschluss gekommen«, verkündete er nach ein paar Sekunden Schweigen. »Ich gehe zu dir rüber.«

Er kam zu mir rüber. Irgendwie war es meinem mittelalten, sich der Sterblichkeit nähernden Selbst gelungen, meinem inneren Teenager diesen Adonis einzufangen. Mit jeder Sekunde wurde ich jünger.

Er setzte sich neben mich, nahm meine Hände und beugte sich über meine Lippen, ließ sich dann aber geschlagene zehn Sekunden Zeit, mich tatsächlich zu küssen. Das machte mich wahnsinnig. Seine Küsse waren forsch auf eine zaghafte, jugendliche Art. Als ich sein Kinn zu mir drehte und an seinem Ohr knabberte, begann er zu stöhnen.

»Ich muss zum Auto gehen und Kondome holen«, sagte er.

»Ich habe welche.« Ich griff zur Nachttisch-Schublade.

»Die passen nicht. Ich habe im Auto extragroße.«

»Oh.« Ich unterdrückte den Wunsch, in die Hände zu klatschen.

Als er zurückkam, war er etwas forscher und warf vier

schwarz verpackte Kondome mit goldener Aufschrift auf den Nachttisch. »Du riechst so gut«, sagte er und steckte die Hand unter meine Bluse. »Etwas Weicheres als dich habe ich noch nie gespürt.« Er zog sein Hemd aus, und ich starrte ihn an: makellos, adonisch. Wie viel Macht ein Körper doch ausübt, wie schnell er Verehrung hervorrufen kann.

»Fass mich an«, sagte er, und dann, nachdem ich das eine Weile getan hatte: »Sag mir, was ich tun soll.« Ich wusste nicht, was ich darauf erwidern sollte. Ehrlicherweise hätte ich sagen müssen: »Du brauchst gar nichts zu tun. Leg dich einfach hin und finde mich gut. Gib mir rückwirkend das Gefühl, nicht die Streberin zu sein, sondern der Klassenschwarm.«

Ich setzte ihn auf die Bettkante und kniete mich vor ihn. Während ich seinen Schwanz von der Spitze bis zur Wurzel erforschte, bedeckte er das Gesicht mit den Händen. »Alles, was du machst, ist perfekt«, sagte er. Ja, genau das wollte ich hören. Bald darauf packte er das Kondom aus und streifte es über. Er legte sich hin, ich setzte mich auf ihn, fast befürchtete ich, es könnte mir wehtun, aber das tat es nicht. Ich bewegte mich langsam, damit er nicht zu schnell kam. Zum ersten Mal überhaupt beim Vögeln fragte ich mich besorgt, wie wohl mein Busen aussah. Er setzte sich auf und schlang die Arme um meine Taille. »Du machst mich so an«, sagte er. Volltreffer. Sage und schreibe dreißig Jahre nach einer Jugend, in der ich mir nie hübsch genug oder schlank genug vorgekommen war, lag ich mit dem Idealbild eines Mannes im Bett, *und ich machte ihn an.* Er legte sich auf mich, hielt meine Hände fest und kam. Von Anfang bis Ende dauerte das Ganze zehn Minuten. Er war der einzige Liebhaber, bei dem ich mehr oder minder kein Wort sagte.

Und schon zogen wir uns an. Sofort bedauerte ich, nicht die Initiative ergriffen und dafür gesorgt zu haben, dass alles langsamer ging.

Ich legte noch eine CD auf. Ich spürte, dass er am liebsten sofort gehen würde. Als er gesagt hatte, er wolle eine schnelle Nummer, war mir nicht klar gewesen, dass er von einer Zeitspanne von zwanzig Minuten sprach. Er zog den Reißverschluss seiner Jacke zu, wies mit dem Kopf auf die Kondome und sagte: »Die lasse ich hier. Heb sie für mich auf, ja?«

Als die Tür hinter ihm ins Schloss fiel, war ich erregter als zuvor. Wenn es im Lauf des Projekts eine Begegnung gab, bei der ich mich hätte benutzt fühlen sollen, dann diese. Aber ich empfand das Gegenteil: als hätte ich ihn benutzt, und das nicht einmal besonders gut.

Auf Deida Connection freundete ich mich mit Frauen und Männern aus Skandinavien, Australien, Italien, Indien und überall in den Staaten an. Beim Browsen in den Profilseiten der Mitglieder stieß ich auf ein mir bekanntes Gesicht: Susans ehemalige Schwägerin Val, die jetzt geschieden war und in Los Angeles lebte. Ich hatte sie damals in Sacramento ein paarmal getroffen, und jetzt kamen wir online wieder in Kontakt. Ich entdeckte auch eine Frau aus Virginia, die ich durch Mama Gena kannte. Wie klein die Welt dieses Deida-Völkchens doch war. Eines Tages scrollte ich durch die Profilfotos, als meine Hand über der Tastatur stockte. Eine Nahaufnahme vom Unterarm eines Mannes mit einer eintätowierten Schlange. Ich klickte das Bild an, und Aldens Seite wurde geladen. Sie war leer: keine Angaben zur Person, keine Blog-Einträge, keine weiteren Fotos.

Ich nahm meine Hände von der Tastatur und blieb reglos sitzen. Allein schon beim Anblick der lilafarbenen Strudel seiner Tätowierung bekam ich Gänsehaut an den Armen, wurde mir eng um die Brust. Ich fragte mich, ob er wohl beim Browsen auch auf mein Foto gestoßen war und meine Blog-Einträge über Nicht-Monogamie gelesen hatte und dass mich gute Musik oft genauso erfüllte wie Sex.

Ich holte Aldens Nachricht aus meiner Kiste mit den Gebeten und las sie noch einmal. »Ich hoffe, du findest, wonach du suchst.« Ich steckte den Zettel wieder ins Kuvert, drehte es um und betrachtete die kleinen, engen Schnörkelbuchstaben des Absenders und meines Namens. Ich holte ein Zündholz-Briefchen und eine Edelstahlschüssel, steckte eine Ecke des Umschlags in Brand und ließ ihn brennend in die Schüssel fallen. Die schwarzen Ascheflocken schüttelte ich in einen Plastikbeutel, fuhr quer durch die Stadt zur Golden Gate Bridge, stellte den Wagen ab und ging zusammen mit den Sonntagstouristen auf die Brücke. Fußgänger benutzen die östliche, der Bucht und der Stadt zugewandte Seite, Radfahrer die westliche, die dem Pazifik zugewandt ist. Umgeben von Kindern, Eltern und Großeltern ging ich zur Mitte, auf sechs Spuren rauschte der Verkehr an uns vorbei. Nach knapp fünfhundert Metern forderte ein gelbes Notfall-Telefon potenzielle Selbstmörder auf, auf den großen roten Knopf zu drücken und um Hilfe zu rufen. »Es gibt Hoffnung«, heißt es da. »Ruf an.« Jedes Jahr ignorieren rund zwei Dutzend Menschen die Aufforderung und springen über die Brüstung, und das Letzte, was sie sehen, ist die endlose Skyline.

Nach einem knappen Kilometer drehte ich mich zur Stadt um, beugte mich so weit wie möglich über das Geländer und schüttete die Asche in den Gegenwind, der das Gros davon direkt auf mich zurückwehte. Nur ein paar Flocken trieben über die orangefarbene Brüstung hinaus auf das Wasser zu.

21.

Der Frauenkreis

Als ich fünfundzwanzig war, stieß ich im Frauenbuchladen im Zentrum von Sacramento auf ein kleines Buch mit dem Titel *Circle of Stones*. Darin standen lauter kurze Berichte von Frauen, die sich im Kreis zusammensetzten, um über ihr Leben zu sprechen. In den urzeitlich anmutenden Zeichnungen der Autorin saßen Älteste als Zeuginnen und Leitfiguren für Frauen, die in die Pubertät oder die Wechseljahre kamen, für Schwangere, für Frauen, die einen Verlust erlitten hatten. Zwischen den einzelnen Kapiteln waren Meditationen eingefügt, die jeweils mit der Frage begannen: »Wie anders wäre dein Leben verlaufen, wenn …?«

> Wie anders wäre dein Leben verlaufen, wenn es einen Ort gegeben hätte, den du als junge Frau hättest aufsuchen können, wann immer du dunkle Gefühle hattest? Und wenn in dieser Dunkelheit eine andere Frau, eine etwas ältere Frau, bei dir gewesen wäre … sodass du im Lauf der Zeit unter der Anleitung dieser Frau gelernt hättest, die Dunkelheit nicht zu fürchten, sondern ihr zu vertrauen … ihr zu vertrauen als dem Raum, wo du deinem eigenen innersten Wesen begegnen und ihm eine Stimme verleihen kannst? Wie anders wäre dein Leben, wenn du deiner eigenen Dunkelheit vertrauen könntest?

Diese Vorstellung verfolgte mich. Sie kam mir in meinen dunkelsten Stunden in den Sinn, wenn ich kurz vor einer Operation allein auf der Trage lag, wenn ich für meinen Vater in der Reha betete, wenn ich verzweifelt versuchte, nicht durch Angst ans Haus gefesselt zu sein. Vor meinem geistigen Auge sah ich eine Gruppe von Frauen, die sich in einer warmen Höhle nahe dem Eingang niedergelassen hatten, in der Ferne jenseits der Berge brach langsam die Dunkelheit herein. In dem Kreis saßen Mädchen, die gerade in die Pubertät kamen, Frauen in ihrer Blüte und dicke alte Frauen, die ihr silberweißes Haar zu langen Zöpfen geflochten hatten. Zwischen ihnen saßen meine Mutter, meine Großmütter und meine Urgroßmütter – nicht die lächelnden Frauen von Familienfotos mit frisch gelockten Haaren und geschminkten Lippen, hergerichtet für einen festlichen Anlass, sondern ihr innerstes Wesen, bar aller Zurschaustellung und aller gesellschaftlichen Konventionen, losgelöst von allen historischen Gegebenheiten. Die Frauen in der Höhle konnten alles ertragen. Kein Schrecken war zu vernichtend, keine Wahrheit zu schmerzlich, keine Wut zu gewaltig, als dass sie sie nicht auffangen konnten. Sie besaßen eine Weisheit, wie es sie sonst nirgends gab.

Über Jahrzehnte hinweg suchte ich immer wieder nach etwas mit dieser Höhle Vergleichbarem – Heilkreise, Gruppentherapiesitzungen für Frauen, Versammlungen von ausgeflippten Neopaganisten, die aussahen, als wären sie direkt von einem Renaissance-Jahrmarkt zu uns gekommen. Mit vierzig hatte ich die Suche aufgegeben. Offenbar war das, was ich mir wünschte, nicht zu finden: Ein Ort, an dem meine Gefühle nicht analysiert oder transzendiert, sondern einfach ausgesprochen und angenommen wurden. Ein Ort, an dem ich einen Aspekt des Göttlichen berühren konnte, der kein männliches Gesicht trug. Jahwe, Buddha, der AA-Gründer William Griffith Wilson, C. G. Jung, sogar Christus – jeder war auf seine Art großartig, aber zu jedem ihrer Systeme empfand ich unweigerlich eine gewisse Distanz.

Mir war es ernst mit meiner Suche, aber ich erzählte niemandem davon. Ich sehnte mich einfach insgeheim nach einer spirituellen Praxis, die von einer Frau betrieben wurde. Ich hatte ein Buch mit Kerzenzauberformeln einer halb verrückten ungarischen Hexe, eine Kopie der schwerbrüstigen Venus von Willendorf und das vage, aber sichere Wissen, dass ich irgendwie mit einem Ethos verbunden war, der älter war als jedes Regelwerk und jeder Mythos, den je ein Mann verfasst hatte. Ich hatte mich damit abgefunden, es dabei bewenden zu lassen.

Umso mehr überraschte es mich, dass ausgerechnet David Deida mich zu einem solchen Kreis führte, wenn auch indirekt. Zufällig hörte ich von einer seiner Assistentinnen namens Sabrina, die in San Francisco lebte und bei sich zu Hause Frauenzirkel abhielt. Wegen ihrer Verbindung zu Deida erwartete ich eigentlich, dass es bei ihren Sitzungen darum gehen würde, sich auf Männer zu beziehen, die Polarität zu verstärken oder etwas Ähnliches. Doch in dem Moment, in dem ich den großen Raum in ihrer Wohnung in Castro betrat, spürte ich, wie sich die metaphorische Höhle um mich schloss.

Auf dem Boden saßen im Kreis ein Dutzend Frauen auf bestickten Kissen. Farbenfrohe Darstellungen von Hindu-Göttinnen hingen an den orange gestrichenen Wänden, in der Mitte des Kreises stand die kleine schwarze Statue einer Fruchtbarkeitsgöttin, umhüllt von einem goldenen Schleier. Die Frauen waren zwischen zwanzig und Mitte sechzig, einige trugen Jeans, andere Yogahosen und ein geblümtes Oberteil. Im Hintergrund spielte leise Instrumentalmusik unterlegt mit Worldbeat.

Sabrina war Anfang fünfzig und die schönste Frau, die ich

je gesehen habe. Sie war asiatischer Abstammung, hatte die zierliche Figur einer Tänzerin, makellose kakaobraune Haut, glänzende schwarze Haare, dunkle Augen, volle Lippen und ein herzliches Lächeln. Ihre Ausstrahlung allerdings war gewaltig. So klein und zart sie auch wirkte, ihre Augen und ihre Haltung vermittelten eine ruhige Kraft. Ihre Stimme war tief und melodiös, und sie hielt beim Sprechen immer wieder inne, um sich langsam im Kreis umzublicken und jede Frau zu betrachten. Sie hatte etwas Katzenhaftes an sich.

Nachdem wir uns alle vorgestellt hatten, bat sie uns aufzustehen. Sie drehte die Musik lauter und forderte uns auf, zu atmen, den Kopf auszuschalten und uns nach Belieben zu bewegen. »Lasst die ganze Anspannung raus, die sich den Tag über in euch aufgestaut hat«, sagte sie. »Seid laut, ich will was hören.« Einige Frauen dehnten sich sanft, andere wiegten sich zur Musik. Als ich die Augen schloss, merkte ich sofort, wo ich verspannt war. Ich rollte die Schultern, ließ den Hals kreisen, beugte mich vor, um die Lendenregion zu lockern, und machte den Mund weit auf.

Nach dieser Entspannungsübung sah sich Sabrina im Kreis um und tat uns zu Paaren zusammen. Meine Partnerin war Natalie, eine Frau in etwa meinem Alter mit einem hübschen schmalen Gesicht und eckiger schwarzer Brille. Sie trug Jeans und ein langärmeliges T-Shirt. Sabrina forderte uns auf, uns gegenseitig anzusehen – nur in das linke Auge der anderen zu blicken, was die Konzentration erleichterte – und zu atmen.

Nach anfänglichem nervösem Gelächter fanden Natalie und ich uns gut in die Übung ein. Ohne die sonstigen Worte, Ausdrücke und Gesten suchte mein Kopf verzweifelt nach etwas, um sich zu beschäftigen. Immer wieder musste ich mich zwingen, zu Natalies Auge und meinem Atem zurückzukehren. Es war wie eine Meditation zu zweit. Nach ein paar Minuten trug Sabrina der Frau mit den lockigeren Haaren (ich) auf anzufangen. Ich sollte in Natalie hineinfühlen und ihr sagen, was ich in ihrem Herzen spürte.

Das machte mir Angst. Ich wusste nichts von Natalie, außer dass sie in East Bay lebte und keinen Ehering trug. Sabrina sagte: »*Fühlt* eure Partnerin, anstatt zu denken, anstatt sie abzuschätzen und zu analysieren. Spürt mit eurem eigenen Körper und eurem eigenen Herzen in ihren Körper und ihr Herz hinein. Habt keine Angst, dass ihr das Falsche sagen könntet. Wenn sie nichts dagegen hat, dürft ihr sie auch anfassen. Und jetzt fangt an, sagt ihr etwas.«

Ich kam mir vor, als müsste ich in ein Becken springen, nicht wissend, ob das Wasser seicht oder tief, warm oder kalt war. Ohne einen einzigen Anhaltspunkt holte ich Luft und sprang in Natalie hinein. Meine innere Aufmerksamkeit wanderte von ihren Augen zu ihrer Brust und ihrem Bauch. Ohne nachzudenken kamen die ersten Worte. »Du sorgst für viele Menschen«, sagte ich. Dann: »Du bist vielen eine Mutter.« Sobald ich einen Satz geäußert hatte, tauchte der nächste auf. »Deine Weisheit ist stark. Wegen ihr suchen andere Menschen dich auf.« Ihre dunklen Augen wurden feucht. Wenn ich meinen Verstand ausschaltete und meine Sinne auf Natalie richtete, sah ich sofort das Steife um ihr Kinn, die Traurigkeit in ihrem Lächeln, die Frustration, die sich in ihrem Hals verknotete. »Darf ich dich anfassen?«, fragte ich. Sie nickte. Ich legte meine Hände auf ihre Hüften und schob sie mit sanftem Druck nach links und rechts, dann legte ich ihr eine Hand auf den Bauch und die andere auf den unteren Rücken. Sie schloss die Augen.

»Ich glaube, deine Energie möchte hierher«, sagte ich. »Sie möchte fließen. Du hilfst anderen, das zu tun, und jetzt möchtest du dir selbst helfen.« Als ich ihre Hüften langsam nach links und rechts, nach vorne und hinten bewegte, ging sie in die Knie und ließ das Kinn auf die Brust sinken, sodass ihr das lange Haar ins Gesicht fiel.

Ich kann mich nicht erinnern, was Natalie anschließend über mich sagte. Aber ich weiß, als wir fertig waren, hatte sich mein Nervensystem derart entspannt, dass jeder noch so kleine Schmerz, jede kleine Anspannung und jede Sorge verschwunden waren. Natalie und ich umarmten uns, nicht auf die gesellschaftlich-freundliche Art oder die übertrieben empathische New-Age-Art, vielmehr war es eine lange, warme Umarmung von alten Freundinnen. Sie erzählte mir, dass sie Hebamme sei. Als wir alle wieder im Kreis saßen, fiel mir auf, dass auf dem Gesicht aller Frauen ein weiches, von Herzen kommendes Lächeln lag. Sie wiegten sich kaum merklich in einer belebenden Wärme, die den ganzen Raum erfüllte, eine Schar Meerjungfrauen, die in den einladenden Ozean zurückgekehrt war.

Das nächste Dreivierteljahr verbrachte ich jeden zweiten Montagabend bei Sabrina und erlebte die eine oder andere Variante dieser ursprünglichen Erfahrung mit Natalie. Einmal etwa durfte jede Frau zwei kurze Minuten über ihre Gefühle sprechen, dann nahmen wir sie in unsere Mitte und legten die Hände auf sie, während sie weinte oder stöhnte oder lachte. Wir tanzten, sangen, wälzten uns auf dem Boden und hämmerten mit den Fäusten. Dann machten wir zehn Minuten Pause, tranken schweigend Tee und aßen Obst. Wenn ich an der Reihe war, wurde ich meist ganz ruhig, senkte den Kopf und konzentrierte mich, bohrte immer weiter in die Tiefe nach dem, was dort vergraben lag. Bald kannte ich die profanen Schichten, die ich überwinden musste, um zur Wahrheit vorzudringen: die Müdigkeit von der Arbeit, die Last der Pflicht, Gereiztheit, Abwehr. Hatte ich mich durch das alles vorgekämpft, stieß ich unweigerlich auf kochende Wut, darunter auf Trauer, und darunter reines Sehnen, das sich sehr bald in Liebe auflöste. Die Energie konnte im Handumdrehen umschlagen, von animalischem Grollen zu unschuldigen Tränen. Einmal riss ich so heftig am Kragen meiner Bluse, dass ein paar Knöpfe absprangen. Ein anderes Mal stieß ich aus Versehen die Statue der schwarzen Göttin um, sodass ihr Schleier beinahe an einer Kerze Feuer fing.

In Sabrinas Kreis lernte ich, meine eigene Intuition wahrzunehmen. Es war ein Ziehen im Solarplexus nach links oder rechts, ja oder nein, wie eine Wünschelrute. Während chronische Müdigkeit mich gelehrt hatte, meine Gefühle still zu betrachten, lernte ich in diesem Kreis, wie ich sie ausagieren konnte. »Emotionale Energie wird nur zum Problem, wenn sie stecken bleibt«, sagte Sabrina. Anstatt Wut oder Trauer mit ausführlichen Erklärungen und Urteilen zu unterdrücken, brachte ich sie körperlich zum Ausdruck, was ganze dreißig Sekunden dauerte.

Hier entdeckte ich, was es bedeutete, Frauen zu vertrauen: Sie konnten nicht nur meine Geheimnisse für sich behalten, sich meine Probleme anhören und sich bei Cocktails angeregt mit mir unterhalten, sie konnten mir auch Kraft geben und sich von mir Kraft geben lassen. Mit ihnen drang ich zum tiefsten Inneren meiner selbst vor, in dem sogar die stärksten Archetypen nicht mehr existierten: Ehefrau, Geliebte, Mutter. Ich lernte, dass ich weder einen Mann noch ein Kind brauchte, um mich wirklich als Frau zu erfahren.

Als sich der 1. Februar näherte, hatte ich diese fundamentale Lektion jedoch noch nicht verinnerlicht, denn ich war im Januar das erste Mal bei Sabrina gewesen. Den 1. Februar hatten Scott und ich uns als Termin gesetzt, um unser Projekt neu zu überdenken, und ich war noch nicht bereit, es zu beenden. Wenn ich wieder monogam leben sollte, wollte ich vorher noch einige Erfahrungen machen, zum Beispiel, mit einer Frau zu schlafen und Sex zu dritt zu haben. Allerdings hatte ich Angst, Scott zu sagen, dass ich die Frist verlängern wollte. Eines Sonntags beim Frühstück in unserem Esszimmer nahm ich allen Mut zusammen und sagte: »Bis zum ersten Februar ist es nicht mehr weit. Was würdest du sagen, wenn wir die Frist auf den ersten Mai verschieben und das Jahr vollmachen?«

Er sah von seinen Eiern und seiner Zeitung auf. »Ja.« Er nickte. »Dagegen habe ich nichts. Der erste Mai ist gut.«

»Wirklich?«

»Ja. Ein Jahr ist eine schöne runde Sache.«

»Und dann ist Schluss«, sagte ich verblüfft.

»Ja, sicher, aber ich denke, dass es eine Eingewöhnungsphase geben wird. Es könnte eine Weile dauern, bis alles wieder normal läuft.«

Ich nickte, und er vertiefte sich wieder in seine Zeitung.

Das folgende Wochenende verbrachten wir in Yosemite, dem Nationalpark, den Scott über alles liebte. Er hatte ihn mir schon ziemlich zu Anfang unserer Beziehung gezeigt, und seitdem waren wir öfter wieder dort gewesen, immer im Winter, weil Scott im Sommer die Menschenmassen nicht ertragen konnte. Wir machten Schneewanderungen, saßen lesend am Kaminfeuer im prachtvollen Salon des Ahwahnee Hotels und aßen im Speisesaal mit den roh behauenen Deckenbalken und dem Blick auf den Half Dome. Auf dem Heimweg, während Scott draußen stand und tankte, piepste auf dem Armaturenbrett sein BlackBerry. Eine SMS von einer Nummer irgendwo in der Bay Area. Das Handy war keine zehn Zentimeter von meiner Hand entfernt. Ich brauchte nur auf eine Taste zu drücken, um zu sehen, wer ihm geschrieben hatte. Ein Foto von einer hübschen Rothaarigen in schwarzem Rollkragenpulli, schwarzem Minirock und schwarzen Heels erschien, sie saß mit übergeschlagenen Beinen da und drehte sich kokett, um ihre Kurven zur Geltung zu bringen. Ihr herzförmiges Gesicht mit der Porzellanhaut und den lächelnden roten Lippen wirkte etliche Jahre jünger als meines. Unter das Foto hatte sie lediglich geschrieben: *xo, Charly.*

Ich warf einen Blick nach draußen zu Scott, er befüllte

noch den Tank, sein Atem bildete in der Januarluft kleine Wölkchen. Ich drückte auf die End-Taste, auf seinem BlackBerry erschien wieder die Startseite, die kleine rote SMS-Anzeige verschwand.

Er hängte den Tankstutzen in die Säule und stieg in den Wagen, hauchte in die Hände, bevor er den Motor anließ. Dann fuhr er über den matschigen Parkplatz zu der kleinen Straße, die von Yosemite zur I-5 führt. Im Lauf der vergangenen achtzehn Jahre waren wir auf Hunderten solcher Nebenstraßen gefahren. Einmal waren wir am Wochenende der Sommersonnenwende in seinem uralten Dart Cabriolet von Sacramento durch Nevada bis nach Salt Lake City gefahren, weiter durch den Zion National Park nach Las Vegas und durch Kalifornien zurück, eine Schleife von 2400 Kilometern. Viermal waren wir in einem Wohnmobil quer durchs Land gefahren, durch siebenunddreißig Staaten, und jedes Mal hatten wir eine andere Route genommen.

Als wir durch die verschneiten Vorberge zur Ebene des Central Valley hinunterfuhren, legte ich meine Hand auf Scotts. Er lächelte.

»Ich freue mich auf heute Abend zu Hause«, sagte ich, lehnte den Kopf an die Nackenstütze und schloss die Augen.

Er drückte meine Hand. »Ich mich auch, Schnecke.«

22.

Die Kommune

Die meisten Menschen, die in einer Kommune leben, tun das eher aus hehreren Motiven als ökonomischen. Für mich allerdings war die billige Miete bei OneTaste – mit ganzen achthundert Dollar im Monat für ein eigenes winziges Zimmer nur die Hälfte dessen, was ich für das Apartment in der Bluxome Street bezahlte – der ausschlaggebende Faktor. Ich dachte mir, dass ich in der Endphase des Projekts zumindest die finanziellen, wenn schon nicht die emotionalen Belastungen für den gemeinsamen Haushalt reduzieren konnte.

Zu der Zeit waren sie bei OneTaste bereits von der offenen Form der Loftwohnung abgerückt, über die ich in der Zeitung gelesen hatte, und hatten neben dem Workshop-Zentrum in der Folsom Street ein dreistöckiges Hotel renoviert. Unter dem neuen Farbanstrich war die Eleganz des Vorkriegsgebäudes noch im Holz verkleideten Eingang und an den Türrahmen zu erkennen. Die Zimmer hatten unterschiedliche Größe, aber die meisten waren ähnlich wie meines, in das nicht viel mehr als ein Bett und eine kleine Kommode passten. Auf jedem Stockwerk gab es zwei altmodische Toiletten und ein neu installiertes Bad für beide Geschlechter, wo drei Personen gleichzeitig duschen konnten. Gegenüber von den Duschen stand ein langer Waschtisch mit Spiegeln.

An einem ruhigen Samstagnachmittag packte ich meine

wenigen Kleider und Bücher in mein Auto, verabschiedete mich vom Apartment in der Bluxome Street und fuhr mit Scott zu OneTaste, um meine Sachen auszuladen. Es war seltsam, mit ihm dort zu sein. An den Workshops nahmen viele Paare teil, monogame und andere, aber wann immer ich ihm vorgeschlagen hatte mitzukommen, hatte er abgelehnt. Anfangs hatte sein Desinteresse mich enttäuscht, aber mittlerweile war ich froh darüber.

Es waren nur wenige Leute im Haus. Scott schraubte gerade einen Kleiderständer zusammen und ich packte Kisten aus, als Roman an meiner offenen Zimmertür vorbeikam und stehen blieb. Er war erst achtundzwanzig, so groß wie Scott, aber kräftiger, und selbst seine bedrohlich wirkende Tätowierung am Hals konnte seinem Gesicht nichts von seiner Fröhlichkeit nehmen. Er trug eine farbverschmierte Jeans und derbe wildlederne Arbeitsschuhe. Einmal hatte ich teilgenommen, als Grace die männliche Variante der orgasmischen Meditation an Roman demonstriert hatte. Sie hatte reichlich Gleitmittel auf seinen Penis verteilt und ihn vorsichtig mit beiden Händen bearbeitet, bis er zu einer beeindruckenden Größe und Dicke angeschwollen war; unwillkürlich hatte sich Romans Oberkörper vom Tisch abgehoben, sein Kinn und sein Bizeps hatten sich völlig verspannt. Als wir uns hinterher über unsere Eindrücke bei der OM austauschten, hatte ich das erste Bild beschrieben, das mir in den Sinn gekommen war: »Der Urmensch, der aus dem Weltenschlamm aufsteigt.«

»Hi«, sagte Roman und lehnte sich an den Türstock.

»Hi, Roman«, sagte ich. Plötzlich klopfte mein Herz wie wild. Scott, den Schraubenzieher in der Hand, sah vom Kleiderständer auf.

»Roman, das ist mein Mann Scott. Roman wohnt hier mit seiner Verlobten.«

»Hallo.« Scott nickte.

»Schön, dich kennenzulernen, Scott«, sagte Roman. »Ihr gebt Bescheid, wenn ihr was braucht, ja?«

»Klar«, sagte ich. »Bis später.« Er ging weiter, und ich schloss die Tür.

»Wenn der Kleiderständer steht, können wir fahren, Liebling«, sagte ich. »Den Rest packe ich am Montag aus.«

Zu meinen nächsten Flurnachbarn bei OneTaste gehörten Joaquin, der sehr leise sprach und nach ein paar Jahren in Mexiko erst vor Kurzem nach San Francisco gekommen war, Hugh, ein guter Mensch mit breiter Brust und Bart, der Computerprogramme schrieb, und Dara, ein Wesen mit lila Haaren, sonorer Stimme und gehetztem Blick. Liam hatte ein Zimmer im oberen Stock, wo mehrere Lehrende wohnten, unter anderem auch Noah, dessen großes Eckzimmer das hellste im ganzen Haus war.

Als ich schrieb, dass Noah wie ein Rabbi aussah, meinte ich einen Rabbi, der noch keine vierzig war, jeden Tag ins Fitnessstudio ging und einen Schopf schwarzer Haare hatte. In seinem früheren Leben hatte er etwas mit Zahlen zu tun gehabt – er war Buchhalter, Börsenmakler oder etwas in der Art gewesen – und seinen gut bezahlten Job bei einer Firma aufgegeben, um Nicoles Vision zu folgen und sich um die praktischen Belange bei OneTaste zu kümmern. Noah machte seit vielen Jahren täglich OM, wenn also jemand etwas von der Technik verstand, dann er. Als ich in das Haus einzog, hatte ich schon eine private OM mit ihm in seinem Zimmer gehabt. Jetzt klopfte ich bei ihm an die Tür für eine zweite, die wir am Abend zuvor vereinbart hatten.

Noah war immer beschäftigt. Sein Notebook war unweigerlich aufgeklappt, ständig hatte er das iPhone in der Hand. Er kam ein paar Minuten zu spät, direkt von einer anderen OM, und öffnete uns die Tür. Ich ließ meine Tasche auf den Boden fallen und setzte mich auf seine dicke beigefarbene

Bettdecke. Das Nachmittagslicht warf Schatten durch den minimalistisch ausgestatteten weißen Raum, von draußen trieb das Rauschen des Verkehrs herein. Ich zog meine Jeans und das Höschen aus, legte mich auf die weichen Kissen und spreizte die Beine. Er saß rechts neben mir, nahm die Uhr ab und legte sie auf den Nachttisch neben ein Gefäß mit Gleitmittel. Er streifte ein Paar weiße Gummihandschuhe über und fuhr mit dem linken Zeigefinger in das Gleitmittel. Erst da schaute er zu mir. »Du bist soweit?«, fragte er.

Ich nickte. Er startete die Stoppuhr.

Zuerst musste ich mich dem üblichen Drang widersetzen, ihm bei seinen kleinen, zarten Streichelbewegungen zu helfen und meine Position unter seinem Finger zu verändern oder Geräusche von mir zu geben, um ihn zu ermutigen. Nach ein paar Minuten baute sich eine Empfindung auf, aber nicht wie sonst. Das beständige, fast gleichmäßige Streicheln weckte keine sexuelle Lust, wie ich es kannte, wenn dieser Teil meines Körpers eine Hand oder einen Penis streifte und dann danach verlangte, die Berührung zu wiederholen. Statt dieses allmählichen Auf- und Abwallens, durch das sich mein Geschlecht von selbst öffnete, verursachte Noahs beharrliche Fingerspitze eine rein physiologische Reaktion. Mein Atem ging schneller, die Muskeln in den Oberschenkeln zuckten. Alle paar Minuten steigerte sich der Druck so sehr, dass ich stöhnend den Rücken durchdrückte, einige Sekunden zog sich meine Beckenwand zusammen. Nase und Lippen prickelten, mir wurde schwummerig. Noah war in dem Moment eher ein Bodyworker als ein Liebhaber. Trotzdem klammerte ich mich mit beiden Händen an seinen linken Unterarm, spürte ein vertrautes Ziehen, ein verletzlicher Teil meines Selbst, der Zärtlichkeit für ihn empfand.

Plötzlich läutete sein Handy und riss mich wie aus einem Traum. Eine kristallklare, irrationale Wut stieg in mir auf, ich funkelte ihn an. Er hielt den Blick auf meine Möse gerichtet. Ich schloss wieder die Augen und versuchte, mich auf das Atmen zu konzentrieren, aber es ging nicht. *Verdammt, wenn wir während einer Vögel-InGroup unser Handy ausstellen müssen, dann solltest du, verdammt noch mal, deins vielleicht auch ausstellen, bevor du meine Klitoris berührst.*

Auf was zum Teufel hatte ich mich da eingelassen? Noah mit seinen gynäkologischen Handschuhen, der wie an einem Mösen-Fließband nach Stechuhr von einer OM zur nächsten rannte. Fick dich, Noah.

Wie es heißt, kommen bei einer OM häufig sehr starke Gefühle hoch. Konzentrier dich aufs Atmen. Achte nur auf die Empfindung.

Als die Stoppuhr nach fünfzehn Minuten klingelte, drückte Noah sacht auf mein Schambein, schaute mich an und lächelte.

»Wie oft müssen wir eine OM machen, bevor wir ficken können?«, fragte ich, als ich meine Jeans schloss.

»Zweimal«, sagte er. Gute Antwort.

»Sag mal«, fuhr er fort, als ich nichts erwiderte, »was will dein Körper?«

Ich drehte mich zu ihm. »Ich brauche keine OM, um mit dir zu vögeln.«

»Vögeln kannst du mit jedem, aber die OM ist meine Spezialität.«

»Das kann ich selbst am besten beurteilen.«

»Du bist ganz schön frech«, sagte er grinsend und warf die Gummihandschuhe in den Abfallkorb.

In meiner Kindheit hatte ich gelernt, emotionales Chaos wegzustecken und den Alltag weiterzuleben, ohne auf die Glasscherben und die halb zertrümmerte Schlafzimmertür zu achten. Mach einfach weiter, jeder Tag ist ein neuer Tag. Reaktionsverzögerung – über Wochen, Monate, wenn nicht Jahre hinweg – war mein bewährtes Verhaltensmuster. Ich konnte sehr viele Erfahrungen wegstecken, ehe ich die Notwendigkeit empfand, mich mit ihnen auseinanderzusetzen. Durch das Wohnen bei OneTaste wurde dieses Muster aufgebrochen, ich hatte sehr viel mehr Hochs und Tiefs. Der tägliche Kontakt mit vielen anderen sexuell experimentierfreudigen Menschen steigerte mein Verlangen, brachte aber auch häufiger dessen Kehrseite hervor: Ablehnung und Konkurrenzdenken. Mein alter Verteidigungsmechanismus, mich wegen meiner Intelligenz oder meiner Leidenschaft oder einer Mischung davon als etwas Besonderes zu sehen, verfing hier nicht. Hier war jeder leidenschaftlich. Jeder hatte sich von den Konventionen losgesagt. Und alle waren intelligent. Sie hatten einen MBA oder promovierten gerade über somatische Psychologie. Eine Handvoll meiner Mitbewohner konnte praktisch jedes Hardware- oder Softwareproblem lösen. Es gab bei OneTaste keinen Alkohol und keine Drogen. Man aß vegetarisch gesund und unterhielt sich laufend über neue Fitnessprogramme und Yogakurse. Unser Zusammenleben hatte rein gar nichts mit dem Häufchen verlorener Seelen gemein, an das viele Außenstehende dachten, wenn sie »urbane Kommune« hörten.

In diesem Kreis war nicht nur meine hart arbeitende und intelligent denkende Persönlichkeit alltäglich, sondern auch der kleine Schatz zwischen meinen Beinen, der in der Welt dort draußen zuverlässig große Dividenden einfuhr. Die Männer hier unterschieden sich von den anderen Männern – ob nun single oder gebunden, gut aussehend oder nicht – dadurch, dass ihnen sieben Tage die Woche rund um die Uhr mehr als reichlich Mösen zur Verfügung standen. Das Machtspiel, das ich kannte, seit ich im Alter von dreizehn Jahren Brüste bekommen hatte, löste sich in Wohlgefallen auf. Jetzt war ich nur eine von mehreren Dutzend feuchter, verfügbarer Frauen aller Altersstufen, Formen und Temperamente in Nicoles Orgasmusheer.

Diese heilsame Attacke auf mein Ego gefiel mir gar nicht. Im Flur begegnete ich immer wieder einmal Liam, der eine Minute lang mit mir flirtete und mich an der Hüfte berührte, seine Wangen röteten sich, dann verschwand er wieder. Er simste, wir müssten uns mal wiedersehen, und damit hatte es sich. Als wir uns eines Abends tatsächlich doch in seinem Zimmer trafen, machten wir ein paar Sekunden herum, dann stand er auf, öffnete den Reißverschluss seiner Hose und forderte mit einem Lächeln: »Auf die Knie mit dir.« Ich konnte mich des Gefühls nicht erwehren, dass er diese Masche gerade erst in einem Männerkurs gelernt hatte.

»Später«, sagte ich. So leicht wollte ich es ihm diesmal nicht machen. Aber es gab kein Später. Er vögelte mich fünf Minuten, dieses Mal von hinten, dann gingen wir nach nebenan in die Pizzeria, die alle besuchten. Beim Essen schaute Amanda vorbei, eine andere Mitbewohnerin, die in Liams Alter war und den detaillierten Arbeitsplan mit der Aufgabenverteilung unter den Mitbewohnern führte. Bald wurde mir klar, dass Liam total in sie verknallt war. Kaum war sie gegangen, fing er an zu schwadronieren, dass es ihn jedes Mal völlig durcheinanderbringe, sie zu sehen, und fragte mich, was er unternehmen solle. Ich gab ihm einen kurzen Rat und hoffte, damit wäre es gut.

Aber auf dem Weg zurück zum Hotel sagte er: »Ich kann es nicht fassen, ich zittere regelrecht, seit ich sie gesehen habe.«

Das erste Treffen mit Liam konnte ich mir verzeihen, weil ich noch nie im Leben mit einem derart schönen Mann geschlafen hatte. Aber wie hatte ich zulassen können, dass mir das ein zweites Mal passierte – ein Fünf-Minuten-Fick und dieses Mal obendrein die Beleidigung, dass er unverhohlen von einer anderen Frau schwärmte?

»He«, unterbrach ich ihn, blieb abrupt auf dem Bürgersteig stehen und drehte mich zu ihm.

»Was ist?«

»Vor einer halben Stunde hast du mich noch gevögelt. Ich weiß, wir sind hier alle gute Freunde, aber im Moment möchte ich nicht hören, dass du in Amanda verknallt bist. Ich bin eine Frau, Liam, keine Maschine.«

»Du hast recht«, sagte er. »Danke, dass du mir das gesagt hast.«

So sprach man bei OneTaste. Wenn jemand einem seine Beobachtung oder seine Gefühle mitteilte, sagte man einfach »Danke«, um der oder dem Betreffenden zu verstehen zu geben, dass man das Gesagte gehört hatte, ohne näher darauf einzugehen.

»Und wenn wir das nächste Mal vögeln, möchte ich, dass es eine Stunde dauert«, sagte ich. Rückblickend kann ich gar nicht glauben, wie lächerlich ich mich verhielt – da wartete ich tatsächlich darauf, dass ein Fünfundzwanzigjähriger die Initiative ergriff, weigerte mich, ihm meine Wünsche zu vermitteln, und reagierte hinterher enttäuscht.

»Gut.« Er lächelte. »Danke.«

Aber nicht nur über Liam musste ich mich ärgern. Bei Noah war es dasselbe Hin und Her. Seine solide Körperlichkeit – schwere Knochen, dunkler Teint, markantes Gesicht – beruhigte mich und erregte mich gleichzeitig. Wann immer er mich im Vorbeigehen berührte, bekam ich weiche Knie. Am Ende unserer OM streifte er eines Tages die Handschuhe ab, legte sich neben mich aufs Bett und hielt mich gut zehn Minuten im Arm. Als wir uns schließlich voneinander lösten, um uns anzusehen, nahm er seine Brille ab und küsste mich heftig. Ich drückte ihn fester an mich, ich war von der OM noch etwas benommen und wünschte mir, sein Gewicht auf mir zu spüren. Durch unsere leidenschaftlichen Küsse wurde ich feuchter, als ich es nach fünfzehn Minuten OM gewesen war. Nach einer ganzen Weile richtete er sich auf und setzte wieder die Brille auf, ich zog mir die Hose an. OneTaster betrachteten diese Art Knutschsession als abgeschlossenes Experiment, das über den Rahmen einer OM hinausging, aber nicht so viel »Geschichte« und potenzielle Verstrickungen heraufbeschwor wie eigentlicher Geschlechtsverkehr.

Jude trieb sich ebenfalls immer noch bei OneTaste herum. Er war mit mehreren Leuten im Wohnhotel befreundet und übernachtete oft bei mir. Manchmal übernahm er am Wochenende mein Zimmer. Seit Kurzem war er wieder mit seiner Ex-Freundin Elise zusammen, einer sehr kleinen, bildhübschen Schauspielerin mit einer strubbeligen pinkfarbenen Frisur, die er nach eigenen Worten siebenmal nacheinander zum Orgasmus bringen konnte. Bei mir hatte er es kein einziges Mal geschafft. Bei einer InGroup saß Elise einmal auf dem Heißen Stuhl, und jemand fragte sie, was ihr gerade durch den Kopf ginge. Sie sagte: »Ich dachte mir gerade, wie geil ich bin.« Mir wurde ganz heiß im Gesicht. Jude saß neben mir. Ich rückte ein bisschen von ihm ab, damit mein Knie nicht mehr seins berührte. Als Elise sich wieder auf die andere Seite neben ihn setzte, musste ich mich beherrschen, nicht meine Hände um ihren geilen multiorgasmischen Schwanenhals zu legen.

Ich bin nichts Besonderes, wiederholte ich lautlos und schloss die Augen. Zielstrebigkeit, Konkurrenzdenken, Gewinnen – das waren die soliden Haken, an denen ich als Kind mein fragiles Selbstbewusstsein festgemacht hatte. Nur sie hatten verhindert, dass ich an gebrochenem Herzen zugrunde gegangen war. Mein Vater mochte wüten, aber nicht, weil ich mich nicht richtig benahm oder weil ich versagte. Er mochte Frauen für Wegwerfware halten, aber dass er mich als solche betrachtete, ließ ich nicht zu. Ich verbot es ihm durch Leistung. Er konnte mir wehtun, so viel er wollte – dagegen war ich machtlos –, aber er würde nie auf mich herabsehen können.

Das war der Grund, weshalb ich mich so schlecht mit der

Durchschnittlichkeit abfinden konnte. Andererseits war es auch eine Erleichterung, mein kleines egozentrisches Melodrama, das seinen Sinn schon längst verloren hatte, hinter mir zu lassen. »Nichts Besonderes« wurde mein Mantra. Ablehnung und Zorn, Trauer und Sehnsucht waren meine Medizin. Ihre Wirkung zeigten sie nur ganz allmählich.

Nicole hätte gesagt, dass dieses neue emotionale Potpourri nicht nur eine Folge des Lebens in der Kommune war, sondern auch darauf zurückzuführen, dass ich mittlerweile regelmäßig OM machte, und wenn der empfindsamste Körperteil einer Frau gestreichelt werde, öffne sich dadurch ihr gesamtes, eng aufeinander abgestimmtes limbisches System. An drei Tagen die Woche stellte ich meinen Wecker auf sechs Uhr morgens, putzte mir die Zähne, wusch mir das Gesicht und ging in der Yogahose ins Workshop-Zentrum hinüber, um in der Gruppe eine OM zu machen, jedes Mal mit einem anderen Partner. Noahs Streichelbewegungen waren handfest und rhythmisch, Hughs variierten je nach meiner Stimmung, Joaquins spürte ich kaum, aber sie konnten mich zu Tränen rühren, Liams Finger ärgerte mich. Und da die Aufmerksamkeit ganz mir galt, hinterfragte ich insgeheim alles, was ich empfand, ob Lust oder Taubheit, Intensität oder Langeweile. Zwei oder drei Frauen kamen unweigerlich nach etwa zehn Minuten, ihr Stöhnen steigerte sich beständig, bevor es wieder verebbte. Das ärgerte mich maßlos.

Als ich mich fragte, weshalb sie zum Orgasmus kamen und ich nicht, wurde mir bewusst, dass das leichte, beharrliche Streicheln bei der OM allzu großen beständigen und unmittelbaren Druck auf meine Klitoris ausübte, und nicht einmal auf die ganze, sondern nur auf eine kleine Stelle. Mein sexuelles Ich empfand es als regelrecht klaustrophob, auf einen einzigen, durch Nervenenden angeschwollenen Punkt reduziert zu werden. Was mich anmachte, war ein intimes

Kraftfeld mit dem gesamten Körpereinsatz eines Liebhabers – Küsse, Blicke, Hals, Brustwarzen –, ein Feld, zu dem im Gegensatz zum OneTaste-Glauben unsere Herzen und Worte und die Geschichte zwischen uns gehörten.

Es fiel mir nicht leicht, meiner sexuellen Reaktion zu vertrauen, nicht einmal jetzt, mit Anfang vierzig. Wenn ich die wenigen Frauen hörte, die wie aufs Stichwort kamen, hallte in mir das ewige weibliche Mantra wider: *Vielleicht stimmt etwas bei mir nicht.* Im Lauf der Zeit wurde mir klar, dass mein Orgasmus seinen eigenen Willen hatte, einen Scharfblick, den ich kaum vorhersagen, rückblickend aber immer verstehen konnte. Bei Andrew war ich gekommen wegen einer bestimmten Autarkie, die er mir ermöglichte und die mich befreite, bei Alden wegen seiner furchtlosen Penetration und bei Paul nur einmal, direkt nachdem wir einander gestanden hatten, wie viel wir uns bedeuteten. Insgeheim war ich froh, dass sich meine Hingabe nicht so einfach einstellte, sondern mit den Gegebenheiten der jeweiligen Beziehung zusammenhing. Meine Klitoris war ein untrügliches Barometer. Sie wusste Dinge früher als ich, und im Gegensatz zu mir wünschte sie sich keine Billigung und funktionierte auch nicht auf Befehl. Bei ihr ging es nur um die Wahrheit.

Orgasmus hin oder her, die OM hatte eine handfeste positive Wirkung: Mir fiel auf, dass ich an OM-Tagen dauerhaft mehr Energie hatte, vergleichbar mit meinem Gefühl nach einer guten Yogastunde oder einer Massage, wenn ich mir sehr beweglich und klar im Kopf vorkam. Im Anschluss an die OM gingen mehrere von uns in ein gemütliches Diner nebenan zum Frühstücken. Dann duschte ich, zog mein Redakteurinnen-Outfit an und ging flott die Sixth Street entlang zum Büro, durch den hässlichsten Teil von San Francisco. Dabei summte ich die Melodien in meinem Kopfhörer mit. An solchen Tagen war ich selbst am späten Nachmittag selten kaputt und oft bis elf Uhr abends ziemlich munter. Es war, als würde bei OneTaste der ganze Unrat in mir aufgerührt, und im Gegenzug bekäme ich die physiologische Energie, das zu verarbeiten. Kein schlechtes Tauschgeschäft.

Meine alten Freunde waren anderer Meinung. Als ich Paul von meinem Umzug in das Wohnhotel erzählte, sagte er skeptisch: »Ich mache mir Sorgen, Robs.« Danach meldete er sich weniger häufig bei mir, ob nun am Telefon oder per SMS, und das bedrückte mich mehr als jede Enttäuschung, die ich bei OneTaste erlebte.

»Was haben die Männer davon?«, fragte Ellen.

»Gute Frage.« Ich zögerte die Antwort der Dramatik halber hinaus. »Rund um die Uhr eine Auswahl heißer Frauen, die ständig angeschärft sind und Sex wollen? Gleich nach dem Aufstehen eine täglich wechselnde Sammlung nackter junger Mösen? Sanktionierte Nicht-Monogamie?«

»Aber geht es nicht nur um die Klitoris?«

»Ja, morgens und abends jeweils eine Viertelstunde. Damit bleiben dreiundzwanzigeinhalb Stunden für alles andere. OneTaste ist ein Männerparadies.«

Die größte Sorge meiner Freunde war, dass OneTaste eine Sekte sein könnte. Sicher, man konnte nach Belieben kommen und gehen, und der Kontakt zu Familienmitgliedern und anderen Freunden wurde überhaupt nicht eingeschränkt. Andererseits hatte OneTaste durchaus etwas Sektenhaftes: eine charismatische Führerfigur, einen esoterischen Jargon, angeleitete Rituale und die Dopamin-Highs, die der viele Körperkontakt hervorrief. Es klaffte ein gewaltiger Unterschied zwischen dem Alltag der Mitglieder bei OneTaste – gemeinsam zu duschen, sich täglich anzufassen, die Worte einer Exzentrikerin als in Stein gemeißelt zu betrachten – und der Art, wie sie sich in der Außenwelt verhielten. Manchmal gab mir das zu denken. Aber ich wusste genau, wer mir helfen konnte, mir darüber Klarheit zu verschaffen.

»Glaubst du, ich könnte mich zu weit in OneTaste hineinziehen lassen?«, fragte ich Scott eines Samstags zu Hause. »Viele halten die Gruppe für eine Sekte.«

»Ich mache mir keine Sorgen um dich, Goldstück. Ich habe dich in alles Mögliche eintauchen gesehen, du kommst nie darin um.«

Ich ging zu ihm, setzte mich auf seinen Schoß, schlang die Arme um seinen Hals und legte meinen Kopf auf seine Schulter.

»Außerdem bleibe ich nur drei Monate dort«, sagte ich in sein Schlüsselbein hinein.

23.

Unendliche Spiele

Nicole wohnte nicht bei OneTaste, sondern zusammen mit ihrem Freund Reese teils in seinem Haus in Russian Hill, einem der ältesten und prachtvollsten Viertel von San Francisco, und zum Teil in seinem Haus draußen in Stinson Beach, rund eine Stunde weiter im Norden. Offenbar wurde nur der innere Zirkel ins Haus am Meer eingeladen – Lehrer verschwanden regelmäßig für mehrere Tage aus dem Wohnhotel und verbrachten die Zeit in Stinson Beach.

An einem Montagnachmittag, ein paar Wochen nach unserer Knutschsession, bekam ich während der Arbeit eine SMS von Noah.

Wann kommst du ins Haus in Stinson?, stand da.

Sobald ich eingeladen werde.

Wie bald ist jetzt?

Wir hatten die Zeitschrift gerade ausgeliefert, es war einer der zwei ruhigen Tage im Monat, die es in der Redaktion gab.

Schreib mir die Adresse, dann bin ich in ein paar Stunden da.

Ich verließ das Büro, packte ein paar Klamotten zusammen und fuhr über die Golden Gate Bridge in die Marin Headlands. Die Wintersonne stand tief am orangegelben Himmel und blendete grell, ich musste die einspurigen Serpentinen des Highway 1 sehr langsam ausfahren. Als ich schließlich in den windigen kleinen Ort Stinson Beach hinunterfuhr, dämmerte es bereits. Reeses Haus war wunderschön, groß und mit Schiefer verkleidet, nur wenige Schritte vom Strand entfernt. Noah empfing mich, dann half ich ihm beim Kochen. Er sagte, Reese sei gerade erst nach Hause gekommen und mit Nicole im Schlafzimmer.

Wir schnitten Paprikaschoten, Champignons und Zucchini, die Noah mit Tofu zubereitete, ohne Butter, Salz oder Gewürze. Nicole und Reese kamen dazu, und wir setzten uns ins Esszimmer, tranken Wasser und aßen unser Gemüse. Nach allem, was ich gehört hatte, war Reese ein genialer Silicon-Valley-Unternehmer, er war einer der Geburtshelfer des Internet gewesen und beteiligte sich momentan an einer Reihe futuristischer Thinktanks. Aber das sah man ihm nicht an. Er war ausgesprochen zurückhaltend und aß schweigend sein Essen, wie auch Noah, während Nicole und ich den Großteil des Gesprächs bestritten.

Sie erzählte freimütig von ihrer Vergangenheit, zu der auch eine lange zölibatäre Phase gehörte, und von ihrem Leben mit Ray Vetterlein, der damals bereits über siebzig gewesen war. Sie hatte drei Jahre mit ihm verbracht, und er hatte ihr jeden Tag die Klitoris gestreichelt.

»Du solltest deine Memoiren schreiben«, sagte ich.

»Ach, das habe ich schon. Zwei verschiedene Männer haben versucht, sie zu redigieren, aber das hat nicht funktioniert.«

»Das sollte ich machen«, sagte ich. In Noahs Auftrag hatte ich bereits einige von Nicoles Texten redigiert – ihre Gedanken zu Beziehungen und zum limbischen System – und festgestellt, dass ich intellektuell kaum mit ihr mithalten konnte. Sie war alles andere als eine gefühlige Hedonistin. In ihren Texten entdeckte ich eine vielschichtige Abstraktion, die mich an ein Genie wie Ken Wilber erinnerte, den ich einmal zu lesen versucht hatte.

»Vielleicht solltest du das wirklich«, sagte sie. »Wahrscheinlich muss eine Frau das machen.«

»Wann ist dein Gespräch mit der *New York Times*?«, fragte ich. Die Zeitung wollte für einen Artikel über OneTaste einen Journalisten zu uns schicken.

»Angeblich in ein paar Wochen.«

»Pass auf«, hörte ich mich sagen. »Das kann leicht nach hinten losgehen. Eine kalifornische Clique von New-Age-Typen, die sich nackt ausziehen. Ich bin überzeugt, dass die *Times* objektiv bleiben möchte, aber ich an deiner Stelle würde vor allem über die Aspekte von OM reden, die die durchschnittliche Frau interessieren. Weißt du, was ich meine? Die Hausfrau in Kansas, die berufstätige Mutter, die rund um die Uhr im Einsatz ist. Was kann die OM solchen Frauen bringen? Zum Beispiel, dass sie damit etwas Gutes für ihre Ehe tut. Stell dir einfach vor, was das für ihre Energie und ihr Wohlbefinden bedeuten würde.« Ich musste mich zwingen, meinen plötzlichen Redeschwall zu unterbrechen.

»Genau«, sagte sie. »Die OM ist nicht nur für Randgruppen da. Eines Tages wird sie genauso alltäglich und anerkannt sein wie heute Yoga. Wenn die Frauen endlich Kontakt aufnehmen mit dem, was sie anmacht, und die Verantwortung dafür übernehmen, wird das die ganze Welt verändern.« Bei der Vorstellung lächelte sie zufrieden.

Ich war hin und her gerissen. Einerseits war ich mir der Schwächen von OneTaste nur allzu bewusst, der komplizierten Terminologie und der Guru-Verehrung. Für mich war die orgasmische Meditation, anders als für viele andere, keineswegs der sexuelle oder emotionale Heilige Gral. Im Grunde war sie für mich eine Meditation wie jede andere auch – gut für Körper und Seele und etwas langweilig. Andererseits begeisterten mich der Fokus auf die Frau und sogar Nicole selbst. Als ich jetzt mit ihr am Tisch saß, wurde mir klar, dass ihre Wirkung nicht die eines Gurus war, sondern etwas weit

Ungewöhnlicheres: die sinnliche Macht der Kurtisane gepaart mit der intellektuellen Macht der Gelehrten. Nicole war in jeder Hinsicht eine Frau, sie agierte ebenso aus ihrem Körper wie aus ihrem scharfen Verstand heraus. Meiner Ansicht nach war das die Qualität, die andere ansprach. Schließlich begegnet man nur sehr selten einer Frau, die die dualen Aspekte ihrer Macht ganz ausfüllt.

Nach dem Essen gingen wir in den großen zentralen Raum, der an eine Bibliothek erinnerte und mit orientalischen Teppichen und verblichenen eleganten Sofas ausgestattet war. Bryan, ein ehemaliger OneTaste-Lehrer, und seine Freundin kamen aus San Francisco dazu. Sie aß schweigend einen Salat, während er und Nicole ein abgehobenes Gespräch führten, dem ich nicht folgen konnte. Ich hatte den Eindruck, dass es zu einem Zerwürfnis zwischen Nicole und Bryan gekommen war und dass er womöglich etwas mit Werner Erhard zu tun hatte, dem Gründer von Est, was später das Landmark Forum geworden war. Viele OneTaster waren auch Anhänger von Landmark, einem anspruchsvollen Programm zur Selbstverbesserung, bei dem die Eigenverantwortung betont und die Verteidigungsmechanismen der Teilnehmer im Lauf eines Wochenendes aggressiv demontiert wurden. Bei der bloßen Erwähnung von Landmark klinkte ich mich innerlich aus, das interessierte mich nicht. Das musste Bryan gespürt haben, denn irgendwann drehte er sich zu mir und fragte gereizt: »Warum bist du hier?«

Gute Frage. Ich fühlte mich versucht zu sagen: »Ob du's glaubst oder nicht, weil mein Mann kein Kind haben will!«

»Noah hat mich eingeladen«, sagte ich.

Nicole warf Noah einen Blick zu, er kam zu mir und streckte die Hand aus. »Komm, lass uns am Strand spazieren gehen.«

Wir zogen uns warm an und gingen über einen schmalen Pfad zum Strand hinunter, der von einem fast vollen Mond beleuchtet wurde. Der Sand unter unseren Füßen war weich. Als wir über einen dicken Baumstamm stiegen und uns setzten, legte Noah mir eine Hand ins Kreuz. Die glatte, tintenschwarze Oberfläche des Pazifiks wurde nur von einem Spitzensaum aus Schaumkrönchen aufgebrochen. Noah hatte sich mir so oft genähert und war dann wieder zurückgewichen, dass ich keine Ahnung hatte, ob er diesen allzu günstigen Moment nutzen würde. Ein paar Wochen zuvor hatte er gesagt, er warte auf mich. Eine Woche später hatte er gemeint, er sehe sich eher als einen »Produzenten« meiner Erfahrungen, als dass er daran beteiligt sei. Das war wie ein Schlag in den Magen gewesen. Ich brauchte niemanden, der meine Erfahrungen »produzierte«.

»Du willst mich einfach nicht dringend genug«, hatte ich geantwortet.

»Du meinst, ich bin nicht verzweifelt?«

»Ich will keine Verzweiflung. Oder gut, okay, vielleicht ein bisschen Verzweiflung, ein klitzekleines Bisschen. Kontrollierte Verzweiflung.« Wir hatten gelacht.

»Du törnst mich an. Ich möchte mit dir rummachen. Aber ich habe das Gefühl, dass unsere Freundschaft auf einer anderen Ebene stattfindet als der sexuellen. Ich brauche nicht mehr mit jeder Frau zu schlafen, die mich anmacht.«

Sein gutes Recht. Jetzt saßen wir auf dem Treibholz und unterhielten uns über Belanglosigkeiten. Das intensive Prickeln, das seine Berührung ausgelöst hatte, verebbte bereits. Als uns kalt wurde, machten wir uns auf den Rückweg. Ich ging durchs Wohnzimmer, wünschte allen kurz eine Gute Nacht, und Noah führte mich in eins der Gästezimmer, einen kleinen, im Landhausstil eingerichteten Raum mit einem einladend kuschelig-weiß bezogenen Bett. Ich stand neben dem Bett, während Noah einen Stapel Handtücher holte.

»Bitte«, sagte er und reichte sie mir. Ich legte sie aufs Bett und drehte mich zu ihm.

»Danke«, sagte ich.

»Hast du alles, was du brauchst?«

»Ja.« Ich umarmte ihn, sehnte mich nach mehr, fand mich aber mit seiner Distanziertheit ab. »Danke.«

»Ich bin im Zimmer gleich nebenan.« Er lächelte, seine Augen leuchteten.

»Schön.«

»Klopf einfach, wenn du mich brauchst.«

Fragend hob ich den Kopf. »Okay … gute Nacht.«

Ich legte mich ins Bett, zog die Decke hoch und hörte die gedämpften Stimmen aus dem Wohnzimmer, vorwiegend Nicoles und Bryans. Durch die andere Wand hörte ich Reese telefonieren, offenbar mit einem Kollegen. Es war 23.41 Uhr. Ich hörte die Wörter »Shareholder« und »Dollar«.

Was zum Teufel hatte ich hier verloren? Wollte ich bei der Geburt der nächsten sexuellen Revolution dabei sein? San Francisco war voll risikofreudiger, unabhängiger Denker, die Firmen und gemeinnützige Organisationen ins Leben riefen, anstatt eine von anderen errichtete Firmenleiter hochzuklettern. Trotzdem, welche andere Frau würde den Mut haben, eine nicht-monogame Kommune zu gründen, bei der es um den weiblichen Orgasmus ging, und sich dem Verdacht aussetzen, den ein solches Konzept bei den allermeisten Menschen unweigerlich auslöste? Ob ich Nicoles Theorien teilte oder nicht, ihre Chuzpe bewunderte ich auf jeden Fall.

Jetzt schaltete sich Noah in die Diskussion ein. Ich hörte seine tiefe Stimme wenige Meter jenseits meiner Tür.

Schlagartig wurde mir klar, was hier vor sich ging. Wahrscheinlich spielte Noah eines seiner »unendlichen Spiele«. Das erklärte das ganze Hin und Her, das Vor und Zurück. Er hatte mich durchschaut und, womöglich mit Nicoles Unterstützung, beschlossen, dass ich die Initiative ergreifen sollte. Wie Jude gesagt hatte: *Du könntest im Bett etwas selbstbewusster sein*. Genau das, was ich auch bei Liam nicht gewesen war. Anstatt zu zögern und darauf zu warten, dass der Mann den ersten Schritt machte, musste ich die Sache in die Hand nehmen.

Es stimmte, ich war im Bett wirklich nicht sehr selbstbewusst. Wollte ich daran arbeiten und das ändern? Wollte ich wirklich noch an etwas anderem arbeiten als bei meinem eigentlichen Job? Plötzlich fiel mir George ein, unser Therapeut in Sacramento, der mit seinen polierten Schnürschuhen in seinem Ledersessel gesessen und mir zugehört hatte, wie ich hin und her überlegte, ob ich zum zehnjährigen Klassentreffen nach Pennsylvania fliegen sollte oder nicht. »Lassen Sie Ihren Körper entscheiden«, hatte er gesagt.

»Wie sieht das aus?«, hatte ich gefragt. Ich war damals siebenundzwanzig, das war noch vor dem Fahrradunfall. Zu der Zeit konnte ich nicht sagen, was ich in meinem kleinen Zeh spürte; das Wesen namens Robin existierte lediglich vom Hals aufwärts – wenn ich nicht gerade mitten in einem Zusammenbruch steckte und sich alle unterdrückten Empfindungen schlagartig auf ein Mal in meinem Körper manifestierten.

»Entweder Sie gehen zum Telefon und rufen bei der Fluggesellschaft an, um den Flug zu buchen, oder nicht. Sie brauchen nicht darüber nachzudenken, das übernimmt Ihr Körper für Sie.«

Damals hatte ich dagesessen, auf die Wand über Georges Kopf gestarrt und zu begreifen versucht, was in aller Welt er damit meinte – wie mein Körper ohne Anweisung meines Kopfes zum Telefon gehen und wie mein Kopf irgendeine Anweisung geben konnte, ohne vorher jede mögliche Konsequenz in allen Details durchdacht zu haben. Ich hatte achtzehn Jahre gebraucht, um zu verstehen, was George mir sagte.

Ich dachte daran, als ich viele Jahre später Paul an jenem verregneten Abend aus der Bar in Castro eine SMS schickte, als ich ihn nach Denver verfolgte und als ich die offene Ehe durchsetzte trotz meiner Angst, Scott zu verlieren. Ich dachte an Susan, die zur Kinderwunschklinik fuhr, die ein Formular nach dem anderen ausfüllte und allein zu Terminen ging, um sich Spendersamen übertragen zu lassen. Vor Kurzem hatte sie mir in einer E-Mail von irgendeiner Enttäuschung geschrieben. Ihr letzter Satz war gewesen: »Robin, lass uns alles bekommen, was wir wollen, und wenn wir es nicht bekommen, dann beschließen wir, dass wir es eigentlich gar nicht haben wollten.«

Das war meiner Ansicht nach das Klügste, was je ein Mensch gesagt hatte, einschließlich Nicole Daedone. Jetzt unterhielten sie und Noah sich, sie gingen wohl ins Bett, denn ich hörte Schritte, die sich dem Zimmer nebenan näherten, dann wurde die Tür geschlossen.

Meine Hand griff zum Schalter, um das Licht auszumachen, mein Körper kuschelte sich unter die Decke, meine Augen fielen zu. So beschloss ich, nicht mehr auf Noah zu warten.

24.

Mädchen, Mädchen, Junge

Ich schaute auf Daras kleine Schamlippen, dunkle, fleischige, mit einem Silberring gepiercte Falten. Noch nie hatte ich eine andere Vulva aus der Nähe gesehen. Ich hatte auch meine eigene erst vor ein paar Jahren zum ersten Mal betrachtet, nämlich bei Mama Genas Lustkurs. Daras sah exotisch und vage gefährlich aus. Grace saß neben mir und gab mir Ratschläge, wo ich meinen Finger hinlegen sollte und wie ich Daras Reaktion abschätzen konnte. Ich hatte beschlossen, dass es an der Zeit sei, zu lernen, der streichelnde Teil zu sein.

Ich folgte Graces Anweisungen und streichelte mit dem Zeigefinger nur über den äußeren Rand von Daras Klitoris leicht nach oben. Ich hatte einerseits Angst, zu grob zu sein und ihr dadurch wehzutun, andererseits fürchtete ich, meine Berührung könnte zu leicht sein und sie langweilen. Ihr Atem wurde schneller, sie stieß laute, scharfe »Ahs« aus und zuckte dabei jedes Mal ein bisschen zusammen. Ich kam mir vor wie ein Grünschnabel, dem statt eines lammfrommen Ponys ein bockendes Wildpferd zum Reiten gegeben wird. Erschreckt sah ich zu Grace, die mir leise erklärte, dass Dara durch das Zucken lediglich aufgestaute Anspannung abreagiere. Wenn ich sie beruhigen wolle, solle ich die Streichelbewegungen nach unten ausführen, von der Klitorisspitze Richtung Vagina. Daraufhin wurden Daras »Ahs« gleichmäßiger, ihr Atem ging weniger rasch.

Zum Glück klingelte dann die Stoppuhr zum Ende der fünfzehn Minuten. Die Komplexität der Klitoris, die Verantwortung, sie zu erwecken oder dabei zu versagen, und zu wissen, mit welchen Tiefen sie verbunden war, schüchterte mich weit mehr ein als der robuste, unkomplizierte Penis.

Bis ich zwanzig war, hatte ich nicht weiter über die Anziehungskraft zwischen Frauen nachgedacht. Als ich zwanzig und dann dreißig wurde, verfügte ich nicht über die emotionale Bandbreite, diese Anziehung zu erforschen und das Tabu der lesbischen Sexualität zu brechen. Aber jetzt, wo ich eine zweite Chance hatte, verschiedene sexuelle Spielarten zu probieren, erlaubte ich es mir schließlich.

Allerdings gab es einen Haken. Rein abstrakt fand ich den weiblichen Körper zwar wunderschön, aber ich war nie einer Frau begegnet, zu der ich mich körperlich hingezogen fühlte. In jedem Raum wanderte mein Blick automatisch zu den Männern. Diskret zwar, aber beständig lotete ich das Feld zwischen mir und jedem Vertreter der Spezies aus: ein psycho-spiritueller Drang zur Vervollständigung, der sich zu sexueller Anziehung steigerte, wenn eine Reihe von Schlüsselsignalen übereinstimmte. Natürlich waren Frauen weit schöner als Männer – die seidige Glätte ihrer Haut, ihre üppigen Gesäßbacken, die langen Haare, die über geometrische Schlüsselbeine herabfielen. Und Sabrinas Kreis führte mir vor Augen, dass Frauen mir sehr viel besser als Männer helfen konnten, die weibliche Energie anzuzapfen, die mich erfüllte und glücklich machte. Trotzdem jagte mir der Gedanke an eine intime Zweierbeziehung mit einer Frau eine Heidenangst ein. Ich konnte mir das nur als mich selbst im Doppelpack vorstellen, anstrengend und potenziell heikel.

Ein paar Wochen nach meiner OM mit Dara streichelte Grace mich. Es erwies sich als erstaunlich einfach, genauso wie damals, als ich mir das erste Mal in einem Raum voller Menschen die Hose ausgezogen oder mit zwei Fremden im Duschraum gestanden hatte. Nach ein paar Sekunden anfänglicher Befangenheit setzte etwas Instinkthaftes ein, ein angenehmes Gefühl.

Als Grace mich zu streicheln begann, fiel mir auf, dass die subtile Anspannung fehlte, die sich bei der Berührung durch einen neuen Mann unweigerlich bei mir einstellte. Graces Reaktion auf meinen nackten Körper war mir eher gleichgültig, ebenso wie die Frage, ob es sie antörnte oder wie meine Möse im Vergleich zu anderen aussah. Ich machte mir keine Gedanken darüber, ob ich zu laut oder zu leise war. Ich dachte überhaupt nicht darüber nach, ob ich zum Höhepunkt kam oder nicht. Und als Folge all dieses Nicht-Denkens konnte ich mehr empfinden.

Zu guter Letzt beschlossen Grace und ich, dass sie demnächst gegen zehn Uhr abends zum Kuscheln zu mir kommen und wir sehen würden, wohin das führte. Keine Pläne, kein Druck. Am vereinbarten Abend duschte ich und zog mir einen warmen Pyjama an – es war Anfang März, und im Wohnhotel war es sehr frisch. Grace klopfte leise an meine Tür, auch sie im Pyjama. Sie und ich waren beide eher kräftig gebaut und vom Wesen her temperamentvoll. Aber sie war rotblond, zehn Jahre jünger und sichtbarer verletzlich als ich. Ihr sommersprossiges Gesicht konnte keine Gefühle verbergen. Trauer, Heiterkeit, Zorn und Freude zogen darüber hinweg wie eine Wetterfront über eine Tropeninsel. Um von all dem nicht überwältigt zu werden, zog sie klare Grenzen, die sie bedächtig und konkret äußerte.

»Ich möchte, dass wir uns mit dem Gesicht zueinander unter die Decke legen und uns unterhalten«, sagte sie, nachdem wir uns mit einer Umarmung begrüßt hatten.

Wir legten uns ins Bett und drehten uns zueinander. Ich ließ das Licht am Nachttisch brennen. »Das ist ja wie bei einer Pyjamaparty«, sagte ich, als wir die Decke bis unters Kinn hochzogen. Wir unterhielten uns, wie zwei Frauen sich eben unterhalten, wenn sie über ihr Leben reden: Zuerst spürte die eine, dann die andere den Gefühlen nach, die ihren Alltag begleiteten, während die Zuhörende verständnisvoll nickte und bisweilen eine Frage stellte, um ihr zu helfen, einem Gefühl noch weiter nachzugehen. Grace erzählte mir von ihrem ehemaligen Freund, dem Mann, mit dem sie momentan liiert war, und ihren Zweifeln wegen ihres nächsten Karriereschritts. Ich erzählte ihr, wie es zwischen mir und Scott stand, dass er und mein Zuhause mir fehlten, ich aber auch Angst hatte, wieder ganz zurückzuziehen, und dass ich mich insgeheim nach Alden sehnte.

Beim Reden hatten wir uns gegenseitig den Arm um die Taille gelegt. Langsam drehte ich mich auf die andere Seite, und sie schmiegte sich an meinen Rücken.

»Warst du schon mit vielen anderen Frauen zusammen?«, fragte ich, als sie ihr Gesicht an meinem Nacken vergrub.

»Mit sechs«, sagte sie. Ihre Stimme war leise, aber fest. »Und du?«

»Mit keiner. Du bist die Erste.« Einmal hatte ich in einer Bar einer Freundin einen Zungenkuss gegeben, eine Show, die wir nur der männlichen Gäste halber abgezogen hatten.

»Mir gefällt es, Frauen zu lecken«, sagte sie. »Würde dir das auch gefallen?«

»Ja.« Vor Nervosität lachte ich. Auf dem Nachttisch lag eine kleine Schachtel mit Valentinstag-Zuckerherzen, die ich unter meinen Freunden verteilt hatte. Ich suchte eins, auf dem »Küss mich« stand, und gab es ihr über die Schulter hinweg. Sie steckte es in den Mund, ich drehte mich zu ihr.

»Ich kann ja den Anfang machen«, sagte sie, nachdem sie das Herz geschluckt hatte.

Ich kam mir vor wie eine hormongesteuerte Vierzehnjährige, die mit ihrer besten Freundin experimentiert, aber auch wie eine anonyme Pornodarstellerin – das waren die beiden einzigen Bilder in meinem Kopf, in denen zwei Frauen miteinander Sex hatten. Außerdem hatte ich das Gefühl, dass ich größer und kräftiger war als Grace, auch wenn das nicht stimmte, auch wenn sie diejenige war, die sich jetzt über mich beugte und meinen Mund mit ihrer Zunge erforschte.

Der weibliche Körper. Was mich daran am meisten faszinierte, waren die Brüste. Ich fuhr mit der Hand über ihre, sie sahen fest aus, waren aber unfassbar weich. Ich spielte mit dem Daumen an ihrer Brustwarze, bis sie steif war, und schloss dann die Lippen um sie. Stöhnend presste Grace das Becken gegen mich. Meine Hände wanderten nach unten, wir zogen uns gegenseitig die Pyjamahose aus. Ich biss sie in die Brustwarze und packte sie dabei an den Haaren, sie küsste mich gieriger. Sie erschien mir eher vielschichtig als solide, eine Hydra mit blassen Armen und Beinen, die mich umfingen.

»Drück gegen mich«, sagte sie. Ich schob sie an den Schultern nach oben, sodass sich unsere Hüften gegeneinander pressten. Ich spürte den schmalen Streifen kurzer Schamhaare an meinen, die darin verborgene nasse Falte, die freigelegt wurde und dann, als wir uns bewegten, wieder verschwand. Jedes Zeitgefühl ging verloren, während wir uns abwechselnd küssten und ich an ihren Brüsten saugte, es konnten fünf Minuten oder eine halbe Stunde gewesen sein. Ich nahm ihr Gesäß in beide Hände, glitt dann so weit wie möglich mit dem Finger in die Spalte, öffnete ihre Möse und strich langsam nach oben. Wenn ich auf einem Mann lag, war das die Art, auf die ich fast am liebsten berührt wurde, ich auf seinem neckenden Finger, meine Brüste in seinem Mund. Als ich Graces Hintern nach oben schob, warf sie stöhnend den Kopf in den Nacken. Ich empfand sowohl durch ihren Körper als auch durch meinen, ich spürte ihre Erregung und die berauschende Macht, sie hervorzurufen. Ich war Subjekt und Objekt. Ohne jede Vorwarnung durchzuckte mich ein stiller, nachdrücklicher Orgasmus.

Sie spürte es. Lächelnd sah sie mich an.

»O mein Gott«, sagte ich. »Ich bin gekommen!«

»Ich weiß. Das war ein unglaublich gutes Gefühl.« Sie ließ sich auf die Seite fallen und kuschelte sich an mich. »Ich kann dich beim nächsten Mal lecken.«

»Möchtest du nicht, dass ich jetzt dich lecke?«, fragte ich.

»Nein. Ich bin ganz befriedigt.«

Das wollte ich nicht ganz glauben, aber Grace war bekannt für ihre Aufrichtigkeit, und ich wusste nicht, wie ich weitermachen sollte.

Nach ein paar Minuten fragte sie: »Sollen wir für nächsten Donnerstag wieder ein Date ausmachen?«

»Ja.«

»Schön. Dann gehe ich jetzt zum Schlafen zu mir.« Wir zogen wieder unsere Pyjamas an und nahmen uns in den Arm.

»Ich hab dich lieb«, sagte sie und sah mir in die Augen. Sie meinte das auf die Art, wie man es unter guten Freunden bisweilen so sagt, aber mich durchfuhr trotzdem eine kleine Schockwelle.

»Ich hab dich auch lieb«, sagte ich automatisch. Bei den Worten wurde mir eng im Hals.

Nachdem sie gegangen war, schloss ich die Tür, legte mich ins Bett, starrte in die Luft und spürte dem ängstlichen Flattern in mir nach. War es das lesbische Tabu, das über die vielen Jahre hinweg nach mir griff? Ich konnte mich nicht erinnern, jemals mit einem Mann so schnell gekommen zu sein, abgesehen von Alden. War es das Zusammenspiel von körperlicher Intimität und dem »Ich hab dich lieb«, wie es nach dem ersten Sex mit einem Mann nie passierte? Nein. Es war schlicht die Tatsache, dass ich ihr nichts vormachen konnte und dass ich mit ihren Gefühlen ebenso achtsam umgehen musste wie mit meinen. Das war es, was mir Angst machte: ihre weibliche Mischung von Wahrnehmungsvermögen und Verletzlichkeit.

Eine Woche später klopfte Grace wieder im Pyjama bei mir an die Tür. Wir wiederholten das Ritual von Kuscheln, Unterhalten und langsamem Küssen, eine ganze wunderbare Stunde lang, oder so kam es mir zumindest vor. Wenn ein neuer Mann mich zum ersten Mal leckte, wappnete ich mich meist für die Möglichkeit, dass er zu schnell und mit hektischem, flatterndem Zungenschlag anfangen würde, was mir die Lust nahm, ehe sie beginnen konnte. Aber bei Grace öffnete ich die Beine ganz vertrauensvoll. Mit ihrer flachen Zunge vollführte sie langsame, kleine Kreise, legte nach einer Minute immer wieder eine Pause ein, und wenn sie wieder zu lecken begann, war ich noch erregter als vorher. Innerhalb von fünf Minuten brachte sie mich zum Orgasmus, ohne dass ich mich bemüht, angespannt oder auch nur gehofft hätte.

Also gut, vielleicht war ich doch lesbisch.

Wir tauschten Plätze, und ich leckte sie auf die Art, wie sie es bei mir gemacht hatte. Es schien ihr zu gefallen, aber nach ungefähr einer Viertelstunde sagte sie: »Also gut, ich glaube, mehr Empfindungen kann ich heute Abend nicht vertragen.« Ich kam mir unfähig vor. Liam hatte mich wieder zu einem jungen Mädchen gemacht, jetzt verwandelte Grace mich zu einem pubertierenden Jungen, der ebenso gierig wie ungeschickt war.

»Ich würde es gern mal mit einem Umschnalldildo versuchen«, sagte ich, als wir uns aneinanderkuschelten.

»Ja! Das machen wir beim nächsten Mal.« Aber eine Woche später sagte Grace, sie wolle erst einmal alle Verbindungen auf Eis legen und sich mit ein paar emotionalen Fragen auseinandersetzen, die bei ihr aufgetaucht seien.

Dass für sie ihre Gefühle Vorrang hatten, während für mich das Sexuelle wichtiger war, stellte mich vor einen Konflikt. Ich fühlte mich körperlich zu ihr hingezogen, schreckte aber zurück, wenn sie Zuneigung freimütig zum Ausdruck brachte. Ich kam, sie nicht. Ich brauchte nur mit einer einzigen Frau zu schlafen, um das Verhalten praktisch jedes Mannes zu verstehen, den ich je kennengelernt hatte.

Wie um jeden Zweifel an meiner Heterosexualität zu zerstreuen, die ich nach dem Sex mit Grace gehabt haben mochte, trat Roman auf den Plan, der über zwei Meter große Kerl von einem Mann, den ich bei der männlichen OM-Meditation aus dem Weltenschlamm hatte aufsteigen sehen. Romans physische Größe war nur ein Aspekt seiner unangestrengten Körperlichkeit. Immer lächelte er, sein Flirten hatte nichts Spöttisch-Gieriges an sich, seine Blicke waren nie taxierend. Er vermittelte das Gefühl, keine Angst vor Frauen zu haben und sie weder erobern zu müssen, noch Bestätigung von ihnen zu brauchen. Wenn sich unsere Blicke begegneten, und selbst wenn ich einen Meter von ihm entfernt saß, vibrierte die Luft zwischen uns.

Roman war mit Annie verlobt, der lebhaftesten Mitbewohnerin der Kommune. Sie war erst dreiundzwanzig und hatte einen unglaublich scharfen Verstand. Ich hatte sie bei meinem zweiten OneTaste-Workshop kennengelernt. In ihrem pinkfarbenen Trägerrock war sie plötzlich aufgetaucht, das Haar straff zu zwei Zöpfen über den Ohren gebunden, und hatte a cappella eine mir völlig unbekannte Melodie gesungen, die sich zum Teil wie eine Broadway-Schnulze und zum Teil wie ein Kinderlied anhörte. Sie sah aus wie eine freakige Dorothy von Oz. In Gruppen war sie dafür bekannt, den allgemein üblichen OneTaste-Ansichten zu widersprechen, und meinte etwa unbekümmert, dass ihr Intimität verhasst sei. Das sagte sie nicht mit der reaktionären Aufsässigkeit der Jugend, sondern mit einer abgeklärten Selbstironie, die eigentlich sehr viel älteren Menschen vorbehalten ist.

Roman und Annie führten eine offene Beziehung, hatten aber beschlossen, OneTaste gegen Ende des Jahres zu verlassen und vor der Hochzeit in eine eigene Wohnung zu ziehen.

Beide durften tun, was sie wollten, solange sie den anderen vorher um Erlaubnis fragten.

Wenn Roman als mein Partner eingeteilt war, freute ich mich immer auf die morgendliche OM-Session. Durch seine langen Beine und seinen großen Körper schirmte er mich vom restlichen Raum ab. Er hatte ein Gespür dafür, genau den richtigen Druck auszuüben. Meist passte mein Atem sich seinem an, wurde laut und immer heftiger. Sein Arm, an dem ich mich festhielt, kam mir vor wie ein im Boden verankerter Pfosten. Roman ließ mich nie fallen, das heißt, seine Aufmerksamkeit wanderte nicht, seine Konzentration erlahmte nie. Unsere OM erfüllten mein Wesen – und nicht nur meinen Körper – immer mit einem Gefühl glücklicher Sattheit.

Hinterher sagte Roman: »Zwischen uns spüre ich eine unglaubliche Chemie. Das törnt mich am ganzen Körper an.«

»Das geht mir genauso.«

»Wir sollten miteinander rummachen.«

»Ja, gern! Wann?« Ich hatte keine Zeit mehr, die Zurückhaltende zu spielen. In gut einem Monat lief das Projekt aus.

»Lass es mich mit Annie besprechen, aber behalten wir mal nächste Woche im Auge.«

»Gut, sag mir Bescheid.«

Er drückte mir die Hände, dann zog er mich an sich und hielt mich lange im Arm.

Eine Woche später stand er gegen sieben Uhr abends bei mir vor der Tür. Er trug Jeans und T-Shirt und roch nach Seife. Er legte sich aufs Bett, steckte sich ein paar Kissen unter den Kopf, streckte den rechten Arm aus und bedeutete mir, mich neben ihn zu legen, den Kopf auf seine Schulter.

»Und, wie geht's dir?«, fragte er. »Erzähl doch, was bei dir los ist.«

Ich überlegte, wie viel er von meinem Leben eigentlich wusste.

»Na ja, ich bin überarbeitet, wie fast immer. Ich pendele

zwischen meinem Job, bei dem es ständig Termindruck gibt, und dem Leben hier mit den ganzen OM und dem Rummachen, und am Wochenende bin ich verheiratet. Das ist heftig.«

»Ich habe keine Ahnung, wie du das alles auf die Reihe bekommst.«

»Manchmal habe ich das Gefühl, als würde mich mein Körper auf diese intensive Reise mitnehmen, aber mein Herz und mein Kopf brauchen eine Weile, um nachzukommen.«

Er nickte und zupfte leicht an meiner Bluse, als wollte er sie glatt ziehen.

»Ich weiß nicht, ob ich dir das schon erzählt habe, aber ich habe das Projekt mit der offenen Ehe angefangen, nachdem sich mein Mann hat sterilisieren lassen. Ich hatte mir ein Kind mit ihm gewünscht.«

»Ich erinnere mich. Möchtest du immer noch ein Kind?«

»Ich weiß es nicht. Vielleicht klingt es dumm, aber irgendwie kann ich mir nicht vorstellen, es mit einem anderen Mann zu haben. Vielleicht heißt das nur, dass mein Kinderwunsch gar nicht so dringend ist.«

»Das klingt gar nicht dumm«, sagte er.

»Ich habe keine Ahnung, was die nächste Zeit bringt. Die Hälfte meines Lebens ist jetzt vorbei, aber ich kann die zweite Hälfte noch nicht sehen. Ich kann mir keine Zukunft vorstellen.«

»Das ist gut. Das heißt, dass du im Jetzt lebst.« Roman war noch jung genug, dass derartige Plattitüden glaubwürdig klangen.

»Wollt ihr Kinder, du und Annie?«

»Ja, wir sind uns ziemlich sicher.« Neid auf Annie durchfuhr mich, auf ihre Jugend, ihr unbekümmertes Selbstbewusstsein, ihren unverhohlen männlichen Verlobten mit seinem hoch entwickelten Kommunikationsvermögen, und dass sie so viele Kinder bekommen konnte, wie sie wollte.

»Ich bin neidisch auf Annie«, sagte ich entschuldigend.

»Und sie ist eifersüchtig auf dich. Und ein bisschen nervös, weil ich hier bin. Seit wir verlobt sind, kommt sie nicht mehr so gut damit zurecht, wenn ich mit anderen Frauen schlafe.«

»Darfst du heute mit einer anderen Frau schlafen?« Meine Hand lag auf seinem Brustbein, ich spürte die Haare auf seiner Brust durch sein dünnes T-Shirt hindurch.

»Ja«, sagte er lächelnd.

»Schön. Und, wie sieht es bei dir aus? Wie geht es dir?«

Er sagte, dass es ihm bei OneTaste recht gut gefalle und er sich freue, Annie hier kennengelernt zu haben, aber dass er es kaum erwarten könne, das Wohnhotel zu verlassen, sich wieder ganz auf sein Umzugsunternehmen zu konzentrieren, zu heiraten und sein eigenes Leben zu führen.

»Hast du mit vielen Frauen hier geschlafen?«

Er zählte eine kurze Liste auf und sprach dann von den Problemen, die unweigerlich entstanden, wenn sie mehr wollten, als er geben konnte. Es beruhigte mich zu hören, dass die Frauen bei OneTaste trotz der Maßgabe, Affären nicht emotional zu befrachten und die Sinnlichkeit nicht mit einer Geschichte zu belasten, auf ihre Gefühle hörten. Ich persönlich stimmte nicht mit Nicoles Theorie überein, dass unser Wunsch nach Monogamie ausschließlich auf gesellschaftliche Konditionierung zurückzuführen war.

»Du hast etwas Bestimmtes an dir«, sagte ich. »Allein die Tatsache, dass du mit Annie zurechtkommst, spricht Bände.«

»Sie macht es einem nicht leicht«, sagte er liebevoll. »Außerdem ist sie verdammt schlau. Eine Frau wie sie habe ich noch nie kennengelernt.«

»Man hat das Gefühl, dass du dich in der Gesellschaft von Frauen richtig wohlfühlst.«

»Eine tolle Mutter und jede Menge Tanten, die mich vergöttert haben«, sagte er, reckte sich und gähnte, ohne mich loszulassen.

Wir müssen uns eine Stunde lang unterhalten haben. Durch seine geduldige, konzentrierte Aufmerksamkeit machte er mich empfänglicher, als es ihm mit dem Finger je gelungen wäre. Ich war bereit, sobald er mich an sich zog. Wir schmusten ewig miteinander, seine Hände lagen auf meinem Gesicht. Immer wieder einmal fasste er meine Haare in einer Hand zusammen und zog meinen Kopf nach hinten, um meinen Hals zu küssen. Nach einer ganzen Weile streifte er meine Bluse ab und öffnete mit einer Hand meinen BH.

»Mmmmm«, machte er, als er mit seinen Bartstoppeln und dem geschorenen Kopf über meine Brüste fuhr. »So ist es gut«, sagte er, als er meine Hose auf den Boden warf. Seine eine Hand lag immer noch in meinem Nacken. Ich war eine Katze in den Fängen eines größeren Tieres. Sein Penis schob sich aus der Vorhaut hervor. Ich stieg auf ihn und führte ihn in mich, beugte mich vor, um ihn in ganzer Größe in mir aufzunehmen.

»Es tut weh.«

»Ich mach langsam«, sagte er. Seine Hände hielten meine Taille fest umfangen. »Wie ist das?«

»O mein Gott.«

»Irre«, flüsterte er. Er stöhnte, wurde aber nicht schneller, ließ sich eine Minute Zeit, um Zentimeter um Zentimeter ganz in mich einzudringen.

Zwei Stunden ging es so weiter, aber das merkte ich erst, als ich später auf die Uhr sah. Sexgeflüster war für ihn nur ein Highlight, kein Begleittext. Er war abwechselnd zärtlich und kraftvoll. Mit seinem Schwanz erreichte Fellatio neue Höhen. Er war der erste Mann, der mich beim ersten Mal aus freien Stücken leckte. Hinterher lagen wir völlig unbefangen nackt da, ich in seinem Arm. Seine Fähigkeit zu reden und zuzuhören war phänomenal.

»Das war wunderschön«, sagte er. »Hoffentlich können wir das wiederholen.«

»Es war perfekt.«

Nun ja, fest perfekt: Ich war nicht gekommen. Aber allmählich vertraute ich in der Hinsicht der Klugheit meines Körpers. Der einzige andere Liebhaber, mit dem der Anfang ebenso vielversprechend gewesen war – Alden –, hatte mir entsetzlich wehgetan. Zweifellos hatte ich ihm ebenfalls wehgetan. Roman war zu gut, um wahr zu sein. Er verband Scotts immense Geduld mit größerer Stärke und Präsenz. Außerdem war er gebunden, genau wie ich.

In der nächsten Woche machten Roman und ich wieder rum, allerdings hatte Annie ihn gebeten, dieses Mal nicht mit mir zu schlafen. Er achtete sehr genau darauf, die Grenze nicht zu übertreten, nie liefen wir auch nur ansatzweise Gefahr, Geschlechtsverkehr zu haben. Wenn wir uns im Haus begegneten, lächelte er breit, nahm mich in den Arm, küsste mich auf den Scheitel und sagte: »Hallo, Liebes, wie geht's?« War Annie dabei, begrüßten wir uns, hielten aber einen Meter Abstand. Allmählich fielen mir auch die anderen Frauen auf, die Roman mit Blicken folgten.

Er hielt mich über den neuesten Stand seiner und Annies Verhandlungen auf dem Laufenden. »Sie weiß, dass ich wieder mit dir schlafen möchte. Ich glaube, sie bereitet sich innerlich darauf vor.«

»Ich habe keine Ahnung, wie ihr beide mit der ganzen Ehrlichkeit klarkommt«, sagte ich. »Tut es ihr nicht weh, dass du dich derart zu einer anderen Frau hingezogen fühlst?«

»Vielleicht empfindet sie es als etwas bedrohlich, aber es verletzt sie nicht. Meine sexuelle Energie ist sehr viel größer als ihre, das haben wir von Anfang an gewusst.«

Ein paar Wochen später, vielleicht im Wissen, dass ich ohnehin bald ausziehen würde, erlaubte Annie ihm, wieder mit mir zu schlafen. Drei Stunden Sex, der nicht besser hätte sein können, selbst wenn ich das Drehbuch dafür geschrieben hätte. Als er mich hinterher wie schon die Male zuvor im Arm hielt, rückte ich ein Stückchen von ihm ab und sagte ohne eine Spur von Sarkasmus: »Richte Annie bitte meinen Dank aus.«

Ich fand es aufschlussreich, dass ich von allen Männern bei OneTaste denjenigen am männlichsten fand, der verlobt war, Kinder haben wollte und demnächst an den Stadtrand ziehen würde. »Manche Männer können einen gut umfangen, andere können einen gut durchdringen«, hatte Sabrina einmal eher beiläufig gesagt. »Der Mann, der von Natur aus beides gut kann, hat eher Seltenheitswert.« Es hatte den Anschein, als wäre Roman eines dieser raren Exemplare, aber woher sollte ich wissen – nach ganzen zehn Stunden, die ich insgesamt mit ihm verbracht hatte –, ob das sein wahres Wesen war. Oder zeigte er sich nur von seiner besten Seite, auf die ich zudem meine Hoffnungen und Erwartungen projiziert hatte? Das war in meinen Augen der Haken an der Nicht-Monogamie. Zu Forschungszwecken eignete sie sich herausragend, aber ich konnte mir nicht vorstellen, mich auf einen Geliebten in dem Maße einzulassen, wie ich es mir ersehnte, wenn wir ständig die Augen nach neuen Objekten offen halten durften, um unsere Phantasie zu stillen. Unter den vielen Frauen, die Roman umschwirrten und sich mehr von ihm wünschten, gab es ganz bestimmt nur eine, die ihn wirklich kannte.

25.

Die Andere

Die Zeitschrift, bei der ich arbeitete, gehörte zu demselben Verlag, in dem auch das Musikmagazin *Spin* erschien. Eines Morgens im Frühjahr fragte unsere Kultur-Redakteurin in die Runde: »Hat heute Abend jemand Zeit, nach San José zu fahren? Spin.com braucht jemanden, der über das Bruce-Springsteen-Konzert berichtet.« So landete ich allein bei einem Konzert von The Boss in der vierten Reihe, schrieb die Playlist in ein Notizbuch, sang bei meinen liebsten Ostküstenhymnen mit und fühlte mich einsam.

Es war schon ein Uhr nachts, als ich schließlich wieder in San Francisco war. Zu der Zeit gab es in ganz SoMa kaum Parkplätze. Schließlich fand ich einen in der Nähe einer Unterführung, wo sich viele Obdachlose aufhielten, und ging mehrere Straßenblocks zurück zu OneTaste. Dort angekommen, konnte ich meinen Haustürschlüssel nicht finden. Ich durchwühlte meine Handtasche und alle Kleidertaschen, dann trat ich auf die Straße und suchte mit dem Blick die Fassade nach einem Licht im Fenster ab, ob jemand noch wach wäre. Aber überall war es dunkel. Der Wecker morgens um sechs bedeutete, dass die meisten Leute lang vor Mitternacht im Bett lagen, deswegen wollte ich niemanden stören. Also beschloss ich, nach Castro zu fahren, nach Hause.

Ich war seit fast einem Jahr nicht mehr an einem Mittwochabend zu Hause gewesen, und obwohl ich mir ziemlich sicher war, dass unter der Woche niemand bei Scott übernachtete, schickte ich ihm sicherheitshalber eine SMS.

Ich muss nach Hause kommen, ich habe mich ausgesperrt. Ist das in Ordnung?

Er antwortete nicht. Normalerweise lag Scott um Punkt zehn im Bett.

Beim Betreten des Hauses machte ich viel Lärm an der Haustür und an der Wohnungstür, klapperte mit meinen Schlüsseln und trat laut auf. »Hallo?«, rief ich. »Ich bin's, ich habe mich ausgesperrt.«

Auf Socken blieb ich wartend im Wohnzimmer stehen, am entgegengesetzten Ende des Flurs vom Schlafzimmer. Cleo tauchte aus dem Dunkeln auf und rieb sich an meiner Wade. Ich nahm sie in den Arm und ging nach hinten ins Schlafzimmer. Da war niemand. Ich schaltete das Licht an und setzte mich aufs Bett, überrascht von meiner Überraschung. Ich ließ kaum je einen Mann bei mir übernachten, abgesehen von Jude, und das war dann platonisch. Ich hatte nur ein einziges Mal bei Alden geschlafen.

Ich zog mich aus und schlüpfte unter die weiche blaue Decke, die Scott und ich uns vor Kurzem gekauft hatten. Rechts stand die verschlossene antike Truhe mit unseren Fotos und meinen Tagebüchern, links im kleinen Badezimmer blubberte Scotts neueste Weinproduktion vor sich hin, und vor mir hingen an der Bilderleiste in vier schwarzen Rahmen William Blakes illustrierte »Sprichwörter der Hölle«.

Der Weg des Exzesses führt zum Palast der Weisheit.
Wer verlangt, aber nicht handelt, gebiert Pestilenz.
Was genug ist, weiß man erst, wenn man weiß, was übergenug ist.
Die Tiger des Zorns sind kluger als die Pferde der Gelehrsamkeit.

Beim Einschlafen versuchte ich, mir den Raum vorzustellen, in dem Scott in diesem Moment lag. War es dort eng oder geräumig? Was befand sich vor dem Fenster? Schlief er auf derselben Bettseite wie immer? Und wer in aller Welt war diese neue Person hier unter dieser Zudecke, die Person, die früher vor Eifersucht geschrien hatte, wenn Scott zufällig zu nah an einer anderen Frau vorbeigegangen war oder sein Blick zu lange auf ihr verweilt hatte? Hatte ich wirklich zu einer gewissen Abgeklärtheit gefunden, oder lauerte meine Eifersucht nur irgendwo wie ein kleiner Dämon, um wieder aufzutauchen, sobald die Zeit reif war?

Die Frau hieß Charly, die Rothaarige, die ich auf Scotts Handy gesehen hatte. Sie war eine fünfunddreißigjährige Software-Programmiererin, die Scott sechs Monate zuvor in einer Bar kennengelernt hatte. Seitdem trafen sie sich ein- oder zweimal die Woche. Sie wusste Bescheid über das Projekt und unseren Plan, in einem Monat wieder ein festes Paar zu werden. Das alles erzählte er mir am nächsten Tag, als ich erwähnte, dass ich am Abend zuvor nach Hause gekommen war.

»Seit sechs Monaten ein- oder zweimal die Woche, und du verbringst die Nacht bei ihr. Was ist aus der Regel geworden, keine festen Beziehungen einzugehen, auf die du so gedrungen hast?« Ich hatte kein Recht, diese Frage zu stellen angesichts der Regeln, die ich übertreten hatte. Aber die Worte sprudelten mir über die Lippen wie ein Zug, der zu früh den Bahnhof verlässt.

»Nachdem wir beschlossen hatten, über Neujahr hinaus zu verlängern, hat sich alles verändert«, sagte er. »Ich bin zu alt, um jede Woche in einer Bar eine neue Frau aufzugabeln. Es interessiert mich nicht. Mir ist es lieber, mich über einen längeren Zeitraum hinweg mit einer Person zu treffen.«

»Willst du damit sagen, dass Charly die einzige Frau ist, mit der du dich triffst? Seit sechs Monaten?«

»Ja.«

»Und du bist der einzige Mann, mit dem sie schläft?«

»Ja.«

»Und du glaubst, dass sie dich am ersten Mai einfach so ziehen lassen wird, ohne Theater zu machen? Eine alleinstehende Fünfunddreißigjährige, die du seit einem halben Jahr vögelst!«, fragte ich aufgebracht.

»Ja. Es wird nicht leicht sein für sie, aber sie wusste, worauf sie sich einlässt.«

Es wird nicht leicht sein für sie. Die Worte bohrten sich in meine Eingeweide wie kleine Pfeile.

Scott hatte mit Charly gefunden, was ich mir insgeheim mit Alden gewünscht hatte: eine Liebesaffäre. Ganz zufällig, in einer Bar, ohne sich bei einer Partnerschaftsbörse anzumelden, ohne sich einer urbanen Kommune anzuschließen oder sich mit den Verrückten bei Craigslist abzufinden, hatte er eine Frau kennengelernt, die zwanzig Jahre jünger war als er und problemlos seine Ehe und die beschränkte Dauer ihrer Beziehung akzeptierte. Scott stellte sich geschickter an als ich.

Ich bemerkte bei mir drei unterschiedliche Reaktionen auf Charly. Mein Kopf sagte mir, dass ich die Situation selbst heraufbeschworen hatte, dass Scott nichts (oder auf jeden Fall sehr wenig) falsch gemacht hatte und ich mich zügeln musste und ihn nicht weiter mit Fragen bedrängen durfte. Ich flehte um Selbstbeherrschung. Immer wieder flüsterte ich: »Bitte halte mich davon ab, Scott noch mehr Fragen zu stellen.«

Emotional ließ mich das Wissen um seine ausschließliche Beziehung mit Charly in meine eigentliche Realität fallen, wie ich das schwarze Loch der Verlassenheit nannte, über dem mein Leben schon lange vor dem Projekt stattgefunden hatte und das, wie ich insgeheim befürchtete, sogar eine Rolle dabei gespielt hatte, dass ich das Projekt überhaupt begonnen hatte: Nur damit ich meine Ehe zugrunde richten und zuverlässig in den klaffenden Abgrund stürzen würde. Ich konnte nicht schlafen, litt an Herzrhythmusstörungen und stellte mir meine Einsamkeit im Alter vor, die ich ausschließlich mir selbst zuzuschreiben hatte.

Am interessantesten war meine dritte Reaktion, nämlich dass ich Scott allmählich mit neuen Augen betrachtete, dass ich seine Fähigkeit bewunderte, eine Frau zu verführen, und ihn dafür respektierte, weil ich ihn vor eine gewaltige Herausforderung gestellt und er sie angenommen hatte. Irgendwie gewann Scott an Größe, als ich von der jungen Charly erfuhr, er wurde in meinen Augen fast ebenso groß, wie er es vor all den Jahren gewesen war, als ich schwach war und er stark, lange bevor die Vorstellung, ein Kind mit mir zu zeugen, ihn in Verzweiflung gestürzt hatte. Mein weniger reifes Ich lehnte Charly zwar ab, weil sie tiefer in meine Ehe eingedrungen war als jeder meiner Liebhaber, aber die Frau in mir dankte ihr im Stillen dafür, dass sie mir ein Bild des Scott wiederbescherte, in den ich mich damals verliebt hatte.

Ich schwankte heftig zwischen der selbstbewussten Frau und dem verletzten kleinen Mädchen. An einem Tag war ich die befreite Hedonistin, die ihre letzten Wochen der Freiheit plante, am nächsten ein zitterndes Häufchen Elend, das sich im Büro auf der Toilette einschloss und eine Panikattacke ausschwitzte, und am Tag darauf die selbstgerechte Harpyie, die eine Handyrechnung durchforstete, um das Ausmaß seiner Beziehung mit Charly zu ermessen. Ich wusste nicht, wie ich meine schlingernden Gefühle anders bewältigen konnte, als sie einfach zu überstehen, so wie ich alles andere überstand, das ich in Gang gesetzt hatte – ich ritt auf einer Welle, die vor einem Jahr weit draußen im Meer aufgestiegen war. Jetzt blieb Scott und mir nichts anderes übrig, als uns von ihr an den Strand spülen zu lassen und zu hoffen, dass wir es überlebten.

Am Vormittag der Party zu meinem vierundvierzigsten Geburtstag luden Ellen und Caresse, eine andere Kollegin, mich zum Brunch im Foreign Cinema ein. Nachdem wir auf der gut besuchten Terrasse einen Platz gefunden und bestellt hatten, nahm Caresse ihre Kaffeetasse in beide Hände, beugte sich vor und schaute mich prüfend an.

»Wie läuft es mit Scott?«, fragte sie.

»Sehr gut, abgesehen von der Tatsache, dass er eine fünfunddreißigjährige Freundin hat und ich in einer Sexkommune wohne.«

Ellen lachte. Caresse nicht. Zweifellos war beiden klar, dass meine schnoddrige Antwort reine Angriffsverteidigung war. Es brachte mich völlig aus dem Konzept, wenn meine Freundinnen von ihrer Besorgnis sprachen.

Trotzdem fuhr ich im selben Tonfall fort. »Gott sei dank hat er sich sterilisieren lassen. Würde er das Mädel je aus Versehen schwängern, ich würde sie beide umbringen.«

»Ich glaube, du hast dadurch allen Respekt vor ihm verloren«, sagte Caresse. Ich hörte, dass sie dieses Gespräch in Gedanken einstudiert hatte. »Aber wenn du jetzt zu ihm zurückziehst, musst du einen Weg finden, ihn wieder zu respektieren. Wenn du Scott nicht verzeihst und ihn respektierst, wird eure Ehe nie funktionieren.«

»Um ehrlich zu sein, wächst mein Respekt vor ihm durch das Wissen, dass er diese Freundin hat«, sagte ich, jetzt ernsthafter. »Caresse, unterschätz ihn nicht. Er hält mehr aus, als du denkst.«

»Ich weiß nur, würde ich zu Martin sagen, dass ich eine offene Beziehung haben möchte, würde er mir den Laufpass geben.«

»Und du meinst, dass Martin deswegen stärker ist als Scott.«

»Darum geht es nicht. Der Punkt ist, ich würde das nie zu ihm sagen, weil ich zu großen Respekt vor ihm habe. Ich glaube, nach Scotts Sterilisation und seiner Einwilligung, bei dem Projekt mitzumachen, hast du alle Achtung vor ihm verloren.«

»Zum Teil stimmt das sicher«, sagte ich. »Manchmal wünschte ich mir, er hätte sich geweigert. Hätte einfach ›kommt nicht in die Tüte‹ gesagt. Aber ich weiß nicht, was dann passiert wäre.«

Auf verbaler Ebene hatte die Wahrheit ebenso viele Facetten wie ein Kristall. Jede Meinung beleuchtete sie aus einem anderen Winkel und reflektierte derart viele Versionen von ihr, dass fast alle beliebig schienen. Für jeden Freund, der mir aus Gründen der Treue von dem Projekt abriet, gab es einen, der längerfristige Untreue anstatt offener Ehe empfahl. Mittlerweile hatte ich die Beobachtungsphase längst überwunden: Stimmt A oder doch eher B? Was ist besser? Was ist das Richtige? Das kostete zu viel Energie und brachte letztlich nichts. Zwar war es eine brutale Methode, aus dem Instinkt heraus vorzugehen und mich halb blind durch die Situation vorzutasten, sie war amoralisch, wenn nicht schlimmer, aber ich ging davon aus, dass ich dadurch zu einer grundlegenderen Wahrheit als den vielen verschiedenen oberflächlichen Wahrheiten finden würde.

An dem Abend fanden sich zu meinem Geburtstag fünfzig Leute in unserem Haus ein. Ich hatte nur wenige Freunde von OneTaste eingeladen, und mit keinem von ihnen hatte ich geschlafen. Dazu gehörten Margit, eine Österreicherin mit rabenschwarzen Haaren, und ihr schwedischer Freund Oden. Beide hatten eine eigene Firma, Margit in Wien, Oden in Stockholm. Sie wohnten nicht bei OneTaste. Oden hatte eine Wohnung in Nob Hill, und dort sahen sie sich, wenn sie nicht in Europa arbeiteten. Ich hatte im vergangenen Jahr viele Workshops mit ihnen besucht. Sie wollten zwar heiraten und Kinder bekommen, bezeichneten sich gegenseitig aber lediglich als Hauptpartner und erlaubten sich gegenseitig Sex mit anderen, was sie auch nach der Hochzeit beibehalten wollten. Margit verbrachte viele Abende mit männlichen oder weiblichen Geliebten, während Oden eine langjährige Beziehung in Stockholm hatte. Sie nahmen Tangostunden, segelten durch die Karibik und machten Urlaub am Comer See. Margit sprach fünf Sprachen.

Margit hatte eine völlig konträre Sicht auf meine Dilemmata – die Kinderfrage, meine Nicht-Monogamie, meine Ehe – als Caresse. Ihrer Meinung nach schlug ich mich mit all den Schwierigkeiten nicht herum, weil ich zu viel, sondern weil ich zu wenig von Scott verlangt hatte. Sobald ich wirklich hinter meinen Wünschen stehen würde, ohne ein Drama daraus zu machen, ohne mich zu entschuldigen und ohne auf die nächste Hiobsbotschaft zu warten, würde sich alles von selbst finden. Wenn Margit mit diesen Argumenten ankam, ließ ich sie einfach reden. Ich wollte ihr nicht sagen, was ich eigentlich dachte, nämlich dass sie eine sehr ungewöhnliche Frau war – begabt und furchtlos, ganz zu schweigen davon, dass sie großes Glück hatte –, die sich hüten sollte, diese Überfülle als etwas darzustellen, das für jedermann zu haben wäre.

Margit hatte mir deutlich zu verstehen gegeben, dass sie sich zu mir hingezogen fühlte. Als ich ihr sagte, ich würde gerne einmal Sex zu dritt probieren, schlug sie vor, dass wir uns einen Mann teilten.

»Wir wär's mit Roman?«, fragte ich sie bei meinem Geburtstagsfest. Ich hatte die Idee Roman gegenüber bereits erwähnt, und er war sofort darauf angesprungen.

»O jaaa!«, sagte sie, fast schnurrte sie vor Begeisterung. Sie hatte mir eine lange Perlenkette geschenkt, und an der hielt sie sich jetzt fest, während wir tanzten. Oden hatte gerade eine kurze witzige Nummer an der Poledance-Stange zum Besten gegeben.

»Er wird dir gefallen. Er geht ziemlich handfest zur Sache.«

»Wie wär's mit nächster Woche?«, schrie sie mir über die Musik hinweg ins Ohr. Sie sprach Englisch mit einem ausgeprägten österreichischen Akzent.

»Ja, ich arrangiere das.« Mir blieben nur noch drei Wochen.

Das war auch gut so. Ich merkte, dass meine Ehe gegen Ende des Projekts zu straucheln begann, wie ein Marathonläufer kurz vor der Ziellinie. Die emotionalen Achterbahnfahrten und die sie begleitenden Diskussionen über Charly hatten unsere Art zu kommunizieren verändert. Scott wich mir verbal nicht mehr bei jedem Gespräch aus, durch den Krisenmodus wurde er präsenter. Allerdings manifestierte sich der Schaden nach anfänglicher sexueller Experimentierfreude – hier ein spielerischer Klaps, dort ein abgebrochener Versuch mit der Augenbinde – jetzt im Bett. Einige Wochen, nachdem ich die Sache mit Charly herausgefunden hatte, hörte Scott auf, mich zu lecken. Und wenn ich ihm einen blies, kam er nicht mehr. Es gab so gut wie kein Vorspiel mehr. An einem Samstagabend schlug Scott vor, wir sollten ausgehen und tun, als wäre das unser erstes Date. Keine hundert Meter entfernt von der Bar, von der ich Paul damals gesimst hatte, saßen wir uns bei Meeresfrüchten gegenüber und fragten einander nach unserer Sicht der Welt aus, nach unseren Vorlieben und Abneigungen – Dinge, die wir genau wussten. Aber Scott und ich hatten schon längst die verstecktesten Winkel und Schubladen unserer nicht unbeträchtlichen intellektuellen Beziehung erforscht. Aus der Richtung konnte das Neue nicht kommen.

Am Tag nach diesem gescheiterten Rendezvous lagen in der Post sowohl die AmEx- als auch die Handyrechnung. Als ich sie zum Küchentisch brachte, wollte Scott sie mir schnell abnehmen, aber ich drückte sie mir an die Brust.

»Nicht«, sagte er. Ich sah ihm in die Augen, während ich die AmEx-Rechnung öffnete. Zwei Posten fielen mir sofort auf: der Blumenhändler und ein teures Essen im A16, einem der besten Restaurants in San Francisco. Auf der Handyrechnung ein Dutzend Anrufe bei einer Nummer in South Bay, die Charlys sein musste. Anrufe um halb sieben morgens und am Wochenende.

Ich legte die Rechnungen auf den Tisch, zog mich um und ging zum Fitnessstudio. Das sah mir gar nicht ähnlich.

Als ich eine Stunde später wieder zu Hause war und mich im Schlafzimmer umzog, kam Scott zu mir. »Wenn du willst, schrei mich an. Nur zu. Aber bitte verstumme nicht einfach.«

»Ich wünschte, ich hätte schon vor Jahren gelernt, einfach zu verstummen. Darauf reagierst du mehr als auf alles andere.«

»Ich glaube wirklich nicht, dass ich etwas falsch gemacht habe.«

Seufzend setzte ich mich aufs Bett. »Du hast nichts falsch gemacht. Ich habe die Regeln auch übertreten. Aber Blumen, das A16, Anrufe am Wochenende? Scott, am Wochenende, wenn ich hier bei dir bin, rufe ich keine Typen an. Jahrelang habe ich an dich hingeredet, dir ab und zu etwas einfallen zu lassen, um mich zu überraschen, und jetzt sehen zu müssen, dass es dir bei einer anderen so leichtfällt, tut mir einfach weh!« Noch beim Sprechen musste ich an seinen verspäteten Versuch denken, mich mit der Einladung zu Michael Mina zu überraschen, und dass ich auf der Toilette meine SMS gecheckt hatte. Die liebevollen Zettelchen, die er in Philadelphia jeden Tag für mich auf den Esstisch gelegt hatte.

»Natürlich fällt es einem bei jemand Neuem leichter, dafür kann ich nichts. Du bist diejenige, die die offene Ehe wollte.«

»Und du bist derjenige, der darauf bestand festzulegen, dass keiner von uns eine Beziehung eingeht.«

»Robin, ich bin zu alt für Gelegenheitssex«, sagte er.

»Liebst du sie?«

»Nein. Ich liebe dich.«

»Eine Frau, die man nicht liebt, ruft man nicht morgens um halb sieben an.«

»An dem Morgen brauchte sie jemandem zum Reden.«

Ich schloss die Augen und atmete durch, versuchte die Vorstellung zu verdauen, dass irgendeine rothaarige Programmiererin morgens um halb sieben mit meinem Mann reden musste. Hatte ich die Scheunentore dieser Ehe aufgeworfen, weil sie mir zu wenig gegeben hatte, oder hatte ich mich gezwungen gefühlt, sie zu zerstören, weil sie mir zu viel gegeben hatte?

»Also gut, wenn sie gleich nach dem Aufwachen mit dir sprechen muss, dann liebt sie dich.« Frauen haben Scott schon immer geliebt. Wenn sie ihn verließen, dann nur, weil sie mehr von ihm wollten, als er geben konnte.

»Ich weiß es nicht. Vielleicht.«

Eine Weile saßen wir schweigend da, dann fragte ich: »Was haben wir gemacht, Scott? Es ist alles meine Schuld, stimmt's? Ich hätte einfach stillschweigend akzeptieren sollen, ohne Kinder und ohne Leidenschaft zu leben.«

»Neue Frauen finden mich offenbar leidenschaftlich genug, und wie's aussieht, haben sie auch kein Problem damit, sich von mir erfüllt zu fühlen.«

»Das ist, weil sie neu sind«, sagte ich matt. »Am Anfang ist alles so einfach. Für mich ist es ja auch leicht, von neuen Männern zu bekommen, was ich will.«

Dadurch, dass wir die schlichte Wahrheit laut aussprachen, kamen wir uns wieder näher. Schließlich beugte Scott sich zu mir und küsste mich. Wir legten uns aufs Bett. Als ich mit der Hand nach unten fuhr, war er nicht hart – das war noch nie vorgekommen. Beim Küssen streichelte ich ihn zärtlich, aber nichts passierte. Ich sah ihn an.

»Findest du mich nicht mehr attraktiv?«

»Darum geht's nicht«, sagte er. »Das hat nichts mit dir zu tun.«

»Natürlich hat es mit mir zu tun.« Ich war eine Zicke, die ihren Mann kastriert und jetzt schließlich die letzten Bande ihrer Ehe zerstört hatte.

»Beim Reden hatte ich den Eindruck, dass du sehr offen warst, aber dann hast du einfach dichtgemacht«, sagte er. In den vergangenen achtzehn Jahren war es nur sehr selten vorgekommen, dass Scott eine derartige emotionale Beobachtung geäußert hatte.

»Darf ich dir sagen, was ich an dir schätze?«, fragte ich. Ich hatte keine Ahnung, woher das jetzt kam. Sicher hatte ich das weder in einem Buch gelesen noch auf einer Deida-CD gehört.

»Ja.«

»Die meisten Männer hätten gar nicht die innere Kraft, diese ganze Sache durchzuziehen. Aber du. Du kümmerst dich unter der Woche um das Haus und Cleo. Du bist fair. Du behandelst mich als Ebenbürtige. Du hast gestern Abend das Erste-Date-Essen vorgeschlagen. Du hast mich zu Michael Mina ausgeführt. Du bist nett zu mir. Ganz egal, was passiert, du gibst uns nicht auf.« Ich zögerte. »Seltsamerweise respektiere ich dich sogar dafür, dass du dich hast sterilisieren lassen. Du hast gemacht, was für dich das Richtige war.«

Ich beugte mich über ihn und küsste ihn auf die Wange, fuhr mit den Fingern durch sein dichtes Haar. Er zog mich an sich, um mich zu küssen, und drückte mich auf die Matratze. Nach mehreren Minuten Küssen spürte ich, dass er hart wurde. Vorsichtig drang er in mich ein, als hätte er Angst, den zarten Faden, den wir aus dem Konflikt zwischen uns gesponnen hatten, zu zerstören. Ich hingegen zog verzweifelt an seinem Hals und drängte ihm fordernd das Becken entgegen. Es war, als würde sein Schwanz ein Gift aus meinen Körper ziehen, Schutt beseiteräumen, den Worte nur weiter verstreut hätten. In kürzester Zeit brach ein Orgasmus aus mir hervor, ich schluchzte auf.

Als er kam, tat er das allerdings leise und unauffällig. Nachdem er sich gewaschen hatte, legte er sich wieder neben mich.

»Ich denke, es wird im Bett besser werden, wenn wir wieder die ganze Zeit zusammen sind«, sagte er. »Es könnte allerdings eine Weile dauern.«

Aber würde es jemals genug sein, angesichts meiner neuen Erfahrungen? Trotz meines wohligen Gefühls in diesem Moment dachte ich: *wahrscheinlich nicht.* Ich erinnerte mich an die anderen Schritte, die Scott unternommen hatte – der Vibrator, den er gekauft hatte, die Reizwäsche, das Wochenende in einem romantischen Landhotel –, und an meine Reaktion, die unweigerlich *zu wenig, zu spät* gelautet hatte. Zum ersten Mal hatte ich den Mut, mir einzugestehen, dass dieser Kreislauf von Bedürfnis und fehlender Erfüllung in Wirklichkeit etwas sehr Beruhigendes für mich hatte, so schizophren das schien.

Ich war so sehr daran gewöhnt, mehr zu wollen, als Scott gab, und permanent mit frustrierenden Kompromissen zu leben, dass der Gedanke, er – wir – könnten uns dauerhaft ändern, mich in Panik versetzte. Wenn die Ehe erfüllter würde, müsste ich ganz in ihr aufgehen und auch innerlich auf alle anderen Möglichkeiten verzichten. Das hatte ich nie getan. In den siebzehn Jahren vor dem Projekt war ich Scott körperlich immer treu gewesen, aber ich hatte mich nie ganz auf ihn eingelassen. Ein Teil von mir wusste, ohne es wissen zu wollen, dass ich Scott gewählt hatte, genau weil er kein großes Interesse an einer tiefen psychosexuellen Verbindung hatte, wie er es nannte. So brauchte ich mich nicht den Mühen auszusetzen, die eine solche Beziehung bedeutete, brauchte mir aber auch nicht vorzuwerfen, dass ich sie nicht gehabt hatte. Es war wie mit dem Kinderkriegen – ich konnte Scott als Grund anführen, weshalb ich keine bekommen hatte.

26.

Der letzte Punkt auf der Wunschliste

Ich zog mir den geblümten Pyjama an, den ich mir eigens für OneTaste gekauft hatte, eine langärmelige Thermojacke und große Plüsch-Hausschuhe, die die Form von Äffchen hatten. Die Sonne war gerade untergegangen, das Abendessen war vorbei. Ich schaltete die einzige Lampe in meinem Zimmer an, riss eine leere Seite aus einem Heft und schrieb mit dickem Filzschreiber darauf: »Heute Abend gehöre ich dir. Klopf an die Tür, sag mir, was du brauchst, und ich werde versuchen, es dir zu geben.« Ich heftete das Blatt an meine Tür, legte mich mit einem Buch ins Bett und wartete.

Als Erster klopfte Joaquin. Ich bat ihn herein, und wir setzten uns mit verschränkten Beinen gegenüber aufs Bett. Er hatte zwei Jahre in Mexiko gelebt und war etwa zur gleichen Zeit wie ich ins Wohnhotel gezogen. Er sah aus wie der archetypische Herumtreiber, ein Mann, der viel gesehen hat: schmal, mit dunklen Haaren, durchdringenden, wissenden Augen und einer weichen Stimme. Er bewegte sich ebenso langsam, wie er sprach.

»Ich will nur reden«, sagte er. Er erzählte mir, dass seine frühere Freundin ihn wieder kontaktiert habe und er jetzt ständig an sie denken müsse, aber dass sie jedes Mal absage, wenn sie sich zu einem Kaffee oder einem Drink verabredet hatten. Er zeigte mir die ganzen SMS, die sie ihm geschickt hatte.

»Was sagst du dazu?«, fragte er.

»Je mehr du sie bedrängst, desto mehr weicht sie zurück.«

»Ich weiß. Aber wie stelle ich es an, sie nicht zu bedrängen?«

»Sie ist doch diejenige, die dich kontaktiert hat. Wenn du ihr Raum lässt, wird sie früher oder später schon auf dich zukommen. Schau dich doch mal um, wo du hier lebst, schau dir die ganzen schönen Frauen an. Warum konzentrierst du dich nicht erst mal auf sie?«

»Warum fällt mir das so schwer?« Das fragte er mehr sich selbst als mich. »Ich will immer diejenige, die davonläuft, anstatt diejenige, die direkt vor mir steht.«

»Ich glaube, das geht uns allen so. Das ist nicht nur bei dir so, das liegt in der menschlichen Natur.«

Als er aufstand, um zu gehen, deutete ich auf das Bild, das ich bei Joie gemalt hatte und das mich von Mission Dolores zur Bluxome Street und zu OneTaste begleitet hatte. »In ein paar Wochen ziehe ich wieder nach Hause«, sagte ich. »Wenn ich gehe, möchte ich, dass du das bekommst.«

»Wirklich? Danke.« Lächelnd umarmte er mich, in seiner braun-schwarzen Iris reflektierte das Lampenlicht. Es klopfte.

Während Joaquin ging, betrat Hugh das Zimmer. »War's gut?«, fragte er Joaquin lachend.

»Hef, mein Bester«, sagte ich. »Wie kann ich dir helfen?« Ich nannte ihn Hef, um ihn zu erinnern, dass er als untersetzter, nerdiger Typ ab und zu auch seinen inneren Playboy ausleben sollte. Er war zwar etwas kräftig gebaut, sah aber eigentlich recht gut aus, und er hatte ein unbestechliches Rhythmusgefühl. Wenn bei Workshops getanzt wurde, machten die Leute eigens Platz für ihn.

»Ich bin nur gekommen, um mir eine richtige Umarmung abzuholen.« Ich ging zu ihm, stellte mich auf die Zehenspitzen und schmiegte meinen Kopf an seine Schulter, und er legte seine kräftigen Arme um mich. So blieben wir mehrere Atemzüge lang stehen. Ich trat einen Schritt zurück, ließ meine Hände aber auf seinen Oberarmen liegen.

»Und morgen früh möchte ich mit dir die OM machen«, sagte er.

»Gerne.« Ich gab ihm einen Kuss auf die Wange, und er ging.

Später schaute Jude vorbei. Das tat er oft, wenn er nebenan an einem Workshop teilgenommen oder die eine oder andere Frau im Wohnhotel besucht hatte. Wir hatten beide Hunger, also zog ich mich an, und wir gingen zu einem Diner am Union Square, der rund um die Uhr offen hatte, und bestellten eine große Portion Pommes. Als wir zurückkamen, legten wir uns ins Bett, er als das große Löffelchen. »Gute Nacht, Jujube«, sagte ich und drückte ihm die Hand. Er schmiegte sich enger an mich, und ich spürte seine Erektion am Kreuzbein.

»Mein Gott«, flüsterte er, »plötzlich machst du mich total an.« Wir kuschelten zwar oft, hatten aber seit neun Monaten nicht mehr miteinander geschlafen. Überrascht drehte ich mich zu ihm, um ihn anzusehen, und zog ihn ohne nachzudenken an mich. Erinnerungen an unseren ersten Kuss in Joies Wohnung stiegen in mir auf: seine vollen Lippen, die langen Hände, die Tätowierungen auf den Unterarmen. An den Sex konnte ich mich nicht mehr so genau erinnern, nur daran, wie sehr wir uns zueinander hingezogen gefühlt hatten, wie warm seine Arme und Beine um meine gewesen waren, und die Tatsache, dass wir schließlich wie ein altes Ehepaar in der Missionarsstellung aufeinandergelegen hatten. Als ich jetzt morgens aufwachte, saß er meditierend auf dem Fußboden. »Was zum Teufel ist denn da gestern Abend plötzlich passiert?«, fragte er.

»Wenn ich nicht mehr hier bin, werde ich dir fehlen, das ist passiert.« Ich griff mir ein Handtuch, fuhr ihm damit über den Scheitel seines geschorenen Schädels und trat über ihn hinweg, um zur Dusche zu gehen.

Etwa in derselben Woche tauchte auch Andrew wieder auf. In einer E-Mail schrieb er, dass er und seine Freundin sich getrennt hatten. Ob ich Lust auf einen Drink hätte? Wir trafen uns in der Stadt und bestellten Manhattans. Die Freundin hatte kein Verständnis dafür, dass er soviel Zeit in seine Dissertation investierte. Sie war eifersüchtig und wollte ihn ständig kontrollieren, sich aber nicht zu ihm bekennen. Sie hatte schon einen neuen Freund. Als die Bedienung mit der Rechnung gegangen war, atmete er laut aus und sagte: »Es tut so gut, das alles loszuwerden.«

Er begleitete mich zu OneTaste zurück. Ich schloss die Haustür auf und ging nach oben, sodass er mir folgen konnte, wenn er wollte. In meinem Zimmer fielen wir übereinander her. Ich erinnere mich an lautes Grunzen, an Kleider, die durch die Luft flogen, seine Beine in der Luft, als ich mit einem Finger in seinen Anus fuhr. Ich stieg auf ihn und kam fast sofort, wie schon beim ersten Mal mit ihm. Am nächsten Morgen döste ich noch, er steckte sein Hemd in die Jeans und setzte sich auf die Bettkante.

»Danke«, sagte er. »Und das meine ich im Ernst. Wenn ich mit dir zusammen bin, bewirkt das irgendetwas bei mir. Ich fühle mich wieder ganz.«

Ich floss schier über vor Wohlwollen – für ihn, für Jude, für Joaquin und Hugh und für alle anderen, die mich eine Minute oder eine Nacht brauchten. Diese Woche war für mich die beste bei OneTaste, vielleicht sogar – mit Ausnahme von Alden – die beste des ganzen Projekts.

Obwohl ich mit Amelia, dem Kind, das Susan vor sechs Jahren bekommen hatte, eigentlich nicht verwandt war, nannte sie mich Tante. Ich wusste so viel von Susans langwieriger Entscheidungsfindung, an deren Ende sie schließlich zur

Samenbank gegangen war, dass ich das Gefühl hatte, Amelia schon als Idee gekannt zu haben. Zweimal im Jahr kamen die beiden aus Los Angeles zu uns zu Besuch, und diese Tage gehörten für mich immer zu den schönsten des Jahres: Ich durfte für mehr als zwei Esser kochen, wir setzten uns zusammen aufs Sofa und schauten *The Sound of Music* oder *Der Zauberer von Oz*, und ich sah zu, wie Scott Amelia etwas vorlas oder mit ihr Wein in Flaschen abfüllte.

Susan und ich hatten in den ganzen zwanzig Jahren unserer Freundschaft nie gleichzeitig in derselben Stadt gelebt, aber wir hatten immer einen Schlüssel zur Wohnung der anderen. Sie kam mit Amelia an einem Freitag. Normalerweise wäre ich einfach früher von der Arbeit nach Hause gegangen, um sie zu empfangen, aber dieses Mal ging das nicht. Ich hatte einen Nachmittagstermin mit Roman und Margit für Sex zu dritt. Margit musste am Montag verreisen, Roman hatte die Erlaubnis von Annie, und ich würde in zwei Wochen wieder nach Hause ziehen. Der Zeitpunkt war schrecklich ungünstig, aber auch nicht ungünstiger als der Zeitpunkt des gesamten Projekts. Ich hätte meine wilden Jahre erleben sollen, als ich Anfang zwanzig und eine Weile ungebunden war. Zu meinem flotten Dreier hätte es spontan kommen sollen, in den frühen Morgenstunden nach der wilden Party, auf der ich nie gewesen war, und ich hätte meine One-Night-Stands in den europäischen Zügen kennenlernen sollen, in denen ich nie gefahren war, und nicht bei Nerve.com und OneTaste.

Ich hatte das Treffen so organisiert, dass ich Roman die erste Stunde für mich haben würde. Er erwartete mich schon in meinem Zimmer. Ich setzte mich rittlings auf ihn, wir waren beide noch angekleidet, und küsste ihn an den Ohren und auf den Hals. Er fuhr mit den Händen unter mein Kleid und umfasste meinen Hintern, dann drehte er mich um, küsste mich bis zum Bauch hinunter und leckte mich. Roman war einer der wenigen Männer, der das ebenso hingebungsvoll tat, wie er geleckt wurde. Nach einer ganzen Weile stopfte er mir mehrere Kissen unter den Kopf, kniete über mich und fickte mich ganz langsam in den Mund. Jedes Mal zog er seinen Schwanz in voller Länge heraus und ließ ihn über mir hängen, bis ich wieder danach griff. Stundenlang hätte ich ihn so lutschen können, doch dann klingelte es an der Tür.

Margit kam herein, lächelnd und mit geröteten Wangen, sie konnte ihre Aufregung kaum beherrschen. Sie ließ Mantel und Tasche fallen und stieg ohne Federlesens auf Roman, um mit ihm herumzuspielen. Ich lag neben ihnen und sah zu. Keuchend und fiebrig setzte Margit sich auf, um ihre schwarze Bluse und den schwarzen Spitzen-BH auszuziehen, darunter kamen ihre perfekt geformten Brüste zum Vorschein. Ungeduldig schlüpfte sie aus ihrer Jeans. Roman und ich setzten uns auf. Er ließ von hinten seinen Finger in sie gleiten, während ich sie küsste. Dann wanderte ich zu ihren Brustwarzen hinunter, während Roman sie küsste, und so weiter, bis sie und ich aufs Bett fielen und er seinen Mund zwischen ihren Beinen vergrub, ohne auch nur einmal den Blick von meinen Augen zu nehmen.

Erst später fielen mir einige Dinge ein, die ich gerne gemacht hätte, zum Beispiel, dass sie mich leckte, während er in meinem Mund war. An dem Nachmittag allerdings kapitulierten meine Sinne vor der Überfülle. Mehrmals hielt ich inne, nur um den beiden zuzusehen; ich fand es faszinierend, zwei Menschen aus so großer Nähe vögeln zu sehen. Margit stöhnte und lachte und keuchte, und zwar viel lauter und schneller als ich. Ich ließ ihr den Vortritt, schließlich war ich gewissermaßen die Gastgeberin.

Zum Schluss leckten wir Roman gemeinsam – ein Szenario, von dem ich schon lange geträumt hatte. Er packte mein lockiges Haar mit einer Hand und ihr dickes, glattes Haar mit der anderen, und so streichelten und küssten wir einander, dann saugten wir gegenseitig an unseren Brüsten, während eine seinen Schwanz nahm, und zu guter Letzt teilten wir ihn uns, sie oben und ich bei seinen Eiern, bis er mit einem kehligen Stöhnen kam.

Ich schaute auf die Uhr, ich war spät dran. Während Margit und Roman mir lachend für das Organisieren des Treffens dankten, schlüpfte ich schnell in mein Kleid und griff nach meiner Tasche. »Bleibt, solange ihr wollt«, sagte ich, küsste sie beide auf die Wange und ging schnell zur U-Bahn.

Als ich nach Hause kam, saßen alle am Küchentisch und spielten Uno. Scott und Susan tranken selbstgemachten Erdbeerwein. Amelia, ein süßes Kind mit braunen Locken und intelligenten Augen in einem frechen Gesicht, hatte eine Schnabeltasse Wasser vor sich stehen.

»Grüß euch«, trillerte ich, ließ meine Sachen fallen, umarmte Susan, gab Scott einen Kuss und drückte Amelia fest an mich. »Ich freue mich so, euch zu sehen.«

»Viel zu tun bei der Arbeit?«, fragte Susan.

»Ja«, sagte ich und wich ihrem Blick aus. »Wie immer.« Susan war mir fast eine Schwester, sie war die einzige Freundin, die alle Einzelheiten des Projekts kannte und bedingungslos zu mir hielt. Sie hörte mir zu, stellte Fragen und fühlte mit mir mit, was erstaunlich war in Anbetracht der Tatsache, dass sie sinnliche Abenteuer schon vor Langem gegen die Mühen der alleinstehenden Mutter eingetauscht hatte. Ich hätte ihr liebend gern erzählt, was ich gerade gemacht hatte, aber selbst, als ich später allein mit ihr zusammensaß, sprach ich nicht darüber.

Scott schenkte mir ein Glas Wein ein, und ich spielte ein paar Runden Uno mit. Schließlich stand ich auf und sagte: »Spielt nur weiter, ich mache uns etwas zu essen.«

»Rob!«, sagte Susan und deutete auf mich. »Dein Reißverschluss ist ja offen!« Amelia brach in kicherndes Gelächter aus, wie Sechsjährige es so tun. »Tante Robin!«, quietschte sie und verschluckte sich fast vor Lachen.

»Was?«, sagte ich und fuhr mit der Hand nach hinten zum Reißverschluss. Er stand bis zur Taille offen, der BH-Riemen war zu sehen. Scott schaute kurz auf und dann wieder auf seine Karten. »O je, da habe ich wohl vergessen, ihn zuzumachen, als ich auf der Toilette war.« Ich spürte, dass ich am Hals und im Gesicht puterrot anlief, allerdings eher aus Reumütigkeit als vor Verlegenheit. Alle wussten, dass ich den Reißverschluss nicht zu öffnen brauchte, wenn ich auf die Toilette ging.

»Sie wird noch bei OneTaste vorbeigeschaut haben«, sagte Scott lauter als nötig und ohne den Blick von seinem Blatt zu nehmen. Seufzend spielte er die nächste Karte aus. Als Amelia ihren Onkel Scottie später um eine Gutenachtgeschichte bat, las er ihr die Geschichte von der Büchse der Pandora vor.

Als Margit von ihrer Geschäftsreise zurückkam, war sie sofort bereit, Grace zu ersetzen, was den Umschnalldildo betraf. Scott fuhr übers Wochenende zum Campen, ich war allein zu Hause, und er hatte nichts dagegen, dass Margit mich dort besuchte. Vorher ging ich zu Good Vibrations und kaufte einen weißen Silikondildo mittlerer Größe mit einem kugeligen Kopf sowie ein Umschnallgeschirr aus schwarzem Samt.

Margit und ich hatten uns zum Essen in meinem Lieblingsrestaurant in der Nähe verabredet. Wir saßen an einem Tisch in der Bar und bestellten Martinis und Finger Food. Wie immer war sie bester Dinge, erzählte angeregt von sich, hörte aber auch aufmerksam zu. Im Gespräch war sie spontan und freimütig, sie hatte nicht die geringste Angst, ihre Meinung zu äußern. Alles, was ich sagte, hinterfragte sie spielerisch.

Als die Rechnung kam, nahm sie sie sofort an sich und erklärte: »Du bist mein Date.«

»Nein, Margit«, protestierte ich.

»Außerdem hast du den Dildo gekauft!«, sagte sie und zog lächelnd ihre Kreditkarte heraus.

Zu Hause legte sie die Hand um die Stange. »Tanzt du für mich?«, bat sie.

»Wirklich?«

»Ja«, sagte sie und nickte heftig. »Ich setze mich hierher.« Sie ging zu dem Sessel, der in der Nähe stand, ließ sich darauf fallen und schlug entschlossen die Beine übereinander. »Ich habe dich gerade geordert. Jetzt zeig mir, was du kannst.«

»Ich bin gleich wieder da.«

Im Schlafzimmer zog ich den G-String, das Stripper-Höschen, den Pushup-BH und das Trägerhemd an, wie ich es immer beim Lapdance für Scott getragen hatte, zwängte mich in die fünfzehn Zentimeter hohen Acryl-Plateauschuhe, verstrubbelte mir die Haare, legte einen dunklen Lippenstift auf und stöckelte den Flur entlang zum Wohnzimmer. Die Absätze zwangen mich zu einem schlangenhaften Gang.

Ich hatte auf meinem iPod eine Playlist, die »Pole« hieß. Ich dimmte das Licht, startete »Massive Attack« und führte dieselbe Nummer vor, die ich für Scott entworfen hatte. Als ich meinen Hintern gegen die Stange presste, formten sich Margits Lippen zu einem lautlosen »Ah«. Als ich auf den Sessel kletterte, holte sie scharf Luft. Und als ich mich aus dem Trägerhemd schälte und mit den Fingern unter meinen BH fuhr, sagte sie: »O mein Gott, du bist unglaublich.«

Im Schlafzimmer legte ich, mittlerweile nackt bis auf die Plateauschuhe, das Geschirr an, der weiße Dildo hing zwischen meinen Beinen. Ich empfand die Situation weder als erotisch noch als unbehaglich, ich war einfach nur neugierig. Langsam drang ich in sie ein, bald wollte sie mehr. Im Gegensatz zu der Wonne, die es mir bereitet hatte, mit meinem Finger oder der Zunge in Grace einzudringen, empfand ich durch den Dildo eine gewisse Distanz. Während Margit unter mir keuchte und stöhnte, sah ich ihr wie aus der Ferne zu.

Ich konnte es kaum erwarten, dass wir Plätze tauschten. Als es soweit war, überraschte mich, wie fest der Dildo war, weit härter und weniger elastisch als selbst der erigierteste Penis oder auch als jeder Vibrator, an den ich mich erinnern konnte. Der Dildo tat nicht richtig weh, er fühlte sich einfach nur tot an. Visuell nahm ich die berauschende Szene wahr, die sich abspielte, aber sexuell hatte ich den Gipfel schon erreicht. Das Künstliche des Setups neutralisierte jede Erregung, die der Kitzel des Neuen hervorgerufen hatte.

Sobald Margit gegangen war, schlüpfte ich in mein warmes Nachthemd und die Äffchen-Hausschuhe. Ich band mir die Haare zum Pferdeschwanz, putzte mir die Zähne, schenkte ein großes Glas Wasser ein und legte mich ins Bett. Cleo sprang auf meine Brust, und so blieb ich lange liegen und las. Draußen vor dem Haus nahm das Castro-Wochenende erst richtig Fahrt auf, aber hier, im hinteren Teil des Hauses, der zum Garten hinausging, war es so still wie am Abend in der Kleinstadt. Erst sehr viel später überlegte ich mir, dass Margit die einzige Person war, mit der ich in unserem Schlafzimmer geschlafen hatte.

Und sie war die Letzte. Im Kopf zählte ich sie durch: zwölf neue Liebhaber im vergangenen Jahr. Einige waren gute Freunde geworden. Die meisten hatten mir geholfen, mich mit Teilen meiner selbst anzufreunden, die schon immer existiert hatten: das verletzte und unabhängige kleine Mädchen, der abenteuerlustige und unsichere Teenager, die heftige und unstete Erwachsene. In mir gab es eine liebevolle Mutter, eine heilige Hure, eine weise Heilerin, eine selbstsüchtige Zicke und eine Frau, die sie alle von außen betrachtete.

Im Grunde glaube ich nicht, dass Sex die einzige Möglichkeit ist, um sich selbst zu entdecken. Wahrscheinlich hätte ich malen, um die Welt reisen oder in stiller Kontemplation dasitzen können und hätte letztlich dieselben verborgenen Facetten meiner selbst entdeckt. Eines allerdings spricht meiner Ansicht nach doch für Selbstkenntnis durch Sex: Wenn man wenig Zeit hat, ist das der effizienteste und sicherste Weg. Er endet im Körper, und der Körper vergisst nichts.

TEIL DREI

Haus des Schattens und des Verlangens

Widerspreche ich mir selbst?
Gut, dann widerspreche ich mir selbst.
(Ich bin weiträumig, ich enthalte Vielheit.)

Walt Whitman, *»Gesang von mir selbst«*

27.

Der Knall

Mein wildes Jahr endete auf den Tag genau ein Jahr, nachdem es begonnen hatte. Als sich der April dem Ende näherte, verbrachte ich auch die Abende unter der Woche zunehmend zu Hause. Ich hatte gedacht, wir könnten das Projekt ein paar Tage vor der Zeit beenden, aber Scott wollte die Nacht des 30. April mit Charly verbringen – er sagte, sie rechne damit –, also beschloss ich, bei OneTaste zu bleiben.

»Du gehst wirklich bis ans Äußerste«, sagte ich. Ich fragte mich, wie emotional die Trennung nach ihrer langen Affäre sein würde, und ob Charly ihn auf Dauer wirklich ziehen lassen würde.

Scott zuckte mit den Schultern. »Es ist vermutlich das letzte Mal überhaupt, dass ich mit einer anderen Frau schlafe.«

Als ich am Morgen des 1. Mai bei OneTaste aufwachte, regnete es, und es war kalt. Der Koffer mit meinen Sachen war schon gepackt. Ich hatte Grace versprochen, vor der Arbeit mit ihr nach Berkeley zu fahren, also gingen wir um halb sieben nach unten. Ich stellte meinen Koffer vor die Haustür. Die anderen waren bei der morgendlichen OM im Workshop-Zentrum.

»Bleib hier, ich hole den Wagen«, sagte ich. In dem Moment rollte lautlos ein blauer Pickup die Folsom Street hinunter auf uns zu. Es war, als hätte der Motor ausgesetzt. Ohne ein Quietschen, ohne ein Bremslicht knallte er geradewegs in die Autos, die am Straßenrand parkten. Ich hörte das grauenvolle Geräusch von Metall, das auf Metall trifft, ich sah, wie der Kopf des Fahrers auf das Lenkrad prallte, sodass die Hupe zu jaulen anfing. Und sie hörte nicht auf zu kreischen, wie Peitschenhiebe klang sie.

Ein oder zwei Sekunden war ich vor Schock wie erstarrt, dann lief ich zum offenen Fahrerfenster. Der Mann war bei Bewusstsein, aber ich hatte den Eindruck, dass er gelähmt war. Seine rechte Wange lag auf dem Lenkrad, Speichel rann ihm übers Kinn, er hatte die Augen verdreht. Immer wieder versuchte er, den Kopf zu heben, aber jedes Mal fiel er auf die Hupe zurück.

Grace kam dazu und rief den Notarzt. Ich öffnete die Tür, lehnte den Fahrer im Sitz zurück und hielt ihn am Arm fest. Sein Gesicht war unverletzt. »Es wird alles gut«, sagte ich. »Der Notarzt kommt gleich.« Eine Sekunde richtete der Mann unkoordiniert seinen Blick auf mich, dann sank sein Kinn auf die Brust. Er kam mir nicht betrunken vor, er roch nicht nach Alkohol, und sein Gesicht war nicht rot. Speichel tropfte ihm von der Unterlippe in den Schoß.

Grace hatte das Telefonat beendet und berührte den Mann an der Schulter. Schweigend sah sie zu mir. Ich sah, wie schnell sich ihre Brust hob und senkte.

»Es wird alles gut«, wiederholte ich ein ums andere Mal und hielt seinen Arm, während Grace seine Schulter festhielt. »Der Notarzt kommt gleich.« Sein Atem ging keuchend, verwirrt sah er sich im Wagen um, mit der freien Hand tastete er in die Luft vor sich. Dazu gab er zusammenhanglose Geräusche von sich, als wäre er in einem Traum gefangen.

Endlich kam der Krankenwagen, und die Sanitäter übernahmen die Versorgung. Sie meinten, der Mann habe einen Herzinfarkt gehabt, vielleicht einen Schlaganfall. Die Polizei traf ein, und Grace und ich mussten zwei Seiten Fragen nach dem Unfallhergang beantworten. Zu dem Zeitpunkt hatte

Grace bereits beschlossen, auf Berkeley zu verzichten. Ich stieg in den Wagen, um zur Arbeit zu fahren, stellte aber fest, dass ich die Richtung zu Scotts Büro eingeschlagen hatte, die Folsom Street hinunter und die Spear Street hinauf. Es war kurz nach sieben Uhr, wahrscheinlich war er gerade im Büro angekommen, direkt von Charly. Ich rief ihn von unterwegs an.

»Hi«, sagte er.

»Hi. Kannst du einen Moment runterkommen? Gerade, als ich OneTaste verlassen habe, hat ein Mann einen Herzinfarkt gehabt und ist mit seinem Pickup gegen den Rinnstein geknallt.«

»Scheiße. Ist bei dir alles in Ordnung?«

»Ja, aber ich würde dich gern kurz sehen.«

»Ich komme gleich runter.«

Ich fuhr vor das Gebäude, in dem sein Büro war, und sah ihn in einer schwarzen Chino draußen stehen. Ich stieg aus dem Wagen, marschierte direkt zu ihm und schlang die Arme um ihn. Er nahm mich in den Arm. »Das war ein ziemlicher Schock«, sagte ich in seine Brust hinein. Ich nahm seinen vertrauten erdigen Geruch wahr und hoffte, ich würde nichts Weibliches bemerken. Zum Glück hatte Charly keine Duftspur hinterlassen.

»Der Mann kommt bestimmt durch, Trüffel«, sagte er, als ich mich aus der Umarmung löste und den nassen Fleck betrachtete, den meinen Tränen auf seinem lila Hemd hinterlassen hatten. »Die Sanitäter werden sich schon richtig um ihn kümmern.«

»Es ist nur … Ich weiß nicht … Ich bin so froh, dass du hier bist«, sagte ich und fuhr mir mit dem Handrücken über die Augen.

»Wir sehen uns heute Abend zu Hause«, sagte er. »Wir machen uns ein ruhiges Wochenende.«

»Gut«, sagte ich und nickte. »Bis heute Abend. Ich liebe dich.«

»Ich liebe dich auch, Mausezahn.« Er gab mir einen Kuss auf die Stirn und wandte sich zum Gehen. Ich stieg in den Wagen, fuhr aber nicht los, sondern sah ihm nach, wie er durch die verglaste Lobby ging, wartete, bis sein großer Körper um die Ecke des Liftschachts verschwunden und er außer Sicht war.

Nachdem ich monatelang in Ein-Zimmer-Apartments gelebt hatte, stürzte ich mich mit neuer Begeisterung in meine Küche. Ich kochte persischen Reis und machte Lasagne. Am Wochenende saß Scott im sonnigen Esszimmer, las Zeitung und trank Kaffee, während ich Pfannkuchen briet. Ich badete in meiner großen Wanne, und abends machten wir im Kamin ein Feuer. Wenn ich aufwachte oder ein Zimmer betrat, überwältigte es mich für einen Moment immer wieder, wie schön unser Zuhause war. Dann blieb ich stehen und sah zum Fenster hinaus oder betrachtete die sepiagetönten Fotos von Scotts Eltern und meinen Großeltern, die im Flur hingen, und seufzte vor Erleichterung.

Die emotionale und sexuelle Verbindung zwischen uns stellte sich allerdings nicht so rasch wieder ein wie unsere Häuslichkeit. Wir gingen sehr vorsichtig miteinander um, als müssten wir einem Minenfeld ausweichen. Die ein oder zwei Male die Woche, die wir miteinander schliefen und die mich jahrelang zufriedengestellt hatten, genügten mir jetzt nicht mehr, ich wünschte mir zwei- oder dreimal so viel. Außerdem war ich davon ausgegangen, dass ich mittlerweile, nachdem ich ein Jahr lang mit fast allen Liebhabern Verbalerotik geübt hatte, Scott gegenüber unbefangener wäre, aber da hatte ich mich getäuscht. Selbst wenn ich den dezentesten derben Ausdruck verwenden wollte – etwa nur »Fick mich« oder »Du bist so steif« –, stellte ich fest, dass mir die Worte im Hals stecken blieben. Das verstörte mich, und die Macht, die es mir verbot, sie auszusprechen, verwunderte mich. Als wir hinterher nebeneinanderlagen, gestand ich: »Es ist wirklich seltsam, ich würde gern handfest mit dir reden, aber ich kann es buchstäblich nicht.«

»Du kannst alles sagen, was du magst.«

»Ich weiß. Das sagst du immer. Aber ich kann nicht. Es kommt nicht raus.«

»Warum nicht? Ist es dir peinlich?«

»Vielleicht. Aber ›peinlich‹ trifft es nicht ganz. Es ist eher so, dass Verbalerotik einfach nicht wir sind.«

»Ich möchte nicht der Typ sein, mit dem du langweiligen Sex hast.«

Ich überlegte mir, ob er bei anderen Frauen wohl auch unbefangener war. Ob Charly Sexgeflüster gut fand.

»Möchtest du verbal manchmal derb werden?«, fragte ich.

»Eigentlich nicht. Aber du solltest sagen, was du willst.«

Unsere gestörte Intimität machte sich beim oralen Sex am deutlichsten bemerkbar. Scott gab es offenbar nichts mehr, wenn ich seinen Penis in den Mund nahm, und er leckte mich nur noch selten.

»Warum magst du mich nicht mehr lecken?«, fragte ich ihn an einem Abend ein paar Wochen, nachdem ich wieder zu Hause eingezogen war.

Er sah mich gequält an. Nach längerem Schweigen sagte er: »Ich weiß nicht.«

Wieder Schweigen. »Oraler Sex ist intimer als Vögeln«, meinte er schließlich.

»Und so intim möchtest du mit mir nicht werden?«

Er gab keine Antwort.

»Hast du Charly geleckt?«

»Robin ...«

»Das heißt, du kannst intim sein mit einer Frau, die du seit sechs Monaten kennst, aber nicht mit mir.«

»Ich habe ein paar üble Sachen gemacht«, sagte er und schaute unvermittelt zu mir.

»Zum Beispiel?«, flüsterte ich und sah ihm unverwandt in die Augen.

Eine halbe Minute verging. Schweigend.

»Zum Beispiel?«, wiederholte ich.

»An einem Dienstag, vor ein paar Monaten, du warst krank und wolltest nach Hause kommen. Ich habe dir gesagt, dass ich an dem Abend einen Schreibkurs hatte, aber das stimmte nicht. Ich war mit Charly verabredet.«

Ich überraschte mich selbst, als ich sagte: »Ich habe Schlimmeres gemacht.« Ich sah mich nach Denver fliegen, noch ehe das Projekt begonnen hatte, ich sah Paul ohne Kondom in mich eindringen, und Alden auch. Schaudernd erinnerte ich mich daran, wie durch das fehlende Kondom eine emotionale Verbindung entstanden war, eine unmittelbare und unauflösliche. Und auf einmal wusste ich es.

»O mein Gott«, sagte ich und musste fast über mich selbst lachen. »Du hast bei ihr das Kondom weggelassen. Natürlich.«

»Ja.«

In meinem Kopf kam ein schwarzer Wind auf, wie ein Wirbelsturm, der über einer kargen Ebene an Fahrt gewinnt.

»Du hast ein halbes Jahr lang ohne Kondom mit Charly geschlafen.«

Er nickte, wich dabei meinem Blick aus.

»Bitte sag, dass sie sich hatte untersuchen lassen.«

»Sie hat nichts«, sagte er.

»Woher weißt du das?« Der Termin beim Arzt, die Ängste, die ich wegen der paar kondomlosen Wochen durchgestanden hatte, der entsetzliche Streit mit Alden, die Untersuchungsergebnisse, die er mir endlich gemailt hatte, meine eigene darauf folgende Blutuntersuchung, das alles wirbelte chaotisch durch meinen Kopf.

»Das hat sie gesagt.«

»Das hat sie gesagt. Und du glaubst ihr genug, um meine Gesundheit aufs Spiel zu setzen.«

»Ja«, sagte er und schaute mich trotzig an. »Ich vertraue ihr.«

In meinem Kopf wurde es dunkel. Plötzlich boxte ich seine Arme. Bei jedem Schlag spürte ich meine Fäuste auf solide Muskeln auftreffen, aber mit welcher Wucht ich auch ausholte, sie trafen nicht fest genug. Ich hörte mich vor Anstrengung keuchen. Ich schlug auf seinen Kopf ein. Als er mich an den Schultern packte und mich festhalten wollte, biss ich ihm in die Hand. Am liebsten hätte ich seine Knochen zwischen meinen Zähnen zermalmt, aber irgendetwas hielt mich davon ab.

Das war die brutale Wahrheit. Ein verängstigtes Mädchen, das alles daransetzt, um aus einem Käfig auszubrechen. Ein übler Frauenheld, der sich selbst in einen Käfig gesperrt hat. Man entferne die Kontrollmechanismen und sehe, was passiert. Wie leicht es ihm gefallen war, etwas zu tun, dessentwegen ich tausend Tode gestorben war. Wie frei er im Vergleich zu mir innerlich war. Dass er bereit war, sich ins eigene Fleisch zu schneiden, nur um sich an mir zu rächen.

Um ihm nicht die Hand durchzubeißen, ließ ich von ihm ab und bearbeitete stattdessen die Kommode. Meine Füße und Beine waren fest am Boden verankert, während mein Oberkörper alles in Reichweite wegfegte, eine unaufhaltsame Maschine der Wut. Mit einer Handbewegung wischte ich die gerahmten Fotos und den Nippes und eine Schüssel voll Münzen vom Tisch. Ich riss Kleider aus dem Schrank und warf Schuhe in die Mitte des Raums. Als es im Schlafzimmer nichts mehr zu zerstören gab, nahm ich das schwere Holzkästchen mit meinem Schmuck und schleuderte es durch die Duschwand, sodass sie in Hunderte Scherben zerbarst. Erst als ich Glas unter den bloßen Füßen spürte, kehrte etwas wie ein normales Bewusstsein zurück. Keuchend wie ein Hund stand ich in dem Chaos und sah mich um. Scott war verschwunden.

Ich zog Schuhe an, stürzte zur Haustür hinaus und lief zur Ecke der Market Street. Es war nach Mitternacht, nur wenige Menschen waren unterwegs. Ich sah seine große Gestalt drei Blocks vor mir, er ging schnell Richtung Innenstadt. Auf zitternden Beinen rannte ich ihm nach. Als ich ihn schließlich einholte, war er fast einen Kilometer von zu Hause entfernt, er stand an einer roten Ampel direkt gegenüber von einem billigen Motel. Außer Atem packte ich einen Zipfel seines Mantels, er wirbelte herum.

»Bitte komm nach Hause«, sagte ich. »Bitte.« Am liebsten wäre ich gestorben.

Er atmete tief aus, schweigend kehrten wir nach Hause zurück. Dort angekommen, gingen wir in das zerstörte Schlafzimmer. Bei dem Anblick packte mich blankes Entsetzen. Ich war ein Teenager gewesen, als ich zum letzten Mal einen Raum in einem solchen Zustand gesehen hatte.

Noch im Mantel, trat Scott über die Bruchstücke zum Bett und setzte sich auf die Kante, stützte die Ellbogen auf die Knie und legte den Kopf in die Hände.

»Verlässt du mich?«, fragte ich.

Kurz sah er auf, dann wieder auf den Boden. »Ich glaube, schon«, sagte er.

Am nächsten Tag kam ich vor Scott nach Hause, um Ordnung zu schaffen. Weinend schaufelte ich haufenweise Scherben in den Mülleimer, fand Glassplitter in allen Ecken, zog zerkratzte Familienfotos aus dem Schutt, suchte die Stücke einer kleinen Statue zusammen, die ich Scott in New Orleans geschenkt hatte. Die Zerstörung, die ich angerichtet hatte, erschreckte mich zutiefst.

Als Scott nach Hause kam, war das Zimmer wiederhergestellt, obwohl nichts mehr auf der Kommode stand und die Tür zur Duschkabine fehlte. Er bat mich, mich an den Küchentisch zu setzen.

»Wenn du mich jemals wieder schlägst, verlasse ich dich.

Ohne Diskussion. Was letzte Nacht passiert ist, darf nie wieder passieren. Ist dir das klar?«

Ich konnte es nicht fassen. Mein Mann drohte mir, sich von mir scheiden zu lassen, weil ich ihn schlug. Wenn das passierte, würde ich nicht nur ihn und die Ehe verlieren, ich wüsste nicht mehr, wer ich war. Ich müsste den Rest meines Lebens als ein Mensch verbringen, den ich nicht kannte und nicht akzeptieren konnte.

»Es tut mir wirklich leid, Scott. Es wird nie wieder passieren, das schwöre ich dir.« Ich hörte die Worte und dachte mir: *Das sagen alle Täter.* »Ich habe schon einen Termin bei Delphyne gemacht.« Na, also. Echte Täter vereinbarten nicht wenige Stunden nach dem Vorfall von sich aus eine Therapiestunde, oder? Aber gute Manipulatoren schon.

In den folgenden Tagen versank ich in einer Dunkelheit, die einer Depression ähnlich war, aber weniger heftig und umso entsetzlicher, weil ich selbst sie herbeigeführt hatte. Mit schweren Armen und Beinen schleppte ich mich dahin, wie in einem bösen Traum. Meine Gedanken balancierten auf einem Seil, schwankten zwischen quälender Reue gegenüber Scott und gespenstischen Bildern meines Vaters: nicht die üblichen, wie er brüllte und drohte, sondern die stillen, in denen er allein am Küchentisch saß, nachdem er uns aus dem Haus gejagt hatte, am Boden zerstört im abgedunkelten Schlafzimmer, verkatert auf dem Sofa bei dröhnendem Fernseher. Ich hatte den Großteil meines Lebens damit zugebracht, dafür zu sorgen, dass ich keine misshandelte Frau wurde. Ich wäre nie auf die Idee gekommen, dass ich stattdessen zur Misshandelnden werden könnte.

28.

Das Danach

Das Bild der Feuergöttin Pele hing bei Delphyne immer noch über der Tür. Ihre flammenden Augen hatten mitverfolgt, wie ich meine mütterliche Sehnsucht analysierte, wie Scott seine Entscheidung kundtat, sich sterilisieren zu lassen, wie ich erklärte, ich wolle den Status quo nicht länger hinnehmen.

Pele mochte für ihre verändernde Kraft der Zerstörung verehrt werden, aber hier auf Erden hatte ich mich an die Regeln des menschlichen Anstands zu halten. Ich erzählte Delphyne in allen Einzelheiten von meinem Blackout im Schlafzimmer und dass Scott sich von mir scheiden ließe, wenn es noch einmal passierte.

»Weshalb hat es dich so wütend gemacht, dass er kein Kondom verwendet hat?«, fragte sie. »Weil er eine Regel übertreten hat?«

»Nein, ich habe sie ja auch übertreten. Aber ich habe mich dafür mit Selbstvorwürfen gequält. Er war fast stolz darauf. Die Art, wie er ›Ich vertraue ihr‹ sagte – das hat mir den Boden unter den Füßen weggezogen.«

»Ich glaube, ihr werdet euch mit Scotts Wut über das Projekt auseinandersetzen müssen.«

»Mit Scotts Wut? Ich bin diejenige, die gerade unser Schlafzimmer kurz und klein geschlagen hat.«

»Du bringst die Wut einfach allzu heftig zum Ausdruck. Er tut es auf passive Art.«

In der darauf folgenden Woche gingen Scott und ich in die Oper und trafen zufällig Tara und Jackie, die wir seit Monaten nicht mehr gesehen hatten. Hinterher setzten wir uns zusammen. »Ich freue mich sehr, dass ihr zwei wieder zusammen seid«, sagte Tara und trank einen Schluck von ihrer Margarita. »Ihr seid nämlich mein Lieblingspaar.« Jackie hatte keine Ahnung von dem Projekt, also klärte Tara sie kurz auf.

»Ist das euer Ernst?«, sagte Jackie. »Und ihr seid noch zusammen?«

»Ihr seid wirklich erstaunlich«, sagte Tara. »Von allen Ehepaaren, die ich kenne, würde die Hälfte so etwas auch gern machen, aber sie haben zu viel Angst. Und ihr habt es durchgestanden? Das nenne ich Liebe.«

Scott und ich warfen uns einen verhaltenen Blick zu. Jackie erzählte von ihrem Freund, der ihretwegen vor zwei Jahren seine Ehefrau verlassen hatte. Jetzt hatte sie vor Kurzem auf seinem Laptop eine Reihe E-Mails zwischen ihm und mehreren Frauen bei Craigslist gefunden. Als sie ihn darauf ansprach, hatte er gesagt, er flirte zwar zum Zeitvertreib mit den Frauen, beteuerte aber, er habe sich mit keiner je getroffen. Scott und Tara unterhielten sich darüber, ob Jackie ihm verzeihen oder ihn verlassen sollte. Sie kamen zu keinem Ergebnis.

»Wie ist der Sex, Jackie?«, unterbrach ich.

Sie lehnte sich zurück und legte beide Hände auf den Tisch. »Einfach phantastisch«, sagte sie. »Der beste Sex den ich je hatte.«

»Dann leb damit. Du wirst ihn schon verlassen, wenn es an der Zeit ist.«

»Damit leben«, wiederholte sie. »Genau das werde ich tun.«

Auf dem Heimweg fragte Scott: »Meinst du wirklich, dass sie mit dem Typen zusammenbleiben sollte?«

»Das tut nichts zur Sache. Wenn der Sex wirklich gut ist, wird sie ihn nicht verlassen. Sie kann sich genauso gut mit der Situation abfinden und ihr Leben weiterleben.«

»Sex ist nicht alles«, sagte er.

»Ach, jetzt komm schon. Wir beide haben wegen Sex gerade für ein ganzes Jahr unser Leben auf den Kopf gestellt. Wegen Sex und Kindern. Oder vielleicht ging es nicht einmal um Kinder, vielleicht war es nur …«

Plötzlich stand ich mit dem Rücken an der Mauer eines Gebäudes zu meiner Rechten, Scott packte mich mit beiden Händen am Mantelkragen und riss mich hoch. Dabei brüllte er so heftig, dass ich die Spitzen seiner Backenzähne sehen konnte: »Weißt du, wie oft ich mich nachts in den Schlaf geweint habe, nachdem du ausgezogen bist?! Interessierst du dich jemals für die Gefühle von irgendjemand anderem als dir selbst?!«

Ich war zu benommen, um zu antworten. Ich spürte, wie sich meine Haare in der kalten Ziegelmauer verfingen. Am Straßenrand hielt ein Wagen, der Beifahrer ließ das Fenster herunter. »Ist alles in Ordnung, Ma'am?«, fragte er.

»Ja«, sagte ich. Scott löste seinen Griff um meinen Hals. »Wirklich, es ist alles in Ordnung, danke.« Wir sahen dem Wagen nach, der langsam davonfuhr.

»Ich hatte keine Ahnung, dass es dich so mitgenommen hat«, sagte ich. »Mein Gott, Scott, warum hast du mich in diesen Nächten nicht angerufen?«

Kopfschüttelnd sah er mich an. »Ich soll meine Frau anrufen, weil ich weine, nachdem sie ausgezogen ist, um mit anderen Kerlen zu schlafen«, sagte er tonlos. »Ich komme aus dem Mittleren Westen. Glaubst du, ich wüsste nicht, was es heißt, ein Mann zu sein?« Damit hatte er recht.

Ich wollte ihn ermutigen, mehr zu sagen. »Delphyne sagt, dass es dir guttut, wenn du deine Wut rauslässt.«

»Delphyne ist eine esoterische Klangschalen-Tante, die

Geld damit verdient hat, zuzusehen, wie wir unsere Ehe an die Wand fahren.«

Eigentlich störte es mich nicht, dass er mich gegen die Mauer geworfen hatte. Es kam mir sogar vor wie ein Fortschritt.

Delphyne hatte tatsächlich Klangschalen in ihrem Zimmer, obwohl sie sie nie zum Klingen brachte. Ich empfand es als Erleichterung, ihr von Scotts Ausbruch zu erzählen. Sie sagte, Scott habe recht, es werde eine Weile dauern, bis wir wieder zusammenfänden, und wir müssten beide Geduld haben, während wir unsere Erlebnisse des vergangenen Jahres verarbeiteten. Am Ende der Sitzung lenkte sie das Gespräch auf die Frage, was ich während des Projekts gelernt hatte.

»Erinnere dich an den Tag, an dem du den positiven Schwangerschaftstest gemacht hast«, sagte sie. »Weißt du noch, wie es dir da ging?«

Sofort stieg in mir das Bild des Winterrocks auf, den ich trug, die Dezemberfrische auf dem Weg zur U-Bahn, der lilarosa Schimmer am Morgenhimmel.

»Warum warst du an dem Tag so glücklich? Was glaubtest du denn, was es dir bringen würde?«

»Sehr viel. Eine zweite Chance auf ein Familienleben. Eine neue Verbindung zu Scott. Ein Lebensweg, den jeder respektiert und gut findet. Etwas, auf das ich mich richtig einlassen kann.«

»Ja, aber grabe ein bisschen tiefer. Fass es in einem Begriff zusammen.«

»Einen Sinn im Leben.«

»Und jetzt fasse das Projekt genauso zusammen. Was hat es dir gebracht?«

»Weibliche Energie«, sagte ich. »Ich habe gelernt, aus meinem Körper heraus zu handeln.«

»Einen Sinn im Leben und deine weibliche Energie«, wiederholte sie. »Du weißt, dass ein Kind und Liebhaber nicht die einzigen Möglichkeiten sind, das zu finden, oder?«

»Jetzt weiß ich es, ja. In Sabrinas Kreis finde ich so zu meiner weiblichen Energie.« Ich schnipste mit den Fingern. »Ich glaube, ich habe gelernt, sie zu erkennen. Beim Yoga spüre ich es auch. Am Meer. Und wenn ich Musik höre.«

Ich wartete. Sie sah mich direkt an.

»Was ist für dich der Sinn in deinem Leben, Robin?«

»Zu schreiben. Selbst wenn ich Kinder bekommen hätte, wären sie an zweiter Stelle gestanden, nach dem Schreiben. Nein, das stimmt nicht. Wahrscheinlich hätte ich mit dem Schreiben noch mal achtzehn Jahre gewartet, und das wäre ein großer Fehler gewesen.«

Sie nickte.

»Aber Schreiben ist eine einzige Qual. Ich wollte etwas mit meinem Körper erschaffen. Etwas, worüber ich nicht nachzudenken brauchte.«

»Etwas zu erschaffen ist nie leicht, in welcher Form auch immer.«

Plötzlich war mir schwindlig, als würde mich jemand mit verbundenen Augen in ein Dornengestrüpp führen.

»Dann schreib und mach Yoga und fahr ans Meer und hör Musik. Und umgib dich mit Frauen, die dasselbe machen.«

»Sag mal – ist das der Grund, weshalb du mich immer nach meinen Freundinnen gefragt hast?«

Lächelnd hob sie die Augenbrauen, als wollte sie sagen: *Endlich.*

In meiner Anrufliste stand die Nummer meines Vaters. Er rief vielleicht zweimal im Jahr an.

Auf der Mailbox sagte er: »Hallo, mein Schatz, hier ist Daddy. Ich wollte dich nur anrufen, weil ich gerade an dich gedacht habe. Ich hoffe, bei dir ist alles in Ordnung. Ich weiß nicht… ich habe so ein Gefühl. Du weißt, ich bin da, wenn du etwas brauchst, ja? Lass es mich einfach wissen. Ich kann in fünf Stunden bei dir sein. Ich hab dich lieb, mein Schatz, und denke jeden Tag an dich. Also gut, ruf mich doch mal an, wenn du Zeit hast. Ich hab dich lieb. Mach's gut.«

Bei jedem Gespräch, das wir führten, ob persönlich oder am Telefon, fragte er mich ständig, ob bei mir alles in Ordnung sei und ob ich etwas bräuchte. Als Teenager war ich in der Küche immer schnell an ihm vorbeigegangen und hatte versucht, ihn zu übersehen, wie er in seiner Unterwäsche dasaß, unwillkürlich mit dem Bein wippte, zwischen den Fingern eine Lucky Strike, die er über einen überquellenden Aschenbecher hielt. Neben dem Aschenbecher stand eine Tasse schwarzer, mit Wodka versetzter Kaffee.

»Alles in Ordnung?«, fragte er mich, während ich mein Müsli aß.

»Ja.« Du bist zwar ein verrückter Buchmacher, und meine Mutter findet dich und ihr Leben scheiße, aber wir sind alle am Leben, und ich gehe jetzt zu meinen Freundinnen.

»Du weißt, ich bin immer für dich da. Du kannst immer mit mir reden.«

Ungläubig sah ich ihn an. Was konnte ich anderes sagen als »Ich weiß«? Das Leben in diesem Haus war ein grausamer Scherz, aber zum Glück war es nicht mein richtiges Leben. Es war nur die Startlinie. Ich wartete bloß auf den Startschuss und das Öffnen der Box. Dann würden alle sehen, wie weit und wie schnell ich laufen konnte. Das war mir immer durch den Kopf gegangen, wenn ich meine Müslischüssel ins Waschbecken stellte.

Nach alter Weisheit heilt die Zeit alle Wunden, und mit neuer Weisheit weiß ich, dass es Zeit plus Selbsterkenntnis braucht. Seit meinem Auszug von zu Hause waren fünfundzwanzig Jahre vergangen, und mindestens während fünfzehn davon hatte ich mich in Therapie befunden. Wenn also irgendjemand seine Kindheit verarbeitet haben sollte, dann ich. Bei der ersten Therapie hatte ich nicht gewusst, welche Traumata, Genetik und kollektiven Realitäten auf welche Art zusammenspielten. Fünfzehn Jahre später ging es mir wesentlich besser, aber ich wusste immer noch nicht genau, weshalb. Weil ich gelernt hatte, meine Gefühle zu erkennen und Grenzen zu ziehen? Meist gelang es mir nicht, einen heutigen Schmerz an einem einzelnen Erlebnis in der Vergangenheit festzumachen. Nach den ersten Jahren wurde das, was meine Eltern mit mir gemacht hatten, weniger wichtig als das, was ich in der Gegenwart mit mir selbst machte. Allmählich war es mir naiv und sinnlos vorgekommen, ihre Fehler aufzuzählen, ebenso sinnlos, wie zu hoffen, dass ich eines Tages meine Kindheit überwinden würde und wie neu geboren wäre, ohne je wieder die alten Gefühle von Verlassenheit, Panik und Verzweiflung zu empfinden.

Die Therapien gaben mir Fähigkeiten an die Hand, aber nur die Zeit und das Leben konnten mir allmählich Antworten geben. Meine schwierige Kindheit erschien mir nicht mehr wie ein Fehler oder ein Makel. Wenn ich mir alle Kindheiten rund um die Welt vorstellte – in Kriegsgebieten, in Regionen größter Armut, in repressiven Familien, in denen Zuneigung nie gezeigt wurde, in glücklichen Familien, in denen ein Elternteil einfach zu früh starb –, dachte ich mir, dass meine irgendwo in der Mitte lag.

Im Lauf der Jahre konnte ich allmählich auch meinen Vater besser verstehen. Die Kompromisse, die aufgeschobenen Träume, die schmerzlichen Entscheidungen und das unerbittliche Fortschreiten der Zeit erwiesen sich als viel quälender, als ich es mir jemals hatte vorstellen können, während ich meine Müslischüssel ins Spülbecken stellte und ihn seinem Morgenwodka überließ, überzeugt, dass ich alles völlig anders machen würde, wenn ich erst einmal zum Zug käme. Ich wusste nicht genau, wann es passiert war, aber selbst meine langjährige Angst, weil er ein Buchmacher war, hatte sich irgendwann in Stolz verwandelt. In meiner Kindheit hatte ich mir nichts sehnlicher gewünscht, als dass er wie die anderen Väter von Montag bis Freitag in einem Büro oder einer Fabrik verschwand, anstatt über Wettchancen zu brüten, am Telefon Drohgespräche mit Schuldnern zu führen und Bündel von Geldscheinen in Schubladen zu verstecken. Aber nachdem ich in vielen Zwölf-Schritte-Treffen Kinder von Versicherungsmaklern und Anstreichern über dieselbe alkoholisierte Wut hatte reden hören, und nachdem ich selbst fünfundzwanzig Jahre lang in Büros gesessen hatte, bewunderte ich ihn mittlerweile für seine Weigerung, den ruhigen, betäubenden Weg der großen Masse zu gehen. Und da ich mittlerweile meine Vorlieben ausgelotet, mich meiner eigenen Selbstsucht hingegeben und sogar die Grenze zur Gewalt überschritten hatte, war mein Vater geschrumpft, während ich gewachsen war, sodass wir schließlich und endlich in etwa ebenbürtig waren. Die Stimme auf dem Anrufbeantworter klang weniger wie die eines Patriarchen als wie die eines weiteren Mitmenschen, der sich durchs Leben mühte.

Was mich aufschreckte, war der Zeitpunkt seines Anrufs, die Tatsache, er habe so ein Gefühl, dass etwas nicht in Ordnung sei. Vor allem fragte ich mich, wie er eine derart hellsichtige Intuition haben konnte, wenn er wieder trank – was ich vermutete, nachdem ich mir seine Nachricht noch einmal genauer angehört hatte. Er hatte lange trockene Phasen gehabt, alle vier oder fünf Jahre unterbrochen von einem Rückfall. In nüchternem Zustand war er ein völlig anderer Mensch. Dann war er der Vater, an den ich mich aus meiner frühen Kindheit erinnerte, bevor ich in die Schule kam, als er jeden Morgen mit mir Eier-Sandwichs essen ging und bei *The Music Man* mitsang, wenn das Musical im Fernsehen lief. Seine längste trockene Phase hatte zehn Jahre gedauert, gleichzeitig mit meinen Jahren beim Zwölf-Schritte-Programm. Das heißt, er war nüchtern, als er meine anklagenden Briefe las, in denen ich ihm all seine Fehler vorhielt, und als ich nach fünfjähriger Pause zum ersten Mal Weihnachten wieder zu Hause verbrachte. Er war nüchtern, als er Scott kennenlernte und sofort fragte: »Welche Absichten haben Sie meiner Tochter gegenüber?« Er war nüchtern, als er mich zum Altar führte, und für all das war ich dankbar.

Ich nahm mir vor, ihn in ein paar Tagen anzurufen. Ich brauchte etwas mehr Abstand zu frischeren Erinnerungen – die blauen Flecke an Scotts Armen, die kaputte Duschkabinenwand, die Szene nach der Oper –, bevor ich es mir zumuten wollte, mit ihm zu reden.

29.

Das gebrochene Herz

Es war morgens um sieben, ich machte gerade Sit-ups im Fitnessstudio, als mein Bruder Rocco anrief. Unser Vater war am Tag zuvor zur Entgiftung ins Krankenhaus eingeliefert worden und hatte in der vergangenen Nacht einen Herzinfarkt gehabt. Nicht nur hatte sein Körper im Lauf der Jahre immer wieder einen Entzug durchgemacht, erschwerend kam noch die Tracheostomie hinzu, die er seit einer Kehlkopfkrebserkrankung vor vielen Jahren hatte. Er lag sediert auf der Intensivstation, während sie auf die Ergebnisse der Untersuchungen warteten.

»Wie sieht es aus?«, fragte ich.

»De Ärzte sagen, wenn er die nächsten vierundzwanzig Stunden überlebt, kommt er vermutlich durch.«

»Ich nehme die erste Maschine und rufe dich vom Flughafen aus an.«

Um elf Uhr abends landete ich in Scranton, Rocco holte mich ab und fuhr mit mir zum Krankenhaus. An der Tür zur Intensivstation drückten wir auf die Gegensprechanlage, und die Schwestern ließen uns hinein. Mein Vater lag mit aschfahlem Gesicht und offenem Mund hinter dünnen rosafarbenen Vorhängen, umgeben von Geräten und LED-Ausdrucken. Ein dicker, geriffelter Schlauch verband die Sprechkanüle an seinem Halsansatz mit einem Beatmungsgerät, seine geschwollenen Hände waren mit weißen Plastikmanschetten am Bett befestigt.

Rocco war den ganzen Tag bei ihm gewesen. »Er öffnet immer mal wieder für ein paar Sekunden die Augen«, sagte er, »aber er ist völlig weggetreten. Die Schwester meint, dass er höchstwahrscheinlich auch mit offenen Augen nichts mitkriegt.« Er ging nach unten, um Kaffee zu holen.

Ich saß da und beobachtete das Beatmungsgerät, das seine gewölbte Brust weitete und zusammenpresste. Durch diese entschlossene, zuverlässige Bewegung kam es mir vor wie ein eigenständiges Wesen mit eigenem Lebenswillen. Im Scherz hatten wir immer wieder über Dads Zähigkeit gesprochen und dass er neun Leben habe, auch wenn wir die Wahrheit wussten. Die vielen Rehas und Entzugsprogramme. Nachdem sie ihm wegen des Krebs den Kehlkopf entfernt hatten, war er wochenlang im Krankenhaus gewesen. Außerdem hatte er wegen Buchmacherei zweimal im Gefängnis gesessen, einmal für acht Monate und einmal für vier. Das hatte ich alles nicht miterlebt. Meine Brüder waren zu den sonntäglichen Reha-Treffen gegangen, ins Krebskrankenhaus, in den Gefängnis-Besucherraum, während ich im weit entfernten Kalifornien geblieben war. Ich konnte es nicht ertragen.

Zeit und Selbsterkenntnis. Jetzt blieben in der Geschichte zwischen meinem Vater und mir vielleicht weniger als vierundzwanzig Stunden. Welches Ende sollte sie haben?

Ich stand auf, legte meine Hand auf seine und beugte mich über sein Ohr. »Daddy«, flüsterte ich fast lautlos. »Ich bin's, Robin. Du kommst schon durch. Wir kümmern uns um alles.« Ich holte tief Luft. »Daddy, ich verzeihe dir. Ich liebe dich. Bis morgen.«

Ich schaute auf sein friedliches, eingefallenes Gesicht und bat Gott oder Göttin, ihm die Botschaft irgendwie zu übermitteln. Dann packte ich meine Handtasche und ging zu meiner Mutter, um zum ersten Mal seit fünfundzwanzig Jahren in ihrem Haus zu schlafen.

Ich wachte in meinem alten Kinderzimmer auf und fuhr mit der Frau meines Vaters zum Krankenhaus. Meine Brüder waren schon dort. Wir warteten den ganzen Tag und die ganze Nacht auf den Kardiologen, damit er uns eine Prognose gab, aber er wurde immer wieder in den OP gerufen. Am folgenden Morgen schließlich bat er uns an einen kleinen Besprechungstisch außerhalb vom Wartezimmer der Intensivstation. Er war so um die sechzig, groß und gebräunt, sah gut aus und hatte kurze, weiße Haare und einen effizienten skandinavischen Namen. Er strotzte vor Gesundheit.

»Das Herz Ihres Vaters ist so groß«, sagte er und hielt seine Hände ungefähr zwanzig Zentimeter auseinander. »Ich glaube, es ist das größte, das ich je gesehen habe. So groß wie Wyoming.«

»Ist das gut?«, fragte Rocco.

»Nein, das ist sehr schlecht«, sagte Dr. K. »Sein Herzmuskel ist über Gebühr beansprucht worden. Er hat sich nicht um sich gekümmert.« Er begegnete unserem Blick, und einen Moment schämte ich mich, weil er von Patienten mit genetischen Herzerkrankungen weggerufen wurde, um einen Mann zu retten, der sich seine Herzerkrankung höchstwahrscheinlich angeraucht, angetrunken und angefressen hatte. Andererseits sorgten Menschen wie mein Dad vermutlich dafür, dass ihm die Arbeit nicht ausging.

Dr. K. sagte, das drei der fünf Herzkranzgefäße bei meinem Vater fast völlig verschlossen seien; er sei ein fünffacher Hochrisiko-Kandidat für einen Herzinfarkt und brauche sofort drei Bypässe. Andererseits müsse sich sein Körper aber auch noch zwei Tage vom akuten Alkoholentzug erholen, bevor eine weitere Belastung denkbar sei.

»Wir pokern hier mit der Zeit«, sagte Dr. K. ernst. »Wir müssen hoffen, dass er keinen schweren Herzinfarkt hat, bevor wir ihn operieren können. Der Sauerstoffgehalt im Blut Ihres Vaters liegt bei 62 Prozent, normal ist ein Wert von knapp 100. Mir ist ein Rätsel, dass er überhaupt noch am Leben ist.«

»Wie hoch ist die Überlebensrate bei einem dreifachen Bypass?«, fragte ich und schaute von meinen Aufzeichnungen auf.

»Normalerweise, wenn der Patient keine anderen Probleme hat – neunundneunzig Prozent.«

»Und was ist mit einem Patienten mit all seinen anderen Problemen?«

»Ungefähr neunzig Prozent.«

Wir schauten uns an und lachten. Zwei meiner Brüder hatten das Spieler-Gen meines Vaters geerbt. Der Älteste versetzte Dr. K. einen freundschaftlichen Klaps auf den Arm. »Neunzig Prozent! Und ich dachte, Sie würden dreißig sagen! Darauf lassen wir uns ein.«

Dieser Moment von Heiterkeit wurde bald überschattet. Wir saßen am Bett meines Vaters und verfolgten, wie sein Blutdruck in die Höhe schoss, dann abstürzte, der Sauerstoffgehalt im Blut sank auf fast fünfzig Prozent, sein Puls pendelte sich in den folgenden zwei Tagen bei 120 ein. Ab und zu tauchte er kurz aus seinem sedierten Zustand auf, riss in panischer Angst die Augen auf, drehte den Kopf hin und her, um die Schläuche herauszureißen, und krümmte sich beim Versuch, die Hände aus der Fixierung zu befreien. Durch seine heftigen Bewegungen begann das Beatmungsgerät schrill zu piepen, die Krankenschwester kam herein, gab ihm noch ein Beruhigungsmittel und überprüfte sämtliche Schläuche.

Der Bruder meines Vaters, der ihm am nächsten stand, gab mir ein Medaillon, das ich ihm ans Handgelenk binden sollte. Darauf war ein Heiliger namens Padre Pio eingraviert. »Weißt du noch, damals, als ich mit Nierenversagen auf der Intensiv lag? Sieben Wochen war ich da. Niemand hat geglaubt, dass ich durchkommen würde, aber Padre Pio hat mir das Leben gerettet. Davon bin ich überzeugt. Leg das deinem Vater an, dann berappelt er sich wieder.«

Mein Vater war fünf Tage lang nicht bei Bewusstsein. Seine Schwester kam mit ihrem Mann aus Philadelphia angefahren. Sein ältester Bruder flog mit seiner Frau von Florida zu ihm. Meine Cousins und Cousinen kamen. Mein Stiefbruder kam. Meine Schwägerin kam mit meinen Neffen. Auf dem Weg zum Krankenhaus holte ich jeden Morgen Dads Frau ab, und jeden Abend brachte ich sie wieder nach Hause. Meine Mom setzte sich mehrere Tage nacheinander zu uns. Sie und Dads Frau hatten sich nicht immer verstanden, aber jetzt gingen sie zusammen Mittagessen und verschwanden gemeinsam zum Rauchen vor die Tür. Wenn ich spätabends zu meiner Mutter zurückkam, schlüpfte ich in meinen Pyjama, aß mit ihr am Küchentisch zu Abend und legte mich dann in meinem Kinderzimmer ins Bett. Die vielen hässlichen Auseinandersetzungen, die ich um drei Uhr morgens dort mitgehört hatte, zogen sich in die Wände zurück, wurden neutralisiert durch die Sorgen der Gegenwart, bei denen es um die viel dringlichere Frage von Leben und Tod ging.

Nach der Operation sorgte eine intraaortale Ballonpumpe dafür, dass das Herz meines Vaters weiterschlug, während das Beatmungsgerät seine Lunge versorgte. Als er Tage später allmählich zu sich kam, versammelten wir uns um sein Bett. Seine Frau ging zu ihm. Langsam sah er uns an, dann schaute er zu seiner Frau und versuchte, etwas zu sagen. Wegen des Beatmungsgeräts, das an seine Sprechkanüle angeschlossen war, steckten in seinem Mund keine Schläuche, aber da er die Kanüle mit dem Finger verschließen musste, um zu sprechen, und seine Hände noch am Bett festgebunden waren, war er zu Sprachlosigkeit verdammt. Wir mussten von seinen Lippen lesen.

»Rak-ton«, sagte er offenbar, langsam und mit großer Mühe.

Wir sahen uns an. »Traktion?«, fragte Rocco.

Er schüttelte den Kopf.

»Dad, hast du Schmerzen?«, fragte ich.

Er schüttelte den Kopf. Dann wieder: »Rak-ton.«

Hilflos standen wir da. »Krand«, sagte er lautlos.

»Krank?«, fragte seine Frau.

Er schaute auf seine fixierten Hände. Das ging mehrere Minuten so weiter, bis er erschöpft war.

»Scranton«, sagte meine Mutter plötzlich, sie stand am Fußende des Betts. »Er sagt Scranton.«

Meine Vater riss die Augen weit auf, nickte und formte mit den Lippen: »Ich will. Nach. Scranton.«

»Er will nach Scranton«, wiederholte meine Mutter.

»Dad, du bist in Scranton«, sagte ich. »Du bist im Mercy Hospital.«

Erleichterung zog über sein Gesicht, er schloss die Augen. Später, als er wieder sprechen konnte, erzählte er uns, dass er geträumt hatte, er sei mit dem Zug in ein Krankenhaus im Staat New York gebracht worden, wo er die Schwestern immer wieder gebeten hatte, sie möchten ihn doch nach Hause bringen, nach Scranton.

Ich blieb zwei Wochen, bis er die Intensivstation verlassen konnte und auf die reguläre Station verlegt wurde. Ich verbrachte den Großteil der Tage im Krankenhaus und jeden Abend bei meiner Mutter in der Küche. Eines Abends, als die Schwester gerade die Arzneitasche meines Vaters austauschte, fragte ich sie: »Hat der Mann nebenan keine Familie?« Jeden Tag ging ich an seinem Zimmer vorbei, und nie war jemand bei ihm. Er lag ganz allein inmitten der Schläuche und Geräte.

»Ich glaube, nicht.« Sie nahm die leere Plastiktasche vom Haken und steckte sie sich unter den Arm. »Ihr Dad hat Glück.«

Ich blickte zu meinem Vater, der im Halblicht des Turner

Classic Movies-Senders schlief, zur Handtasche seiner Frau auf dem Nachttisch, zu Rocco, der draußen im Korridor stand, auf das Mobiltelefon in meiner Hand, auf dem ich gerade per SMS zehn Leute über seinen momentanen Zustand informiert hatte. Das Medaillon mit Padre Pio baumelte von seinem Handgelenk und glitzerte silbern im Licht des Fernsehers.

»Wir haben uns«, hatte mein Vater immer von seiner mit Kippen übersäten Ecke des Küchentischs gesagt, während ich innerlich kochte. »Deine Mutter und ich, deine Brüder, das sind die Menschen, die da sein werden, egal, was passiert. Auch wenn du das erst verstehen wirst, wenn du älter bist.«

Jetzt war ich älter.

30.

Die Nachricht

Als ich nach San Francisco zurückkam, breitete sich eine gewisse Ruhe übers Haus. In Scranton hatte ich eine kleine Kaninchenfigur aus Anthrazitkohle gekauft, um sie als Symbol für Wurzeln und Familie auf meinen improvisierten Altar zu stellen. Dort stand sie dann zwischen einem lachenden Buddha, einem Kreuz, der Venus von Willendorf und einer Redstone-Statue von Pele.

Im Bett begannen Scott und ich wieder, uns französisch zu lieben. Ich hörte auf, die derben Sachen sagen zu wollen, die zu äußern mir bei meinen Liebhabern so leichtgefallen war. Jetzt war ich keine kleine Hure mehr, keine scharfe Fotze, keine Bettschlampe und auch keine Göttin. Ich war Schnecke, ich war Trüffel, ich war Mausezahn. Die Augenbinde, die wir gekauft hatten, diente mir als Schlafmaske, wenn ich morgens ausschlafen wollte. Jetzt, nachdem ich das Projekt durchgezogen hatte, versuchte ich daran zu glauben, dass ich mich endlich in die unaufgeregte Liebe einfinden würde, die meine Ehe erforderte. Es war eine starke Liebe, die sich wie eine Goldader durch das Grundgestein zog. Ich wusste, dass sie da war, auch wenn sie nur selten leidenschaftlich zum Ausdruck kam.

Ich konzentrierte mich auf meinen Job, ich war vor Kurzem zur Chefredakteurin befördert worden. Abends und an den Wochenenden arbeitete ich an der neuen Ausgabe der zwei Tanzbücher, die ich bereits veröffentlicht hatte. Schließlich und endlich fand ich Zeit, Scotts Wein-Buch zu redigieren. Ich beschäftigte mich wieder mit einem Buchprojekt, das ich schon in Philadelphia begonnen hatte und das den Titel trug *Vor allem: Briefe an ein ungeborenes Kind.* Im ersten Entwurf hatte ich rund zwanzig Briefe umrissen, die ich als Meditation über die Frage des Mutterseins schreiben wollte; die Überschriften verdeutlichten meine Hoffnungen ebenso wie meinen Zwiespalt: »Die richtigen Gründe«, »Die falschen Gründe«, »Was ich dich lehren kann«, »Was ich dich nicht lehren kann«. Wenn ich lange genug auf den Bildschirm gestarrt hatte, zog ich meine Sportkleidung an und ging ins Fitnessstudio.

Etwa einmal im Monat traf sich Scott mit Charly zum Essen. Er sagte, er wolle mit ihr befreundet bleiben, und ermutigte mich, mit meinen Ex-Liebhabern ebenfalls in Kontakt zu bleiben. Ich wusste, dass es Charly schwerfiel, sich mit der Trennung abzufinden: Ich hatte auf sein Handy geschaut und die E-Mail gelesen, in der sie sich entschuldigte, beim Essen geweint zu haben. Es gab auch andere Mails, leicht kokette Zeilen mitten am Nachmittag, in denen sie ihn Babe nannte und ihn erinnerte, wie nah ihr Büro und seines waren.

Hin und wieder ging ich mittags mit Jude essen, und ab und zu traf ich mich mit Paul auf einen Kaffee oder einen Drink. Und ich besuchte den einen oder anderen Workshop bei OneTaste. Scott sagte, es störe ihn nicht, wenn ich mit anderen weiterhin OM mache, schließlich habe er kein Interesse daran. Also versuchte ich es. Ich vereinbarte einen OM-Termin mit Roman, dem es genauso erging wie mir: Er und Annie lebten wieder monogam. Wir trafen uns in einem leeren Zimmer im Wohnhotel. Zur Begrüßung umarmten wir uns, unterhielten uns ein bisschen und nahmen dann unsere jeweilige Position ein. Seine Berührung löste in meiner Mitte einen langsamen, zähen Strudel aus, der immer tiefere Kreise zog und den Bodensatz aufrührte. Ich stöhnte und wölbte mich unter seiner Hand. Als Roman am Ende der fünfzehn Minuten seinen Finger in mich einführte, öffnete ich die Augen und atmete langsam aus.

»Bekommst du genug Sex?«, fragte er.

»Ich glaube schon. Warum?«

»Du kommst mir … Ich weiß nicht, als könntest du jederzeit explodieren.« Er lachte.

Ich setzte mich auf und zog die Hose wieder an. »Wahrscheinlich ist das bloß die sexuelle Energie zwischen dir und mir. Eigentlich geht es mir wirklich gut.«

Ich vereinbarte keinen weiteren OM-Termin, weder mit Roman noch mit jemand anderem.

Ich saß da und starrte auf meinen Gmail-Eingang. Es war nicht meine Hauptadresse, also checkte ich das Konto nur ein- oder zweimal die Woche. Aldens Name ließ mich erstarren. Ich hatte vergessen, dass er diese Adresse überhaupt hatte, schließlich hatten wir fast nur über Handy kommuniziert. Er hatte sie vor zwei Tagen geschickt. Ich war vor gut einem Monat aus Scranton zurückgekommen.

Der Kopf: Lösch sie. Sie zerstört dein Leben.

Das Herz: Lies sie.

Die E-Mail war förmlich, aber freundlich. Er wolle nur Hallo sagen, er habe bei Deida Connection mein Profil gesehen und hoffe, es gehe mir gut. Außerdem merkte er an, dass wir auf den Tag genau vor einem Jahr die ersten Nachrichten auf Nerve.com ausgetauscht hätten. Sicher, wir hätten uns nicht ganz im Guten getrennt, aber er denke oft mit Freude und Dankbarkeit an die Wochen zurück. »Hoffentlich stört es dich nicht, dass ich dir schreibe. Bitte fühle dich nicht verpflichtet zu antworten.«

Ich blieb lange Zeit reglos sitzen, ehe ich etwas zu tippen wagte. »Es stört mich nicht, dass du geschrieben hast. Zwischen dem unguten Ende und dem endgültigen Kappen der Verbindung haben wir alles dramatischer als notwendig werden lassen. Es würde mich freuen, wenn wir Freunde bleiben könnten. Wenn du magst, melde dich wieder.«

In der folgenden Woche verabredeten wir uns auf einen Drink in der Stadt. Ich sagte Scott genau, wohin ich gehen und wann ich wieder zu Hause sein würde. Ich gab mir eineinhalb Stunden Zeit. Alden saß auf einer niedrigen Bank hinten in der Bar, ein Bein hatte er gebeugt auf das andere gelegt, sodass der Knöchel auf dem Knie ruhte, seine Arme lagen ausgestreckt auf der Rückenlehne. Wir begrüßten uns, ich setzte mich. Wir berührten uns nicht.

Er winkte der Bedienung und bestellte mir dasselbe, was er hatte, einen Gimlet. Als der Drink kam, hoben wir unsere Gläser und tranken.

»Und, bist du noch verheiratet?«, fragte er und stellte sein Glas ab.

»Ja.«

»Lebt ihr noch getrennt?«

»Nein. Wir sind wieder ganz zusammen und monogam.«

Er nickte unbeeindruckt. Seit wir uns das letzte Mal gesehen hatten, war er mehrere Monate mit einer Frau in Seattle zusammen gewesen. Die Entfernung sei unhaltbar gewesen, und sie hätten sich vor zwei Monaten getrennt. Er treffe sich wieder mit anderen Frauen. Er habe mit dem Roman angefangen, den er seit Jahren im Kopf hatte.

Die Luft um uns sirrte. Ich atmete flach. Unser letztes Telefonat hatte mich tief verletzt, aber ich konnte das Gefühl nicht abschütteln, dass früher oder später etwas Gewaltiges zwischen uns passieren musste. Natürlich kannte ich die Theorie von Liebesobjekten, die von einer schicksalhaften Aura begleitet sind und deren Physiognomie, Gesten und Worte eigentlich nur die unserer frühesten Bezugspersonen widerspiegeln. Und in meinem Fall erinnerte mich die Art, wie Alden alles abgebrochen hatte, fatal daran, wie schnell bei meinem Vater Zuneigung in Wut umschlagen konnte. Vor dem Projekt hätte ich jeden Kontakt mit Alden vermieden, um mich einer solchen Situation um jeden Preis zu entziehen. Jetzt empfand ich nur eine seltsame Mischung aus Misstrauen und Bewunderung. *Endlich*, hörte ich mich sagen. Endlich habe ich jemanden gefunden, der genauso verletzlich und genauso skrupellos ist wie ich.

»Was denkst du gerade?«, fragte er, als er die Rechnung unterschrieb. Seine Unterschrift war zügig, fast ein Strich und unleserlich wie die eines Arztes.

»Ich frage mich, wie es wäre, deine Freundin zu sein«, sagte ich und sah an ihm vorbei. Er hielt inne, ich sah zu ihm und zuckte mit den Achseln. »Das habe ich gerade gedacht.«

Vor der Bar umarmte ich ihn. »Danke für den Drink«, sagte ich.

»War mir ein Vergnügen. Schön, dich gesehen zu haben.« Ich wusste nicht, ob es ihn überraschte, dass ich nicht mit ihm nach Hause fuhr.

Ich drehte mich um und ging zur U-Bahn. Die Lichter am Union Square waren gerade zum Leben erwacht. Scharen von Touristen trugen Einkaufstüten, Einheimische bahnten sich auf den breiten Bürgersteigen schneller einen Weg zwischen ihnen hindurch. An den Ampeln versammelten sich Menschenmassen, eine breite Schlange stand einen halben Block an, um in die Powell Street-Seilbahn zu steigen. Ich betrat die Rolltreppe, die mich unter die Erde zur U-Bahn brachte, ein Strom, der mich an einen ungenannten Ort trieb. Von diesem Moment an hatte ich nur noch eine Wahl: Ich konnte im Strom bleiben, oder ich konnte herausspringen. Aber es würde mir nicht gelingen, ihn anzuhalten.

Einen Monat hielt ich durch. Damit meine ich nicht, dass ich Alden nicht sah. Ich baute mich vor ihm auf, blieb aber immer gerade außer Reichweite und gab ihm nicht, was er wollte. Das war ebenso ein Machtspiel wie eine notwendige Verzögerungstaktik, damit ich ihn beobachten konnte, bevor ich völlig den Kopf verlor. Jede Minute, die wir zusammen verbrachten, scannten alle Moleküle in mir das Nonverbale: sein Zuhause, seine Kleidung, seine Körpersprache, seinen Geruch, wie viele Papierstapel sich auf seinem Schreibtisch türmten, welche Fotos er wie in seinem Regal angeordnet hatte, die Art, wie er die Handtücher im Bad aufhängte. Wie oft er mit Kreditkarten bezahlte, wie voll der Benzintank bei ihm immer sein sollte, welche Fernsehsendungen er sah.

Warum versuche ich, an diesem Punkt die Wahrheit zu verschleiern? Mit fünfundvierzig Jahren wurde ich zur Ehebrecherin. Eigentlich war ich es schon mit dreiundvierzig geworden, an dem Abend damals bei Paul vor der Tür, obwohl ich das später mit dem Projekt der offenen Ehe bemäntelte. Wegen der offenen Ehe schäme ich mich nicht, aber ich schäme mich abgrundtief wegen des Betrugs. Das Richtige wäre gewesen, Alden aus dem Weg zu gehen, und wenn nicht das, dann Scott zu verlassen.

Ich tat nicht das Richtige. Eines Morgens im Herbst, nachdem Scott um halb sieben zur Arbeit gegangen war, stand ich bei Alden vor der Tür und folgte ihm ins Schlafzimmer. Die Sonne stand noch tief am östlichen Horizont. Ich spreizte die Beine, unsere Blicke begegneten sich, rasch wurde klar, dass wir aufs Ganze gingen. Keine Halbheiten, keine Rationalisierungen. Es war verkehrt, und es konnte nicht lange so bleiben. Wenige Wochen später sagte Alden, ich müsste mich entscheiden. »Eine Weile warte ich, ich habe keine andere Wahl«, sagte er. »Aber ich warte nicht lange.«

Der Sex war so leidenschaftlich wie in meiner Erinnerung, meistens hitzig und kraftvoll, manchmal flüsternd und meditativ. Wenn ich die Augen schloss oder zu lange wegblickte, sagte er: »Schau mich an.« Wenn er am Ende in mich eindrang und dort blieb, hörte ich die Flüssigkeit von seinem Körper in meinen schießen, so, wie man manchmal den eigenen Herzschlag hören kann.

Wenn wir uns stritten, dann heftig und erbittert. Nicht wie meine Eltern – dafür waren wir zu alt und zu durchtherapiert –, aber unsere Wut hatte die Macht, das Herz des anderen zu zerfetzen. Ein scharfes Wort, ein Blick, und wir waren sofort im Angriffsmodus, legten den Hörer auf, knallten die Wagentür zu. Alden ließ mir wenig durchgehen. Er wehrte sich, und er hatte keine Angst vor Konflikten. Hinterher entschuldigte er sich schnell und verzieh ebenso schnell. Er hinterfragte Verhaltensweisen an mir, auf die mich noch niemand aufmerksam gemacht hatte, etwa meine Angewohnheit, über Menschen hinwegzureden, oder mein herablassender Tonfall. Wenn wir uns stritten, lernte ich etwas. Die Auseinandersetzungen veränderten mich und brachten uns näher.

All das führte mich zu einem fruchtbaren Boden, den meine Seele wiedererkannte. Eine lange verschollene, vertraute Stimme sagte mir, dass ich in diese überwucherte Landschaft gehörte. Es gab keinen guten Grund, dieser Stimme zu vertrauen und knapp zwanzig Jahre harter Arbeit und Liebe wegzuwerfen, um mich in eine Wildnis des Hungers und bisweilen der Wut zu stürzen. Und deshalb vertraute ich ihr nicht. Ich kämpfte.

In den folgenden zwei Monaten passierten drei entscheidende Dinge. Das erste ereignete sich an einem Abend, an dem ich zu Alden fuhr, nachdem ich bei einem Arbeitsevent eine halbe Stunde mein Gesicht gezeigt hatte. Ich raste über die Golden Gate Bridge. Wie üblich empfing er mich an der Tür, bereit, mich ohne weitere Umstände zu verschlingen. Er führte mich ins Wohnzimmer und legte eine Led-Zeppelin-LP auf. Ich drückte ihn in einen Sessel und fing an, für ihn zu tanzen. Als es vorbei war – er halb im Sessel liegend, ich erschöpft auf seinem Schoß, die Nadel des Plattenspielers in der Leerrille laufend –, atmeten wir tief durch, um wieder zu uns zu kommen. Er hob den Kopf und sah mich an.

»Von wo bist du hergekommen?«, fragte er.

Ich wusste, was er meinte. Einmal hatte ich ihn im Bett gefragt: »Wer bist du? Was willst du von mir?« Jetzt öffnete ich den Mund, um etwas Geistreiches zu antworten.

»Bitte sag nicht, Scranton«, unterbrach er mich.

Ich weiß nicht, ob das wirklich komisch war, aber ich fing an zu lachen, und dann musste er lachen, und dann lachten wir so lang und so heftig – wir rollten uns auf dem Boden und bekamen Bauchkrämpfe vor Lachen, Tränen und Rotz flossen, mindestens fünf oder zehn Minuten lang –, dass ich mich hinterher wie neugeboren fühlte. Das Erlebnis überragte alle anderen Erinnerungen an Lachen.

Zweitens: ein Samstagvormittag bei Alden. Scott war nicht in San Francisco. Wir saßen an seinem Esstisch und tranken Kaffee aus einer Kaffeepresse, er mischte ein Deck Tarotkarten. Alden und ich waren aus demselben Holz geschnitzt, zum Teil alte Schule, zum Teil New Age. Er hatte gelernt, Tarotkarten zu lesen und zu meditieren, aber er nahm nicht an Trommel-Zirkeln teil und glaubte auch nicht an *The Secret*. Er las Dostojewski, aß rotes Fleisch und hörte Jazz.

Ich hob das Deck ab, und er legte die Karten zum Keltischen Kreuz aus. Es begann mit der Hohepriesterin, Symbol der göttlichen Weiblichkeit, weiter über den König der Schwerter (Intellekt und Urteilsvermögen), den umgekehrten Zauberer (Manipulation, Verwirrung) und das Ass der Stäbe (Neuanfänge, Durchbruch). In der Mitte des Systems deckte Alden die Zwei der Schwerter auf, eine Frau in weißem Gewand, die mit verbundenen Augen am Ufer eines Sees sitzt und zwei lange, gekreuzte Schwerter vor sich hält. Das Bild repräsentiert den Prozess einer Entscheidungsfindung, der mehr der Intuition als äußeren Einflüssen folgt. Die letzte, abschließende Karte des Legesystems war die Sonne: Strahlen, Freude, Sieg.

Ich erinnere mich kaum mehr, was Alden sagte, als er die Karten legte, ich ging ganz in den mittelalterlichen Darstellungen und ihren gedämpften Farben auf. Ich hatte Tarotkarten noch nie aus der Nähe gesehen. Ich machte ein Foto des Keltischen Kreuzes mit den zehn Karten und schaute später stundenlang die Bedeutung und die Position einer jeden Karte nach. Trotzdem verstand ich nicht genau, was sie mir sagen wollten. Aber ich spürte, wie sie unter der Oberfläche meines Lebens wirkten: das Weibliche, der Intellekt, Verwirrung, Intuition, Durchbruch, Sieg. In der folgenden Woche öffnete ich im Büro ein Päckchen, das an mich adressiert war. Es enthielt den Vorabdruck eines neuen Romans und dazu das Pressematerial. Zwischen die Seiten hatte der Verlag als Lesezeichen eine Tarotkarte gelegt: die Sonne.

Das Tarotdeck von Rider-Waite besteht aus achtundsiebzig Karten, und die Sonne ist sicher eine der bekannteren. Es war, als bekäme jemand, der vor ein paar Tagen sein erstes Pokerspiel mit einem Pik-Ass gewonnen hat, mit der Post eben diese Karte als Lesezeichen zugeschickt. Es mochte bloßer Zufall sein, aber als ich sie sah, verschlug es mir den Atem.

Die dritte Sache ereignete sich an einem Abend, nachdem ein paar Freunde Scott und mich zum Essen besucht hatten. Anschließend wollten sie ins Café du Nord gehen, einen Club, der mehr oder minder direkt gegenüber von unserem Haus lag, um eine Band aus San Francisco zu hören. Scott war müde und meinte, ich solle die anderen ruhig begleiten; die Distanz, die ich neuerdings wieder hielt, störte ihn offenbar nicht. In den letzten Wochen hatte er seine Zeit damit verbracht, Wein zu machen und eine Website zum fünfzigsten Geburtstag eines Freundes aufzubauen. Ungefähr einmal in der Woche sagte er, ich solle doch einen Urlaub planen, und ich stimmte zu, dann schob ich es wieder hinaus.

Im Club checkte ich auf dem Handy meine E-Mails. Alden hatte einen langen Liebesbrief geschrieben, der im elektronischen Medium eigentlich fehl am Platz war. Er schrieb darin die Sachen, die wohl jeder Mann seiner verheirateten Geliebten sagt an Abenden, an denen er sie nicht sehen kann, aber mir hatte sie noch kein Mann je gesagt. Meine Augen fielen insbesondere auf einen Satz.

Wir stehen am Beginn von etwas Tiefgreifendem.

Vielleicht hatte es mit meinem Alter zu tun oder mit der schicksalhaften Entscheidung, vor der ich stand, aber ich stellte fest, dass ich oft in die Zukunft und bis zum Grab blickte. Ein derart großer Teil des Lebens besteht aus Wiederholungen, die sofort in den Hintergrund treten, es gibt so wenige Worte und Erlebnisse, die letztlich zählen. Im Strom des Alltäglichen, dem Strom von fadenscheinigen Anfängen und Widersprüchen, suchte ich schon sehr lange nach einem Anker.

Ich ging im Café du Nord auf die Toilette und setzte mich in die kleine Kabine, der Bass wummerte gedämpft durch die Wand. Ich las den Brief ein zweites Mal, drückte das Handy an die Brust und schloss die Augen, verweilte einen kurzen Augenblick in der Ewigkeit. Von diesen Momenten gibt es sehr wenige, dieser mochte sogar der letzte für mich sein.

Die Hände vor der Brust verschränkt, berührte ich den anderen kleinen Pfeiler des Immerwährenden, den ich besaß, meinen Ehering, und drehte ihn wieder und wieder um den Finger. Ich wusste noch nicht, ob ich mich dazu durchringen konnte, Scott wegen Alden zu verlassen, aber eines wusste ich genau: Diesen Brief wollte ich auf Pergament geschrieben und mit Wachs versiegelt haben. Er musste mit mir vergraben oder verbrannt werden.

31.

Der Meister der Polarität

Deida trat in einem Strandhotel in Miami auf die Bühne. Er war hochgewachsen und dünn und trug ein weißes Denim-Hemd. Mit seinem sich lichtenden Haar und dem kurzen Vollbart sah er wie ein völlig durchschnittlicher Typ aus. Zu dem Hemd trug er eine weite Hose und alltagstaugliche Sportschuhe.

»Was wir hier machen, ist keine Therapie«, sagte er. »Bei einer Therapie geht es darum, Sicherheit zu schaffen, Grenzen zu ziehen, Verletzungen zu heilen. Das ist nicht verkehrt, aber was wir hier machen, ist eher mit Yoga zu vergleichen. Oder mit Kunst. Man kann kaputt sein und trotzdem wunderbares Yoga machen. Man kann kaputt sein und trotzdem große Kunst machen. Hier geht es darum, den Körper zu öffnen, um mehr Liebe und Licht hineinscheinen zu lassen.«

Beim Sprechen bewegte er anmutig die Hände – öffnete sie wie Flügel, rollte einen imaginären Ball vor der Brust – und schlenderte wie ein Tänzer mit federndem Schritt über die Bühne. Immer wieder einmal blieb er uns zugewandt stehen, die Füße fest auf dem Boden verankert, die Arme entspannt an der Seite herabhängend, und ließ seinen Blick langsam über die Menge schweifen. In diesen Pausen sah ich, dass er gleichmäßig atmete, und ich spürte, dass es in seinem Kopf arbeitete.

»Therapie und Grenzenziehen, das sind die Aufgaben im

zweiten Stadium«, fuhr er fort. »Dort lernt ihr, auf euch selbst zu achten, eure innere Männlichkeit und Weiblichkeit auszutarieren. Im dritten Stadium geht es darum, euch von diesem Gleichgewicht zu lösen, auf eure Grenzen zu verzichten, mit eurem Partner auf eine Art zu tanzen, die euch mehr öffnet, als es euch allein möglich ist.«

Ich lernte gerade erst, meine männliche und meine weibliche Energie zu verbinden – mein Bedürfnis nach Strukturen und mein zielgerichtetes Leistungsstreben einerseits und meine Sinnlichkeit und meine Gefühle andererseits. Ich sah mich im Raum um und fragte mich, ob mir die anderen spirituell wirklich voraus waren. Hatten sie sich bereits zur dritten Ebene weiterentwickelt? Paare und Singles verschiedener Altersstufen, alle weiß und alle gut gekleidet, dynamische, Golf spielende Unternehmer mittleren Alters ebenso wie junge Progressive von der Westküste und aus Europa. Neben mir saß Val, Susans Ex-Schwägerin, mit der ich Kontakt aufgenommen hatte, als ich ihr Profil bei Deida Connection entdeckte. Das letzte Mal hatte ich sie vor fünfzehn Jahren gesehen, als wir beide in den Suburbs von Sacramento gelebt hatten, ich mit Scott und sie mit Susans Bruder, einem schwer arbeitenden, pragmatischen Mann, der mich an Scott erinnerte. Jetzt lebte sie allein in Los Angeles und machte Special Effects für Film und Fernsehen. Ihr Gesicht mit den blauen Augen und dem winzigen, diamantbesetzten Nasenring wurde von langen blonden, glatten Haaren umrahmt.

Ich hielt nicht viel von Deidas drei Entwicklungsstadien. Ich hatte die Therapiekultur der neunziger Jahre erlebt und gesehen, wie Experten fließende Gefühlslagen in Blaupausen zu pressen versuchten, die im besten Fall kurzzeitig hilfreich waren. Die psycho-spirituellen Dogmen änderten sich alle paar Jahre. Ich war aus einem handfesteren Grund hier: Ich wollte am eigenen Leib erfahren, welche Alchemie es erzeugte, wenn Männer ganz ihre maskuline und Frauen ganz ihre weibliche Energie auslebten. Deida war einer der wenigen Menschen auf der Welt, der sich der Polarität verschrieben hatte. Hier bin ich, David. Zeig mir, wie das geht.

Bei der ersten Übung stellten sich die Frauen mit dem Gesicht zur Wand im Kreis auf, die Männer bildeten einen äußeren Kreis, das Gesicht den Frauen zugewandt. Die Teilnehmerzahl war gleichmäßig zwischen Männern und Frauen verteilt. Paare, die zusammen gekommen waren, standen ihren Partnern gegenüber, obwohl sie bald zu anderen weitergehen würden. Deida forderte uns auf, uns nur zu begrüßen und unserem Gegenüber daraufhin Feedback über seine Stimme und Körpersprache zu geben, bevor wir zum nächsten Partner weitergingen.

Jeder einzelne Mann, den ich begrüßte, bat mich, mehr zu lächeln. Viele fanden, dass mein Blick sehr intensiv sei. Einer sagte: »Wenn du lächelst, bist du die schönste Frau im ganzen Raum.« Über den Befehl »Lächle doch mal!«, den ich von Bauarbeitern und Obdachlosen gleichermaßen zu hören bekam, ärgerte ich mich normalerweise, aber nach der Übung fragte ich mich, ob Männer vor einer Frau, die nicht lächelte, vielleicht Angst hatten.

Sofortiges Feedback war das Gebot der Stunde. Ein Mann nach dem anderen stellte sich nach vorn und sah uns an. Deida fragte uns, wie viele von uns seine Präsenz spüren konnten. Besaß er Integrität? Konnte er uns mit Liebe erfüllen? Dann flüsterte Deida dem Mann etwas ins Ohr, und dessen Haltung veränderte sich subtil, aber eindrücklich, wurde weniger schüchtern, weniger keck, oder auf ruhigere Art kraftvoll.

Frauen meldeten sich, um dasselbe zu machen. Eine hübsche, bescheiden aussehende Frau in einem bodenlangen Rock stand vor uns, Deida hinter ihr. Er bat sie, die auf dem Rücken verschränkten Hände nach vorn zu nehmen und die Handflächen nach außen zu kehren. »Deine Hände müssen offen sein, um Liebe zu empfangen«, sagte er. Dann sollte sie die Arme seitlich heben, die Brust etwas vorwölben und uns dabei direkt ansehen. »Öffne deine Vorderseite, deine Brüste, deinen Hals, deinen Bauch«, forderte er sie auf. Es klang einfach, sah aber schwierig aus.

Deida nahm Fragen entgegen. Eine große Frau in der vordersten Reihe hob die Hand. Sie trug ein fließendes weißes Etuikleid, das ihre üppigen Brüste und ihre schmale Taille zur Geltung brachte. Sie hatte volle Kollagen-Lippen, ihr weizenblondes Haar war zu einer lässigen Banane hochgesteckt, ihre Haut war makellos. Obwohl sie mehrere Minuten redete, wobei sie auf einen älteren Ehemann und ein nicht vorhandenes Sexleben anspielte, konnte sie keinen einzigen vollständigen Satz bilden, sodass Val und ich uns einen besorgten Blick zuwarfen. Später mussten die Männer, nachdem sie im Kreis gestanden und den Frauen beim Tanzen zugesehen hatten, zwei Frauen wählen: eine, deren Tanzen sie am meisten inspiriert hatte, und eine, mit der sie am liebsten schlafen würden. Was Inspiration betraf, fiel ihre Wahl auf die Frau im langen Rock, für Sex auf die artikulationsunfähige Blonde mit der Banane. Als Deida sie bat, in die Mitte des Kreises zu treten, und der ganze Raum klatschte, kam Val zu mir.

»Kerle!«, flüsterte sie und schüttelte missbilligend den Kopf. Ich sah zu ihr und seufzte. Wir klatschten beide nicht.

Das war das Problem, das zweischneidige Schwert der Frau als Energie: nicht, dass Busen und blonde Haare antörnten – natürlich taten sie das –, sondern dass Intelligenz überhaupt nicht zählte. Dass die Mehrzahl der Männer die einzige Frau begehrte, die nicht einen Gedanken in Worte fassen konnte, überraschte mich. »Der Song heißt schließlich ›Something in the Way She Moves‹«, scherzte Deida, »und nicht ›Something in the Way She Talks‹«. All diese Männer, die angeblich im dritten Stadium waren, wollten genau dasselbe wie jeder Zwanzigjähriger: die Nummer, die am einfachsten zu haben war, damit sie sich keine Mühe geben mussten.

Aber konnte ich ihnen das wirklich vorwerfen, wo ich doch dasselbe wollte? Mein idealer Mann erforderte auch wenig Mühe meinerseits. Er sah gut aus, war brillant, wohlhabend, stabil, aber auch leidenschaftlich, künstlerisch, spirituell. Er konnte meine Gefühle mit ruhiger Gelassenheit aushalten, mich aber bei Bedarf bis zur Bewusstlosigkeit vögeln. Er behandelte mich als Ebenbürtige, aber auch – hin und wieder, und nur, wenn mir danach war – wie eine Prinzessin, die beschützt werden musste und ganz besondere Aufmerksamkeit brauchte. Ich konnte Schutzwälle um mich her aufbauen, und er konnte sie einreißen. Die Frau in mir wollte schlicht und ergreifend alles. Unbewusst stellte ich mir schon seit Monaten die Frage: Was war der Unterschied zwischen diesem endlosen Quell »weiblichen Sehnens« und schierem Narzissmus?

Und was Kapitulation betraf – die wollte ich nur im Bett. Davon abgesehen hatte ich nicht die mindeste Absicht, mir von irgendjemanden vorschreiben zu lassen, wie ich mein Leben führte, wie ich sprechen oder denken sollte, in welcher Stadt ich leben, was ich mit meiner Zeit anfangen und wann ich lächeln sollte. Der perfekte Mann erfüllte meine Wünsche – Stichwort Mama Gena und die moderne Göttinnen-Bewegung, Stichwort die alte Südstaaten-Weisheit: »Wenn Mama nicht glücklich ist, ist keiner glücklich.« Kurz gesagt, ich wollte alles bestimmen und dabei tun, als würde ich kapitulieren.

Wir bildeten wieder zwei Kreise, die Frauen standen im inneren. »Männer, jetzt werdet ihr das erfahren, wovor ihr am meisten Angst habt«, sagte Deida aus der Mitte des Kreises heraus. »Ich möchte, dass ihr aufrecht stehen bleibt, durch die Nase atmet, die Augen auf die der Frau euch gegenüber gerichtet, und euch nicht bewegt. Ihr werdet merken, dass ihr euch vor ihrer Wut nicht zu verstecken braucht. Und ihr, meine Damen, werdet erleben, wie es sich anfühlt, wenn ein Mann bewusst eure stärksten, heftigsten Gefühle erträgt.«

Einige Männer lachten nervös. Ich schaute zu Val hinüber, die in meiner Nähe stand, und wir tauschten einen maliziösen Blick. Gleich würden wir etwas tun dürfen, wozu wir außerhalb dieses Raumes nie wieder Erlaubnis bekommen würden. Mein Herz klopfte vor freudiger Erwartung.

Der Mann, der mir gegenüberstand, war Mitte dreißig und etwas untersetzt, hatte kurze Haare und trug ein Polohemd und sah so gesund und frisch aus wie ein Footballcoach an der Highschool.

»Frauen, ich möchte, dass ihr langsam atmet und allmählich mit der Wut in Kontakt kommt, die ihr in euch fühlt. Die Wut kann auf etwas zurückgehen, das heute oder vor zwanzig Jahren passiert ist. Lasst sie aus eurem Bauch aufsteigen. Wenn ich ›Los‹ sage, bringt die Wut mit Geräuschen und mit eurem Körper zum Ausdruck: schreit, stöhnt, stampft mit den Füßen auf, rauft euch die Haare. Die einzigen Regeln sind, dass ihr niemanden schlagt, dass ihr keine Worte verwendet und dass ihr aufhört, wenn ich ›Stopp‹ sage. In Ordnung? Sind alle soweit? Los.«

Vage Gedanken an Scott, der sich weigerte, mir ein Kind zu machen, und an die alten Grausamkeiten meines Vaters schossen mir durch den Kopf, doch innerhalb von Sekunden ging ich einfach in die Knie, beugte mich vor, riss den Mund auf und gab ein ohrenbetäubendes Brüllen von mir, das vom Damm bis zum Hals aufstieg. Ich krallte die Finger und heulte, als würde jemand mit einem Hackbeil auf mich einschlagen, bis Deida »Stopp« sagte. Da hielt ich inne, schwindlig und keuchend, Tränen traten mir in die Augen.

Dann mussten die Männer mit ausgebreiteten Armen einen Schritt auf uns zukommen. Das tat mein Partner und sah mich mit sanften, furchtlosen Augen an, sodass ich noch heftiger weinte. Dann wiederholten wir die Übung: zehn Sekunden Wut, auf die hin die Männer einen Schritt näher traten, bis sie nur wenige Zentimeter von uns entfernt standen; ihre Arme umschlossen uns fast, berührten uns aber nicht.

Ich hatte mich gegenüber einem Mann noch nie derart lebendig und präsent gefühlt. Tränen liefen mir über die Wangen, aber ich war nicht traurig. Ein sauberer, geerdeter Strom durchfloss mich im Zickzack und verband mein verborgenstes Selbst mit meiner Hautoberfläche, wie ein Schwimmer, der gerade aufgetaucht ist. Das Gesicht meines Partners hatte sich gerötet, sein Atem ging rascher.

Deida sagte: »Ihr werdet die sinnliche Kraft bemerken, die in den Momenten direkt nach der Wut entsteht. Die könnte bei einem Paar sehr leicht zu einer intensiven sexuellen Begegnung führen, obwohl wir das hier nicht machen.«

Alle lachten. Abgesehen von einer gewissen Heiserkeit fühlte ich mich wie neugeboren. Ich konnte mir gar nicht vorstellen, wie glücklich und gesund ich – und jede andere Frau, die ich kannte – wäre, wenn wir etwas in dieser Art regelmäßig machen könnten.

Als die Wut-Übung zu Ende war, war es fast elf Uhr. Val und ich zogen unsere Badeanzüge an und gingen zur hinteren Hoteltür hinaus am Pool vorbei zum Strand. Es war eine klare Nacht Anfang Oktober, es hatte ungefähr 25 Grad, das Meer war lauwarm. Der Vollmond schien so hell, dass wir unsere Füße auf dem Meeresgrund sehen konnten. Wir wateten bis zur Taille hinein, legten uns ins Wasser, breiteten die Arme aus und ließen uns schweigend eine halbe Stunde treiben. Die kleinen Wellen waren so ruhig wie auf einem See. Ab und zu paddelte ich ein bisschen mit den Armen, bis der Mond wieder in meinem Blickfeld war. Aus den Augenwinkeln sah ich Vals weißblondes Haar wie einen Fächer auf dem Wasser treiben.

Viele der noch verbleibenden Stunden des Workshops verwendete Deida auf Fragen und auf die Arbeit mit einzelnen Teilnehmern. Ich saß in der Mitte des Raums und hob die Hand. Er deutete auf mich. Ich erzählte ihm von meinem Dilemma: Sollte ich bei meinem Mann bleiben, den ich liebte, der aber weniger Interesse als ich daran hatte, Polarität zu entwickeln, oder sollte ich ihn eines Mannes wegen verlassen, mit dem meine Polarität von Natur aus sehr viel größer war?

»Liebt dein Mann dich?«

Ich bejahte.

»Ist er ein guter Mann?«

Ich bejahte vehement.

»Also gut, dein Mann ist nicht hier, also kann ich nicht für ihn sprechen. Aber du bist hier, dir kann ich Feedback geben. Ich frage mich, ob du ihn wirklich aufforderst, seine Präsenz zu zeigen. Auf mich wirkst du bedrückt. Sieh dich an, wie du dasitzt.« Ich hatte die Schuhe ausgezogen und saß im Schneidersitz auf dem Stuhl, meine Hände lagen auf den Oberschenkeln. Ich hatte die Handflächen bewusst nach oben gekehrt, wie Deida es der Frau im langen Rock aufgetragen hatte.

»Ich denke, wenn dein Mann ein guter Mensch ist und ihr euch liebt, solltest du bei ihm bleiben. Arbeite daran, dich zu öffnen. Man kann sich immer öffnen, unabhängig davon, was der Partner macht. Konzentrier dich auf das Vertrauenswürdige an ihm. Arbeite daran, ihn mehr dazu aufzufordern, deinen Körper zu durchdringen. Ihr seid schon lange zusammen, du musst ihm eine Chance geben.«

Offenheit. Nicht verbale Forderungen, nicht Sex, nicht einmal Koketterie oder Verführung. War ich in meiner Ehe wirklich offen gewesen – Poledance-Stunden und Kurse in der Kunst der Weiblichkeit hin oder her? Würde es jetzt etwas bewirken, wenn ich meinen Blick, mein Lächeln und die Ausrichtung meiner Handflächen änderte? Es kam mir zu subtil vor, als dass Scott es zu diesem Zeitpunkt auch nur bemerken würde, eine homöopathische Medizin, nachdem die Chemo versagt hatte – zumal ich ihm den zusätzlichen Schlag des Betrugs versetzt hatte.

»Gut, danke«, sagte ich, und Deida ging weiter zur nächsten Frage. Aber ich hatte noch nicht genug. Als er seinen Assistenten auf die Bühne bat und fragte, wer mit ihm arbeiten wolle, melde ich mich sofort. Deida rief mich auf.

Der Assistent saß mit dem Gesicht zu mir auf einem harten Stuhl, seine Füße standen am Boden, die Hände lagen auf den Knien, und er starrte mich an – oder vielmehr durch mich hindurch. Er demonstrierte die Energie eines Mannes, der von der Arbeit und der Last seiner Gedanken niedergedrückt ist.

Deida stellte sich zwischen uns. »Wie willst du James aus seinem Kopf und in seinen Körper locken?«, fragte er. Alle Blicke ruhten auf mir. Ich trat näher zu ihm, atmete ein paarmal langsam durch, sah ihm in die Augen und versuchte, meine innere Verführerin heraufzubeschwören. Ich lächelte, aber sein abweisender Blick wurde nicht weicher.

»Setz deine Stimme und deinen Körper ein«, sagte Deida. »Versuch, seine Energie in die Beine zu ziehen.« Ich kniete mich hin und berührte James' Schienbeine, und er rutschte auf dem Stuhl vor und strahlte mich an. »Fick mich, Süßer«, sagte ich leise.

»Nein. Sag ihm nicht, was er tun soll«, sagte Deida. Ratlos stand ich auf. Ich holte wieder tief Luft und strich mir mit beiden Händen über die Hüften.

»Seht ihr, wie ihre Energie blockiert ist?«, fragte Deida die Gruppe. »Das nennen Männer einen kalten Fisch. Das ist der Grund, weshalb sie Frauen betrügen. Sie ist die Art Frau, die ein paar Klapse braucht, und das meine ich nicht abschätzig. Was sie braucht, ist, dass ihre Energie in Fluss gebracht wird.«

Ich drehte mich zu Deida und sagte ernst: »Gut, dann schlag mich.«

»Das kann ich nicht«, sagte er.

Wohl aus rechtlichen Gründen, vermutete ich.

»Dann hilf mir. Sag mir, was ich tun soll.«

»Ich weiß es nicht«, meinte er achselzuckend. »Vielleicht versuchst du's als Pornostar?«

Ich machte große Augen. Tausend Dollar und viereinhalbtausend Kilometer, um mir vom Autor von *Sex als Gebet* sagen zu lassen, ich solle mich wie ein Pornostar verhalten.

»Wirklich? Ich soll ihn einfach anmachen?«

»Ja. Du darfst ihn nicht küssen oder sexuell berühren, aber alles andere ist okay.«

Ich setzte mich rittlings auf James' Schoß, löste den Gummi von meinem Pferdeschwanz und streifte mit Nase und Lippen über seinen Hals. Er war ungefähr fünfunddreißig und auf strenge Art attraktiv. Ich befühlte seinen Bizeps, fuhr ihm mit den Fingern durchs Haar, schob meine Brust gegen sein Schlüsselbein, kippte seinen Kopf nach hinten und fuhr mit den Lippen über seinen Hals. Er hielt mich an den Hüften. Ich presste sie kreisend gegen ihn, wie ich es gerne machte, wenn ich beim Sex oben war, strich mit den Händen über meine Brüste, stöhnte, warf den Kopf in den Nacken, ließ mein Haar in sein Gesicht fallen und knurrte, nutzte die Aggression, die Deidas Bemerkungen in mir ausgelöst hatte. Als ich mich schließlich aufsetzte, keuchte ich, und der Raum applaudierte. Deida sah nur wenig überzeugter aus als zuvor. Ich stand von James' Schoß auf, und ein Mann in der ersten Reihe meldete sich. Deida rief ihn auf.

»Von meiner Warte aus gesehen war das ziemlich heftig«, sagte er, und ein paar andere nickten und lachten. »Mir persönlich wäre etwas zwischen der ersten und der zweiten Anmache lieber.«

»Ja«, sagte Deida, »jeder Mann braucht eine andere Art und ein andere Menge weiblicher Energie.«

In einem Ohr hatte ich Nicole, die langsamen Sex propagierte und das Pornomodell ablehnte, und im anderen Ohr Deida, der zumindest auf einer gewissen Ebene das Gegenteil predigte.

»Kalter Fisch, dass ich nicht lache«, flüsterte Val, als ich mich wieder neben sie setzte.

Bei der letzten Übung des Wochenendes nahmen die Männer auf einem Stuhl Platz, und die Frauen mussten einen Mann wählen und sich rittlings auf seinen Schoß setzen. Sofort steuerte ich auf einen muskulösen blonden Mann Ende zwanzig zu, den Val und ich wegen seiner Filmstar-Optik scherzhaft »Hollywood« getauft hatten. Für ihn entschied ich mich, weil er mich einschüchterte. Laute afrikanische Trommelmusik setzte ein. Deida trug uns auf, dem Atem und dem Blick des Mannes zu folgen und uns dabei auf seinem Schoß zu bewegen. Hollywood konnte gut atmen. Mir wurde schwindlig, als ich mich seinem langsamen Ein- und Ausatmen anpasste. Er fasste mich um die Hüfte und drückte die Finger gegen mein Kreuzbein. Ich hielt mich an der Stuhllehne fest und schaukelte mit dem Becken. Wir begannen zu schwitzen. Die Musik wurde schneller und lauter. Mittlerweile gaben mehrere Frauen Geräusche von sich, Aaahs und Ooohs. Manche schlugen wild mit den Armen um sich und warfen den Kopf in den Nacken, steigerten sich dem Anschein und den Geräuschen nach zu einem tantrischen Orgasmus in voller Bekleidung.

War das wirklich allein durch Atmen möglich? Vielleicht, wenn man einen transparenten, aus Licht bestehenden Körper hatte und die Hände und den Rücken auf die richtige Art hielt, oder wenn man wirklich glaubte, dass die Art, wie man sich bewegt, unweigerlich dem überlegen ist, was man sagt. Aber nicht, seien wir ehrlich, wenn man die Tochter eines Buchmachers aus Scranton war, eine melancholische Potenzkillerin, deren sexuelle Reaktionen ebenso kapriziös waren wie ihr unerbittliches Bewusstsein.

32.

Die harte, heikle Wahrheit

Nachdem ich meine ganze Kindheit hindurch geleugnet hatte – und zwar automatisch und ohne einen Gedanken darauf zu verschwenden –, dass jemand mir wehtat, konnte ich problemlos auf Leugnen zurückgreifen, als ich anfing, Scott wehzutun. Ich sagte mir, dass ich log, um seine Gefühle zu schützen, verschwieg dabei aber, dass der Hauptzweck darin bestand, mich selbst und meine Optionen zu schützen, um sie mir alle offenzuhalten. Aber das funktionierte nicht. Je länger ich log, desto weniger Optionen blieben mir. Wie ich feststellen musste, folgt Betrug seinen eigenen metaphysischen Gesetzen, die ebenso unumstößlich sind wie das Gesetz der Schwerkraft. Scott und ich waren derart tief miteinander verbunden, dass es unweigerlich auch mir wehtat, wenn ich ihn verletzte, obwohl glatter Selbstbetrug mich anfangs daran hinderte, das zu spüren. Meine Lügen setzten sich wie ein langsam wachsender Tumor fest. Ihr ganzes Ausmaß spürte ich erst Jahre später, als sie mich nachts weckten, mich bei Tag verfolgten und mich zwangen, mich auf einer belebten Straße auf den Bordstein zu setzen und zu weinen.

Dennoch gibt es einen Grund, weshalb Menschen weiterhin ihren Partner betrügen, allem Kummer und allen Schuldgefühlen zum Trotz. Es war unendlich befriedigend, regelmäßig zwischen den beiden Polen zu pendeln, die mein Leben ausfüllten – Stabilität und Leidenschaft –, anstatt in der kalten Sicherheit des einen zu verdorren oder in den Flammen des anderen zu nichts zu verbrennen. Wie sehr sie doch mein inneres Gleichgewicht austarierten! Oft träumte ich davon, zwei Ehemänner zu haben, die jeweils auch zwei Ehefrauen haben konnten. Keine unbegrenzte Polyamorie, nur zwei. Ob das logistisch funktionieren würde? Fraglich. Doch in den Wochen, in denen ich in dem Schwebezustand lebte, betrachtete ich die Golden Gate Bridge als den langen Flur in meinem idealen Haus, an dessen Ende jeweils ein Schlafzimmer lag, und dort konnte ich endlich sowohl die Zärtlichkeit als auch die Wildheit in meinem Herzen zum Ausdruck bringen. Genau die Mischung, die, so hatte ich gehofft, Ruby mit sich bringen würde.

Ruby. Ein Kind, um eine Beziehung zu festigen und die Schwachstellen zu stützen. Träume sind Schäume. Ein Kind trägt nicht dazu bei, dass der Sex besser wird, es tötet ihn. Ein Kind ist nicht die Erfüllung einer Ehe, es setzt sie unter Druck. Ein Kind ist nicht einmal die Erfüllung einer Frau, zumindest nicht einer Frau wie mir. Korrekt?

Was ist dann mit dem Zeitungsausschnitt, der mir eines Nachmittags in die Hände fiel? Scott war beim Campen, Alden war verreist, ich verbrachte den Tag mit Cleo in der Küche und sichtete alte Briefe und Postkarten. Aus einem Ordner mit der Jahreszahl 1988 ragte ein vergilbter Artikel aus der *New York Times*. Ich zog ihn heraus und faltete ihn auf, und sofort fiel mir wieder ein, wie ich ihn damals, mit gerade vierundzwanzig, ausgeschnitten hatte, lange bevor ich auch nur einen bewussten Gedanken an ein Kind verschwendet hatte. In dem Artikel kündete die Journalistin und Schriftstellerin Anna Quindlen an, dass sie ihre *Times*-Kolumne einstellen werde, weil sie gerade ihr drittes Kind zur Welt gebracht habe, ein Mädchen namens Maria, und weil man einige Erfahrungen einfach miterleben und nicht bedenken müsse.

Ich weiß noch genau, wo ich war an dem Tag, an dem ich das las – eine sonnige, etwas schäbige Wohnung mitten in Sacramento, wo ich mit dem Freund vor Scott lebte. Ich hatte die Wände grau gestrichen und Spitzenvorhänge für die Erkerfenster genäht. Ich saß vor einem dieser Fenster und las die Zeitung, und als ich den Artikel gelesen hatte, schaute ich auf Quindlens Zeilen, fuhr mit dem Finger über die Druckbuchstaben, in denen das duale Symbol des Frauseins zum Ausdruck kam – Mutter und Autorin, ein Leben, das Kinder *und* Selbst verband –, als hätte ich dergleichen nie zuvor gesehen. Ich schnitt den Artikel aus, faltete ihn zweimal und verwahrte ihn wie ein Geheimnis.

Biologie. Im Schnelllauf vorwärts, ein paar Jahre nach meiner Affäre mit Alden, etwa die Zeit, in der ich nachts weinend aufwache, mir meine Lügen vorhalte, körperlich ihre scharfen, lieblosen Kanten spüre, als hätten sie die Macht, meine Eingeweide zu zerschlitzen. Mein Glück hat einen Bogen geschlagen und ist wieder in die Küche zurückgekehrt, zum Kamin, zum Essen mit Freundinnen, dem spannenden Roman. Ich lese ein Interview mit einer Gynäkologin über die hormonellen Veränderungen, die Frauen mit etwa vierzig durchmachen. Sie nennt Östrogen »das Hormon, das uns dazu veranlasst, hübsch aussehen zu wollen, viel Sex zu haben und Kinder zu bekommen«, und erklärt, dass es bei Frauen mit Anfang vierzig stark ansteigt, ein letztes Aufbäumen, bevor es in der Perimenopause verebbt. Die letzte Chance des Körpers, das zu tun, wofür er auf die Welt gekommen ist. »Man weiß immer, dass bei einer Frau die Perimenopause begonnen hat, wenn sie nur noch Lust hat, zu Hause zu bleiben, in die Yogahose zu schlüpfen und zu lesen.« Ich schaue auf meine Yogahose und staune, dass diese Ärztin gerade die erlebnisreichsten Jahre meines Lebens in einem Satz zusammengefasst hat. Aber man lässt es keiner vernunftbegabten Erwachsenen durchgehen, wenn sie ihr Verhalten auf die Hormone schiebt.

Korrekt?

»Die Wahrheit ist oft nicht einfach«, pflegte George zu sagen, wenn ich ihn drängte, eine Schlussfolgerung aus den Auswirkungen meiner Kindheit zu ziehen. »Wenn man sich nach innen wendet und durch die Schichten vorgräbt, stellt man an irgendeinem Punkt fest, dass man sogar sich selbst fremd ist.«

Damals, als wir gerade nach San Francisco gekommen waren, ehe Scott und ich unser Haus kauften, vor dem positiven Schwangerschaftstest und der Sterilisation, wohnten wir in einer Zweizimmerwohnung in Pacific Heights. Jeden Morgen, bevor ich mich an meine freiberuflichen Schreibaufträge setzte, ging ich ins Café gegenüber und ließ mich mit der Zeitung oder einem Buch auf einer alten roten Ledercouch nieder. Eines Tages las ich gerade den Reise- und Erfahrungsbericht *On Mexican Time*, als sich ein großer, kräftig gebauter Mann zu mir setzte und sagte: »Ich liebe Mexiko. Ich liebe die Mexikaner. Wunderbar sanfte, anmutige Menschen. Hi, ich bin Jake, schön, Sie kennenzulernen.« Er reichte mir die Hand. »Hübsche Sandalen. Sie müssen ein richtiges mädchenhaftes Mädel sein.«

»Eigentlich nicht«, antwortete ich, schloss das Buch und sah in seine schieferblauen Augen. »Mein Mann und ich fahren nächste Woche in unserem Wohnmobil nach Baja.«

»Ein Wohnmobil«, sagte er und riss den Mund in gespielter Begeisterung weit auf. »Klasse Idee.«

Danach trank ich viele Monate lang meinen Morgenkaffee mehrmals die Woche mit Jake und hörte ihm zu, wenn er von seinen Abenteuern im Ausland erzählte und von seiner Suche nach einer warmherzigen, mütterlichen Freundin – mit der er später eine Familie gründen konnte – in einer Stadt von ehrgeizigen Karrierefrauen im Businesskostüm. Weil ich schrieb, von zu Hause arbeitete, mädchenhafte Sandalen trug und gerne kochte, hielt Jake mich für die große Ausnahme, und ich tat nichts, um seinen Glauben zu erschüttern. Jake war so alt wie ich und so groß wie Scott. Er erinnerte mich an die italienischen Jungen, mit denen ich aufgewachsen war: athletisch, extrovertiert und mit einem Selbstbewusstsein, das fast schon an Aggression grenzte.

Eines Tages kam er direkt vom Laufen, noch in seinen Shorts, ins Café, winkte mir zu und reihte sich zum Bestellen in die Schlange ein. Ich saß auf der Couch, unserem üblichen Treffpunkt. Die Schlange war lang, und als ich eine Minute später von der Zeitung aufschaute, fiel mein Blick zufällig auf sein perfekt geformtes Knie, genau in der Mitte zwischen dem langen Oberschenkel und dem straffen Wadenmuskel des Läufers. Da verrutschte irgendetwas zwischen meinen Schulterblättern. Es gab kein Wort dafür, nur ein Herzschlag, der aussetzte, das Gefühl, das etwas Kleines wieder zum Leben erwachte. Ich vertiefte mich wieder in die Zeitung und versuchte, es zu ignorieren.

Ein paar Wochen später saß Jake bei uns im Wohnzimmer, er trug eine marineblaue Anzughose und ein weißes Business-Hemd, die Knöpfe am Kragen standen offen. Er war gleich von seiner Arbeit in der Stadt zu uns gekommen. Scott saß ihm in einem ausladenden Sessel schräg gegenüber, barfuß, in Jeans und T-Shirt. Sie unterhielten sich über Politik – Bush, Irak, Afghanistan. Ich hörte nicht genau zu, ich achtete nur auf das Gleichgewicht zwischen ihnen. Jake machte leidenschaftliche, pauschale Aussagen über die Moral der Republikaner, Scott konterte mit Details aus dem Etat und Statistiken über die Verluste im Irak. »Mann, du haust mich vom Stuhl«, sagte Jake. »Du bist auf einer völlig anderen Ebene.«

Irgendwann stellte Jake die Kaffeetasse ab und legte seine großen Hände auf die Knie, es war klar, dass er gehen wollte. »Also wirklich«, sagte er, »das war ein famoses Essen, und unglaubliche Gespräche. Ihr beiden seid genau das herzliche, menschliche Paar, das diese unterkühlte Nachbarschaft braucht. Ich bin wirklich sehr beeindruckt. Zutiefst beeindruckt.« Er streifte sein marineblaues Jackett über und verabschiedete sich.

Scott und ich gingen zum Sofa und setzten uns wieder.

»Das ist eine Type«, sagte Scott.

»Ich glaube, ich möchte mit ihm schlafen«, sagte ich. Die Worte kamen ungebeten über meine Lippen, eine unterirdische Erschütterung, die eine Verwerfungslinie aufbricht.

Scott stand auf, schritt auf und ab, drehte sich zu mir. »Während ich im Großraumbüro Geld verdiene, sitzt du hier in deinem Café und suchst dir Typen, mit denen du schlafen kannst?« Er zog sich Laufschuhe und eine Jacke an und verschwand. Er blieb mehrere Stunden weg.

»Wo bist du gewesen?«, fragte ich, als er gegen zwei Uhr morgens ins Bett kam.

»Ich bin durch den Presidio gegangen. Ich habe daran gedacht, wie ich jahrelang mit Rosemary zusammen war, und ihr Mann hat ihr seinen Segen gegeben.«

Er brach ab, und ich wartete. Er erzählte nicht oft von den emotionalen Verstrickungen dieser Beziehung.

»Ihm ist nichts anderes übrig geblieben. Er konnte nur zusehen, wie er sie langsam verlor. Und jetzt wendet sich das gegen mich. Ich habe das Gefühl, das ist das erste Symptom einer Krankheit, die mich umbringen wird.«

Wir fuhren die hundertfünfzig Kilometer nach Sacramento, um mit unserem alten Therapeuten George zu sprechen. Er meinte, wir sollten mehr Romantik in unser gemeinsames Leben bringen. Mir sagte er, ich solle Scott an der Tür begrüßen, wenn er nach Hause kam, ihm zeigen, dass ich mich freue, ihn zu sehen. Scott sagte er, er solle mich zu Rendezvous einladen und einen Blick in das Buch mit Ideen für romantische Wochenenden werfen, das ich ihm vor Jahren einmal geschenkt hatte. »Das Weibliche ist die Seele und der Mittelpunkt des Lebens«, sagte George zu ihm. »Ein Mann, der das nicht erkennt und unterstützt, landet letztlich allein in der Wüste.«

Dann wandte George sich an mich und warnte mich davor, meinem Drang nachzugeben und Sex außerhalb der Ehe zu suchen. »Nicht-Monogamie führt zu einer Aufsplittung, und die ist das Gegenteil von Integration. Und ich kenne Sie, Robin, Sie möchten Integration. Wenn Sie mit anderen Männern schlafen wollen, rate ich Ihnen, vorher die Ehe zu beenden.«

Der Gedanke war unvorstellbar. Ich liebte Scott viel zu sehr, als dass ich ihn verlassen konnte. Ich wollte nur, dass er etwas mehr Leidenschaft an den Tag legte, weil ich nicht wusste, wie ich weniger leidenschaftlich sein konnte. Nur ein bisschen mehr Leidenschaft, Scott, nur genug, damit mich der Anblick eines nackten Männerknies nicht völlig aus der Bahn wirft. Rückblickend erkenne ich, dass es viel leichter war zu glauben, Scott würde etwas zurückhalten, als den offensichtlichen Schluss zu ziehen: dass er sein Bestes gab, aber dass das Beste nicht genügte.

Ich dachte: Ich werde meinen Teil tun. Ich werde das Gefühl, das Jake in mir weckt, auf Scott richten. Ich werde weiterhin das machen, was ich von Mama Gena in der Kunst der Weiblichkeit gelernt habe: mit Scott flirten, mich auf Vergnügen und Freude konzentrieren, leuchtende Farben tragen, sinnlich und kreativ bleiben. Ich werde mich bei diesem Poledance-Kurs anmelden.

Später, als wir wieder zu Hause waren, sagte ich: »Als ich jünger war und furchtbar verletzlich, und du ruhig und beständig, habe ich mich dir so nah gefühlt, Scott. Aber das kann nicht die einzige Art sein, durch die wir Nähe herstellen. Und du brauchst mich nicht auf die Art, wie ich dich gebraucht habe. Also müssen wir einen neuen Weg finden.«

Scott hörte mir zu. Vielleicht dachte er an das Mal, als er mir Kondome und einen Freibrief gab, um in New Orleans zu tun, wozu ich Lust hatte, und ich die Packung ungeöffnet wieder mitbrachte. Vielleicht dachte er an die vielen Jahre, als ich krank oder depressiv war und er der Fels in der Brandung, als es mir guttat, dass er sich mit allem Zeit ließ und meine Trauer verstand und ich keine kraftvolle Männlichkeit und Durchdringung vertrug. Vielleicht fragte er sich, warum ich jahrelang an ihn hingeredet hatte, bis wir uns verlobten, aber dann auszog, nachdem er mir einen Heiratsantrag gemacht hatte. Gut denkbar, dass er sich fragte: *Warum bin ich mit dieser Frau zusammen, wo ich doch weiß, dass ich nie gewinnen kann?*

»Als wir uns kennengelernt haben, hattest du etwas Wildes an dir«, sagte ich. »Wohin ist das verschwunden?«

Ärgerlich sah er mich an, als würde ich etwas aus ihm hervorkitzeln, das er eigentlich nicht sagen wollte.

»Das musste ich abtöten, um dir treu zu sein.«

Wenn ich mich dazu durchringen konnte, meinem Vater seine Gewalt zu vergeben, würde man meinen, dass ich meinem Mann eine Sterilisation vergeben könnte. Wenn ich Verständnis für die Sucht meines Vaters aufbrachte, für andere Familienmitglieder oder Freunde in Not, warum dann nicht für meinen eigenen Mann? Lange Zeit gab ich Scotts mangelnder Emphase die Schuld daran, seiner Zurückhaltung, wie George sie nannte, und so brauchte ich bequemerweise nicht zu sehen, dass er litt. Wenn ich ehrlich bin, gab es allerdings auch einen wahreren Grund, weshalb ich kein Verständnis für ihn aufbringen konnte: Im Gegensatz zu den anderen Menschen in meinem Leben hatte Scott Bedürfnisse, die meinen eigenen im Weg standen.

Ich konnte verstehen, weshalb der eine oder andere Freund gefragt hatte, ob Rache das Hauptmotiv für das Projekt sei.

Aber die Wahrheit war noch hässlicher, zumindest liegt einer Rache reines Gefühl zugrunde. Vielleicht gab Rache mir den entscheidenden Anstoß zu dem tollkühnen Impuls, an jenem ersten Abend bei Paul an der Tür zu läuten, aber sie war nicht das Motiv für ein ganzes Jahr offene Ehe, und sie war ganz bestimmt nicht das Motiv für meine Affäre mit Alden, die von Anfang an mit Schuld beladen war. Es war eine Taktik. Als ich erkannte, dass ich die Sterilisation nicht verhindern konnte, nutzte ich sie als Einsatz bei den Verhandlungen, um zu bekommen, was ich wollte: die Freiheit, meine aufkeimende Sexualität auszuleben, die sich immer wieder von den Mauern der Ehe eingeengt fühlte. Ich hatte Scott angefleht, mich auf die Art festzunageln, wie Männer es seit Jahrhunderten taten: mich zum Heimchen am Herd zu machen, mich durch Kinder unter seinem Dach festzuhalten, uns durch Blutsbande zu verbinden. Mir die Verantwortung einer Wahl zu ersparen. Meinen Kinderwunsch zu erfüllen, um mich vor anderen, gesellschaftlich weniger anerkannten Wünschen zu beschützen. Die Sünden, die ich wider meinen Ehemann beging, sind: Entzug aus der Verantwortung, mangelndes Verständnis, Betrug und Lüge. Am Ende war ich diejenige, die um Vergebung bitten musste.

33.

Am Scheideweg

Als ich von Miami nach Hause kam, erzählte ich Scott von der Wut-Übung, dem Tanz-Wettbewerb und dem Vollmond. Von meiner Frage an Deida sagte ich nichts.

»Er hat mich als kalten Fisch bezeichnet.«

»Machst du Witze?« Er lachte. »Ist er verrückt?«

»Er sagt, meine Energie sei blockiert, und ich müsse geschlagen werden.«

»Wenn deine Energie blockiert ist, dann möchte ich nicht wissen, wie Energie aussieht, die im Fluss ist.«

»Und du bist sicher, dass du nicht zum Workshop in San Diego mitkommen willst?« Zu diesem Zeitpunkt eine lachhafte Frage.

Ich stand neben ihm am Herd, er rührte einen Topf Met um. »Ja, ich bin mir sicher, Mausezahn. Das ist dein Ding, nicht meins.«

»Und du hast nichts dagegen, wenn ich alleine fahre?« Mit dieser direkten Frage wollte ich das Ausmaß seiner Distanz abschätzen. »Ich meine, ich schaue anderen Männern in die Augen, ich weine, sie sagen, dass ich schön bin. Es ist ziemlich intim.«

Er hielt beim Rühren inne und sah mich bedächtig an. »Ich mache mir keine Sorgen. Aber wenn du zurückkommst, dann planen wir eine Reise, ja? Wir haben seit Paris keinen richtigen Urlaub mehr gemacht.«

Der zweite Workshop mit Deida beeindruckte mich viel weniger als der erste. Am meisten berührten mich die Fahrt die Küste hinunter nach San Diego und vor allem die Rückfahrt. Ich kam an Küstenorten vorbei, an Obstgärten und Weinkellereien. Lange Strecken fuhr ich durch Grasland, durch das der Wind strich. Eine Taco-Bude in Santa Barbara. Eine ganz normale Einkaufsmeile, wo ich eine bequeme Hose erstand. Und immer wieder drückte ich auf die Repeat-Taste, um noch einmal Bon Ivers »Skinny Love« zu hören: *And I told you to be patient and I told you to be fine… And now all your love is wasted and then who the hell was I?* – »Ich bat dich um Geduld, ich bat dich, mir zu vertrauen… Jetzt ist deine Liebe umsonst gewesen – wer zum Teufel war ich dann?«

Ich brauchte die Musik, sie musste den vorderen Teil meines Kopfs ausfüllen, während ich mich im Hintergrund mit einem Durcheinander von Verlangen und Vernunft herumschlug. Das brave Mädchen war schon lange tot, aber nicht das vernünftige. Sie stellte sich auf die Hinterbeine. *Jetzt reicht's mit diesen Eskapaden*, sagte sie. *Deine Zukunft steht auf dem Spiel. Lass dich vom Verlangen nicht täuschen. Verlangen ist ein Gestaltwandler, ein Scharlatan. Alden sieht aus wie ein Leuchtturm, der dir den Weg weist, aber sein Licht wird sich einmal im Kreis drehen und zu dir zurückkehren. Wo immer du hingehst, du bist auch da.*

Dem gegenüber das Rumoren des Körpers. Mein Körper verlangte nach Alden, und in dem Verlangen spürte ich zum ersten Mal seit vielen Jahren echte Hoffnung. Der Körper sagte: *Du lebst dein Leben nur einmal. Ein einziges Mal.* Mehr sagte er nicht. Während mir Gedanken wie spirituelle Weiterentwicklung, Transzendenz des Selbst, Güte und inneres Wachstum durch den Kopf gingen, pulste in meinem Bauch nur immer wieder dieselbe Botschaft: *Du lebst dein Leben nur einmal.*

In einem Ohr hörte ich Deidas Versprechen, Geist und

Körper durch Polarität zu integrieren, und auch die brutale Wahrheit, dass ich diese Polarität mit meiner Melancholie selbst behinderte, ganz zu schweigen von der Unbeholfenheit, mit der ich meine Wünsche zum Ausdruck brachte, sodass sie meinem Mann eher das Gefühl von Unfähigkeit vermittelten, als ihn zu beflügeln. Im anderen Ohr Nicole und meine Freunde bei OneTaste, die die Segnungen priesen, sich tiefer auf die orgasmische Meditation einzulassen. Sie berichteten vom Abbau emotionaler und sexueller Barrieren und von Momenten des Durchbruchs und sogar der physischen Heilung, alles als Folge beständiger OM. Noah sagte, er lege seine »Sucht« nach langfristiger Partnerschaft ab, und Margit nahm sich neue Liebhaber, während sie sich mit Oden verlobte. Aber ich war nicht gestrickt wie sie und wollte dieses Niveau permanenter Veränderung nicht auf Dauer beibehalten. Mein Leben war weder unendlich noch ein Spiel.

Ich hatte mich Susan und auch Ellen anvertraut. Eigentlich wollte ich sie nicht in Loyalitätskonflikte mit Scott stürzen, aber ich brauchte unbedingt Rat. Beide kannten mich so gut – was würden sie mir empfehlen? Susan sagte: »Ich mag Scott wirklich sehr, und ich mag euch als Paar, aber um ehrlich zu sein, Rob, ich glaube, die Ehe war am Ende, als du seine Reaktion auf den positiven Schwangerschaftstest gesehen hast.«

Ellen war anderer Ansicht. »Ich plädiere für Scott«, sagte sie. »Wir wissen doch beide, wie solche Geschichten ausgehen. Nach zwei Jahren Leidenschaft wünschst du dir deinen beständigen, liebenden Ehemann zurück.«

Und dann war da Scott selbst, der wartete, auf einer Ebene vielleicht sogar wusste, was passierte. Er stand fest zu seinen Prinzipien und zu dem, worauf er sich eingelassen hatte. Neben ihm stand Alden, der sagte, ich sei die einzige Frau, die er wolle, und er werde auf mich warten, bis das Warten zu schmerzhaft würde. Und in der Ferne lauerte schattenhaft, als Begleitstück zu beiden, die Ehe meiner Eltern, die mich in die Sicherheit von Scotts Armen getrieben hatte, nur dass diese Sicherheit im Lauf der Jahre vom Lebenshunger sabotiert wurde. In diesem Schatten hatte ich Mauern gegen die Einsamkeit errichtet, aber auch dagegen, mich wirklich zu binden, und so streifte ich in dem engen, sterilen Raum zwischen beiden umher. Dazu die Tatsache, dass diese Ehe schließlich geendet hatte, als meine Mutter fünfundvierzig gewesen war – so alt wie ich jetzt.

Paris war die letzte große Reise, die Scott und ich gemacht hatten, eineinhalb Jahre, bevor das Projekt begann. Das war direkt nach dem positiven Schwangerschaftstest und seiner Ankündigung an jenem Dezembertag in Delphynes Praxis, dass er sich sterilisieren lassen würde. In der Woche zwischen Weihnachten und Neujahr war es in Paris wolkenverhangen und eisig kalt, um fünf Uhr nachmittags dämmerte schon der Abend. Wir wohnten in einem kleinen Hotel in Saint-Germain und fanden uns jeden Tag mit anderen Touristen auf den Straßen wieder, meist Paare und Familien aus Europa. An den dämmrigen Nachmittagen saßen wir in Cafés, tranken Glühwein und vertieften uns in Reiseführern. Die Paare, die an den Nachbartischen saßen, sahen so gut aus und waren so gut gekleidet, dass ich sie unwillkürlich anstarrte, wenn sie ihre Kaffeetassen hoben, Zigaretten anzündeten, sich vorbeugten, um sich mit leiser Stimme zu unterhalten. In den unvermeidlichen Kinderwagen, die neben den Tischen standen, lagen Babys, ruhig oder schlafend.

Wir spazierten unter den kahlen Bäumen durch den Jardin de Luxembourg, gingen durch die endlosen Flure des Louvre und des Musée d'Orsay, erklommen die Stufen im Turm von Notre-Dame und stiegen die mit Kopfstein gepflasterten Straßen zu Montmartre hinauf. An unserem letzten Tag besuchte Scott noch ein weiteres Museum, während ich einen Einkaufsbummel machte. Ich fuhr mit der Métro ins Marais, schlenderte durch die Boutiquen und probierte an jedem Inhaber meine paar Französischbrocken aus, bis ich die perfekte Bluse eines französischen Modemachers fand, anthrazitfarbene Baumwolle mit gestickten Ösen. Damit fuhr ich nach Saint-Germain zurück, um einen passenden Rock zu kaufen. Ich betrat einen Laden, in dem hinter der Theke ein großer Mann von etwa vierzig mit dunklen Haaren und einem kräftigen Schnurrbart stand und lächelte.

»Bonjour«, sagte ich.

»Guten Tag, wie kann ich Ihnen helfen, junge Dame?« Sein Englisch war perfekt, auch wenn er es mit einem starken Akzent sprach, der in meinen Ohren spanisch klang.

»Ich suche einen Rock, der dazu passt«, sagte ich und zog eine Ecke der Bluse aus der Einkaufstasche.

»Sehr hübsch!«, sagte er. »Sehen wir doch mal, was wir haben.« Er führte mich zu einer Stange wunderschöner Wollröcke in A-Linie. Während ich sie begutachtete, blieb er hinter mir stehen und erzählte. Er stammte aus Argentinien und lebte seit zwanzig Jahren in Paris, hatte mittlerweile eine Frau und Kinder und wollte nie mehr woanders leben.

Ich nahm einen Rock mit schwarzem Paisleymuster von der Stange, die weichen Falten begeisterten mich. Der Verkäufer fragte: »Sind sie verheiratet?«

»Ja«, sagte ich und nickte geistesabwesend.

»Haben Sie Kinder?«

»Nein.« Ich sah zu ihm.

»Keine Kinder!«, rief er freundlich. »Warum nicht?« Ich musste über seine lateinamerikanische Direktheit lächeln, seine Einstellung, dass wir alle eine einzige große Familie sind, in der man über alles reden kann und sollte.

»Mein Mann will keine.«

»Dann suchen Sie sich einen anderen Mann!«, rief er und machte eine theatralische Geste gespielter Empörung. Wir lachten beide. Ich ging in die Kabine, um den Rock anzuprobieren, er passte perfekt. Ich kaufte ihn und verabschiedete mich, und der Verkäufer wünschte mir alles Gute und ein schönes neues Jahr.

Dieser Mann mit seinen großen Augen und dem lachenden Gesicht kam mir in den folgenden Jahren immer wieder einmal in den Sinn, die unerschütterliche Gewissheit seiner Worte. Suchen Sie sich einen anderen Mann.

Auf wen sollte ich hören? Auf den Yogi, der Strahlen und Weichheit predigte, der mir sagte, ich solle mich selbst schlagen, meine Energie in Fluss bringen und meinem Mann eine Chance geben, oder dem argentinischen Verkäufer, der in Saint-Germain Wollröcke und kostenlose Ratschläge feilbot?

Während ich der 101 North in die Stadt folge, läuft im CD-Spieler die dritte Wiederholung von Bon Iver. Ich fahre an Castro vorbei und direkt über die Golden Gate Bridge zu Alden. Eine halbe Stunde später kehre ich auf der nach Süden führenden Spur der Brücke zurück, fahre am Rand des Presidio entlang zur Divisadero, der ich durch das Auf und Ab von Pacific Heights bis nach Castro folge, und parke vor meinem kleinen gelben Haus. Scott sitzt am Küchentisch und tippt auf seinem Notebook. Ich umarme ihn, gebe ihm einen Kuss und setze mich.

Eine letzte Interpretation des Projekts mit meinem wilden Jahr: Ein ausgeklügelter Versuch, die Ketten der Liebe und der Treue zu lösen, die mich so fest an meinen Mann banden, dass alles andere unmöglich war. Zuerst mussten sie gelockert werden. Es braucht Zeit, um eine Ehe zu zerstören – mehrere Jahre sogar.

»Wir müssen uns unterhalten«, sagte ich. Wie oft hat er das schon gehört? Das Mädchen, das ständig Alarm schlägt.

»Ich glaube, es ist an der Zeit, dass wir uns trennen«, sage ich. Der Hammer ist gefallen. Die gelockerten Ketten fallen ab.

Das Wort bleibt ihm im Hals stecken, er kann es kaum über die Lippen bringen. »Scheidung?«

Ich nicke. Ich bin entsetzt, kann es nicht glauben. Was mache ich da? Ich kann es nicht, aber ich muss. Wie der Tag, an dem ich in die Abtreibungsklinik ging. Ich komme mir vor, als hätte ich ihm eine Pistole an den Kopf gehalten und gerade abgedrückt. Nein, nein, nein. Irgendwie bringe ich hervor: »Wir wollen unterschiedliche Sachen.« Ich schaue auf und begegne seinem Blick.

Alle Farbe ist aus seinem Gesicht gewichen. Dies ist der Moment, über den ich nie hinwegkommen werde. Zwanzig Jahre – meine Jugend, seine besten Jahre –, die Hälfte meines bisherigen Lebens, das alles wird von seinem aschfahlen Kummer verschluckt, strudelt bereits in die stillen Tiefen seiner Kraft, um für immer zu verschwinden. Ich weiß nicht, was schlimmer ist, der Schmerz, ihm wehzutun, oder der tiefschwarze Abgrund des Entsetzens, ihn zu verlieren.

Lange Zeit sitzen wir da, halten uns an der Hand und weinen. Das ist der Grund, weshalb Menschen ihre Sachen packen und gehen, solange der Partner bei der Arbeit ist: der übermächtige Wunsch, sobald wie möglich vom Tatort zu fliehen. Zuschlagen und die Flucht ergreifen. Aber das erlaube ich mir nicht. Ich werde stundenlang, tagelang, wochenlang mit ihm hier sitzen, zumindest, bis der erste Schock vorbei ist. Das bin ich ihm schuldig.

Die Zeit schleppt sich dahin, wird dunkel. Hand in Hand betreten wir den Weg, der zum Kummer führt. Zwei Wochen später kommt er betrunken nach Hause, hängt den Mantel auf und setzt sich neben mich aufs Sofa. »Ich kapier's nicht. Wie kannst du das machen? Bist du verrückt? Ich kenne jeden Zentimeter deines Körpers.« Aus irgendeinem Grund flüstert er, als hätte er Angst vor der Macht seiner Worte. »Niemand wird dich je so lieben wie ich.«

»Ich weiß«, sage ich. »Niemand wird mich so lieben wie

du. Allerhöchstens kann ich auf eine andere Art von Liebe hoffen.« *Aber was, wenn Scotts Art von Liebe die wahrste ist?* Die gütige Agape versus den tödlichen Eros. Treiben Seelenverwandtschaft und weibliche Erweckung mich dazu, diese Liebe wegzuwerfen, oder sind ein Hormonschub, verbliebene Kindheitstraumata und Midlife-Panik daran schuld? Oder alles zusammen? Glauben Sie mir, wenn ich sage, dass ich das immer noch nicht genau weiß?

»Ich habe immer wieder darüber nachgedacht. Ich verstehe es einfach nicht. Verlässt du mich wegen eines anderen Mannes?«

Durch den Alkohol wird die Kommunikation leichter, er gibt mir die Möglichkeit, meine Feigheit zu überwinden und Scott von Alden zu erzählen. Bis jetzt habe ich mir eingeredet, dass ich ihm Schmerz erspare, wenn ich ihm die Wahrheit vorenthalte, aber ich habe mir auch gelobt, nicht zu lügen, wenn er mich direkt fragt. Ich wappne mich. Zuerst greife ich nach seiner Hand und frage: »Willst du das wirklich wissen?«

»Nein«, sagt er sofort und macht eine Geste, als wollte er meine Worte wegschieben. Er schüttelt den Kopf. »Ich will es nicht wissen. Sag's nicht.«

Er steht auf und geht ins Bad. Eine Woche später ziehe ich aus.

34.

Das neue Jahr

Einen Monat später, mein erstes Weihnachten ohne Scott. Ich verbringe es in Pennsylvania, er in Sacramento mit der Gruppe von Freunden, die er sein Leben lang kennt. Mittlerweile müssen sie mich hassen, aber ich bin sehr dankbar, dass er sie hat.

Als ich zurückkomme, holt Alden mich am Flughafen ab, und wir fahren die Küste hinauf nach Tomales Bay, wo er die Katze seines Freundes Matt hütet. Matt ist seit Kurzem verlobt. In seiner dreistöckigen Wohnung hängen überall Fotos, auf denen er und seine Verlobte Matts kleinen Sohn umarmen. Es gibt einen Kamin, die Küche ist gut ausgestattet, von der großen Terrasse blickt man aufs Meer. Auf dem Regal im Badezimmer stehen reihenweise überdimensionale Glasflaschen mit Vitaminen für Schwangere.

Den Großteil des langen Silvester-Wochenendes verbringen wir zwischen den weichen weißen Decken in ihrem Doppelbett. Schweres Winterlicht fällt schräg durch die Holzrollos. Abends schaffen wir es, ins Wohnzimmer zu gehen, um etwas zu spielen oder einen Film zu sehen, und in die Küche, um Short Ribs zu braten und Wein zu trinken. Die Welt jenseits der Terrasse und des Wasserstreifens, auf den man von ihr blickt, hat auf Pause geschaltet, als würde die Erde bei ihren Umdrehungen innehalten. In fünf Tagen verlasse ich das Haus nur einmal, um ein paar Lebensmittel und einen

Schwangerschaftstest zu besorgen. Meine Periode ist wieder einmal eine Woche zu spät.

»Nie im Leben ist der positiv«, sage ich, als ich auf der Toilette sitze und Alden den Test öffnet. »Ich bin fünfundvierzig.« Obwohl die letzte Untersuchung ergab, dass mein Hormonspiegel noch nicht ganz jenseits der Fruchtbarkeit ist.

»Wie auch immer, Liebling«, sagt er. Offiziell haben wir nicht versucht, schwanger zu werden, obwohl wir definitiv nicht versucht haben, es zu verhindern.

»Ich bin aber zu nervös, um ihn anzusehen«, sage ich und lege das Stäbchen ins Waschbecken. »Es dauert zwei Minuten. Kannst du nachschauen und dann rauskommen und es mir sagen?«

»Klar.«

Ich setze mich nackt aufs Bett, wickele mich gegen die Winterkälte in die Daunendecke. Alden kommt mit dem Stäbchen in der Hand heraus, setzt sich neben mich und legt mir den Arm um die Schulter.

»Negativ«, sagt er.

»Ja, das habe ich gewusst.«

»Bist du traurig?«

»Vielleicht ein bisschen.« Als ich allerdings meine Gefühle näher untersuche, stelle ich fest, dass durch das Glück der vergangenen zweiundsiebzig Stunden sogar die Traurigkeit süß wird. Wenn es nach mir ginge, würde sich die Erde nie weiterdrehen. Ich würde in dieser Wohnung leben und sterben, und es wäre immer fünf Uhr nachmittags an einem Sonntag Anfang Januar.

»Wahrscheinlich bist du jetzt gerade mitten im Zyklus«, sagt er, lässt sich aufs Bett fallen und zieht mich mit. »Wer weiß, vielleicht hast du gerade jetzt den Eisprung.«

»Eher nicht.« Spielerisch drücke ich mich an ihn.

»Das sehen wir mal«, sagt er und presst mich aufs Bett, sodass ich ihm nicht entkommen kann.

Hinterher dreht er sich auf die Seite und stützt sich auf den rechten Ellbogen.

»Streck die Beine in die Luft«, sagt er. In meiner Brust stockt etwas.

Ich schwinge sie in die Höhe, nicht zum Pflug, wie ich es immer tat, nachdem Scott das Zimmer verlassen hatte, aber kerzengerade in die Luft. Mit seinem langen Arm drückt Alden gegen meine Knöchel, mein Becken kippt etwas nach hinten.

»Wie lange müssen sie oben bleiben, damit die kleinen Kerlchen eine Chance haben?«

»Ich weiß nicht genau. Vielleicht zehn Minuten.«

Wie viele Geschichten beginnen damit, dass eine Frau auf der Suche nach Abenteuer, Ganzheit und Heilung ins Unbekannte aufbricht, um am Ende zu heiraten oder ein Kind zu bekommen oder beides? Solche Geschichten glaube ich nie so ganz. Es mag gut sein, dass die Frau ihren Mann und ihr Kind wirklich liebt, aber wir wissen, dass beide völlig neue Herausforderungen mit sich bringen – und wenn nicht sie, dann die Zeit. Das Happy End funktioniert nur, wenn schnell abgeblendet wird. Aber wer den Blick nicht von der Leinwand nimmt, wer ein Stück im Schnelllauf vorspult, sieht eine andere Art Glück, eine weisere, weniger den Umständen geschuldete Art, die sich, auch in der Umgebung geliebter Menschen, in einer größer werdenden Einsamkeit entwickelt.

Ein Jahr, nachdem ich Scott verlassen habe, lebe ich mit Alden in Potrero Hill in einer Wohnung, die fast ausschließlich mit Gegenständen von ihm eingerichtet ist. Abgesehen von meinen Kleidern und Büchern, einem Nachttisch, einem Schreibtisch und einer Bleiglaslampe – das erste Stück, das ich als Erwachsene damals in Sacramento kaufte –, habe ich so gut wie alles bei Scott im Haus gelassen. Alle paar Monate fahre ich in der Sanchez Street vorbei, um Cleo abzuholen oder abzugeben, und dann schnürt es mir die Kehle zu.

Manchmal trete ich durch die Haustür, lasse mich in seine Arme fallen und weine. Ihm kommen auch die Tränen. Dann geht er mit mir in die Küche, vorbei an der Poledance-Stange, und schenkt mir ein Glas selbstgemachten Erdbeerwein ein.

Auch wenn Scott das Haus mit mehr Wein und Kunst und Sachen füllt, die er für den Unterricht braucht, den er mittlerweile hält, und obwohl ich fast alles, was wir während unserer Ehe gekauft haben, dort gelassen habe, kommen mir die Zimmer, die früher solche Behaglichkeit verströmten, irgendwie verwaist vor. Selbst als eine Untermieterin mit ihren Kochbüchern und ihren Fotos einzieht, sieht die voll ausgestattete Küche leer aus. In meinen Augen erwacht das Haus eigentlich erst zwei Jahre später wieder zum Leben, als Scott eine Freundin hat, deren Hobbys Radfahren und Craft Beer sind und nicht Tantra und Therapie.

Zu der Zeit, ich habe gerade meine Arbeit bei der Zeitschrift aufgegeben, um dieses Buch zu schreiben, manifestiert sich die Trauer mit aller Macht. Was ich nicht vorhersehen konnte, war, dass ich selbst bei einer einvernehmlichen Scheidung praktisch alle Aspekte meines früheren Selbst verlieren würde: nicht nur Scott und unser Zuhause und unsere gemeinsamen Freunde, sondern auch unsere gesamte gemeinsame Geschichte, die meine Geschichte ist. Zu den Dingen, die ich meide, weil sie mir zu wehtun, gehören unzählige Alltäglichkeiten, Hunderte von Songs, die ich liebe, mindestens tausend Fotos von der Frau, die ich einmal war. Irgendwie hat durch die Scheidung sogar die Beziehung zu meiner eigenen Familie gelitten, auch wenn alle mich bedingungslos unterstützen.

Immer wieder liege ich um zwei Uhr morgens noch wach, um vier Uhr morgens, und wenn es auf sechs Uhr zugeht und ich noch immer nicht schlafe, packt mich blankes schwarzes Grauen. Alden ist zum Arbeiten oder Schreiben in irgendeiner anderen Stadt. Wir haben festgestellt, dass unsere Beziehung regelmäßige Phasen der Trennung braucht, um Bestand zu haben. Ich hieve mich aus dem Bett, würge anstatt Essen einen Proteinshake hinunter und unternehme halbherzig den Versuch, das Haus für ein paar Stunden zu verlassen. Mein schwerer Körper zittert, alle exponierten Hautstellen können Luft, Lärm, Bewegung kaum ertragen, sodass der Gang zum Café zu einem Marathonlauf der Sinne wird. Um den Tag durchzustehen, brauche ich Dutzende Gebete, SMS an Susan und meine Mutter und ein sengend heißes Bad.

Regelmäßig aber schaffe ich es zum Park oben auf dem Potrero Hill, und von dort schweift mein Blick nach Westen über die Stadt zu Twin Peaks, wo der Sendeturm Sutro Tower über Castro aufragt. Nebel, der vom Pazifik hereinzieht, verhüllt drei Viertel des gigantischen rot-weißen Turms, nur die obersten zwei Spitzen schweben in den Wolken wie ein Schiff mit Masten, das auf See verloren ist. Meine Augen wandern zum Glockenturm der Mission Dolores, dann ein paar Blocks nach Norden, zur Ecke Sanchez Street und Market Street. Irgendwo dort unten in der sich ewig verändernden Stadt hatte ich mein erstes richtiges Zuhause. Ich hatte vierzig Jahre gebraucht, um es zu finden, und ich freute mich keine zwei Jahre daran, ehe ich begann, es niederzureißen. Mir das vor Augen zu führen, ist unerträglich.

Ein Jahr später leben Alden und ich in Los Angeles, und als die Trauer sich einnistet und zu einem festen Bestandteil meiner Selbst wird, treten allmählich gewisse Ähnlichkeiten zutage. Dass ich klar und verschlossen werde, wenn er sich ärgert, ein ruhiger Pol zum Ausgleich für sein Gefühl. Dass ich langsamer und mit ruhigerer Stimme spreche, was zunächst repressiv klingt und dann, nach einer Weile, wie Freundlichkeit. Dass seine Expressivität, die unsere Beziehung belebt und beflügelt, von mir auch verlangt, dass ich bisweilen meine Bedürfnisse zurückstelle. Ich schüttele den Kopf über den karmischen Prozess, durch den ich meine Ehe allmählich zu verstehe lerne, aber erst, nachdem ich sie hinter mir gelassen habe.

Rückblickend bin ich klüger, und mit diesem Wissen erscheint es mir naiv und ungerecht, erwartet zu haben, dass die Ehe mir neben Sicherheit und Freundschaft hinaus auch Leidenschaft bot. Aber auch wenn ich wusste, dass Leidenschaft und Sicherheit nur selten miteinander einhergehen, konnte ich den Wunsch danach nicht aufgeben. Wenn sich im mittleren Alter schonungslos die allerletzten Möglichkeiten auftun, muss man Entscheidungen treffen. Als ich Alden wählte, glaubte ich, auf das eine zugunsten des anderen zu verzichten, doch stattdessen bekam ich beides – Leidenschaft mit ihm und Sicherheit aus einer neuen, unerwarteten Quelle: mir selbst.

Auf diesen Umwegen setzte sich mein Wunsch durch, an den Lektionen vorbei, die ich nicht durch Selbstdisziplin gelernt hatte. Ich bereue nicht, in die Dunkelheit aufgebrochen zu sein, ich bereue meine Leidenschaftlichkeit nicht. Gleichgültig, welchen Preis ich an Schuldgefühlen und Kummer bezahlen musste – und ich wünschte, ich wäre die Einzige, die ihn bezahlte –, ich hörte sehr bald auf, meine Entscheidungen zu hinterfragen, und zwar damals in den ersten Januartagen im Schlafzimmer mit Blick auf die Tomales Bay. Alden hält meine Beine hoch. Wie Sie sicher erraten haben, gibt es kein Kind, das unsere Beziehung ergänzt. Stattdessen gibt es dieses Buch, das Sie in Händen halten. Während ich schweigend neben ihm liege und meine Füße im dunkler werdenden blauen Licht baumeln, nimmt der Raum scharfe Konturen an, und plötzlich erkenne ich ihn als den Ort, der seit Jahren nach mir ruft, wo Verlangen verstanden wird und alles Neue entsteht. Ein heiliger Ort irgendwo auf halbem Weg zwischen dieser und der nächsten Welt, und so wunderschön, dass ich alles gegeben hätte, einen Blick auf ihn zu erhaschen, sei es auch nur für zehn Minuten.

DANK

Allen voran gilt mein Dank Jay O'Rear, meinem Seelenverwandten, der mich auf tausendfache Art bei der Entstehung dieses Buches begleitete und es trotz aller auftretender Schwierigkeiten großzügig unterstützte.

Danke, Scott Mansfield, dass du mich, neben allem anderen, auch noch ermutigt hast, diese Geschichte zu schreiben, und für dein nie versiegendes Verständnis.

Danke, Chris Bull und Matthew Lore, dass ihr mit Nachdruck sagtet: »Darüber musst du ein Buch schreiben«, ehe ich mir das vorstellen konnte, und danke David Hochman, der schon lange vor mir an das Buch glaubte.

Mein Dank gebührt auch meinem Agenten Ethan Bassoff und meiner Lektorin Sarah Crichton; ich betrachte es als Glücksfall, dass ihr euch meiner angenommen habt.

Danke an Sarah Lynch, Leilani Labong, Margaret Jones und Maraya Cornell für die Geduld, mit der ihr Rohfassungen gelesen habt, und für euer wertvolles Feedback.

Danke, Susan Jarolim, Val Pfahning und Amy McCall, meine guten Freundinnen, für eure beständige Unterstützung und schwesterliche Zuneigung bei allem. Und dasselbe gilt für Stacey Cooper und Maria Torre.

Meiner Familie schulde ich unendlichen Dank für ihre bedingungslose Liebe; insbesondere meinen Eltern, die keinen Einspruch erhoben und mich über einige unserer schwierigsten Momente schreiben ließen.

Danke, Mary Karr, dass du das erste Kapitel unerbittlich unterteilt hast. Überhaupt danke ich allen Autorinnen – und allen Feministinnen –, die je gelebt haben.

Und ich danke aus ganzem Herzen allen Lehrern, Freunden und früheren Liebhabern beiderlei Geschlechts, die in diesem Buch erwähnt werden, für das, was wir miteinander hatten und was ein jeder von ihnen mich lehrte. Ich weiß es zu schätzen.